ALERTA NEGRO

PATRICIA D. CORNWELL

ALERTA NEGRO

Tradução:
CELSO NOGUEIRA

Título original:
Black notice

Projeto gráfico de capa:
João Baptista da Costa Aguiar

Foto de capa:
Henk Nieman

Preparação:
Otacílio Nunes Jr.

Revisão:
Cláudia Cantarin
Ana Maria Barbosa

Dados Internacionais de Catalogação na Publicação (CIP)
(Câmara Brasileira do Livro, SP, Brasil)

Cornwell, Patricia D.
Alerta negro / Patricia Cornwell ; tradução Celso Nogueira. — São Paulo : Companhia das Letras, 2004.

Título original: Black notice.
ISBN 85-359-0583-9

1. Ficção policial e de mistério (Literatura norte-americana) 2. Romance norte-americano I. Título.

04-7215 CDD-813.0872

Índice para catálogo sistemático:
1. Ficção policial e de mistério : Literatura norte-americana 813.0872

2004

EDITORA SCHWARCZ LTDA.
Rua Bandeira Paulista, 702, cj. 32
04532-002 — São Paulo — SP
Telefone: (11) 3707-3500
Fax: (11) 3707-3501
www.companhiadasletras.com.br

Para Nina Salter

Águas e Palavras

O terceiro anjo derramou sua taça pelos rios e pelas fontes... E transformaram-se em sangue.

(Apocalipse, 16:4)

BW

6 de dezembro de 1996
Epworth Heights
Ludington, Michigan

Querida Kay,

Estou sentado na varanda contemplando o lago Michigan, enquanto o vento forte me faz lembrar de que preciso cortar o cabelo. Quando estivemos aqui pela última vez, bem me lembro de que você e eu abandonamos nossas profissões e histórias por um momento especial para nós. Kay, preciso que você preste atenção no que vou dizer.

Você está lendo isto porque morri. Quando tomei a decisão de escrever, pedi ao senador Lord que lhe entregasse a carta pessoalmente, no início de dezembro, um ano após minha morte. Sei o quanto o Natal sempre foi difícil para você, e que agora deve ter se tornado insuportável. Minha vida começou quando me apaixonei por você. Agora que ela terminou, seu presente para mim é seguir em frente.

Tenho certeza de que você não teve tempo de lidar com o que aconteceu, Kay. Você certamente correu feito louca de uma cena de crime a outra e fez mais autópsias do que nunca. Deve ter preeenchido todo o tempo com os tribunais, a direção do instituto, as conferências, as preocupações com Lucy, as irritações com Marino, evitando os vizinhos e sentindo medo à noite. Você não tirou férias nem licença médica, por mais que precisasse.

Chegou a hora de parar de driblar a dor e deixar que eu a conforte. Segure minha mão mentalmente e lembre-se das muitas vezes em que conversamos sobre a morte, sem nunca aceitar que doença, acidente ou violência tivessem o poder da aniquilação absoluta, pois nossos corpos são apenas trajes que usamos. Somos muito mais do que isso.

Kay, quero que acredite que estou a observá-la enquanto você lê esta carta, que de algum modo a estou protegendo e que tudo vai dar certo. Peço que faça algo por mim para comemorar a vida que tivemos e que jamais acabará, tenho certeza. Chame Marino e Lucy. Convide os dois para jantar em sua casa, esta noite. Faça um de seus famosos jantares para eles e reserve um lugar para mim.

Eu a amarei para sempre, Kay.

Benton

1

Era um fim de manhã resplandescente, com céu azul e as cores do outono, mas nada daquilo servia de consolo para mim. Agora, a luz do sol e a beleza cabiam a outros; minha vida seguia sombria e silenciosa. Olhei através da janela, um vizinho rastelava as folhas caídas. Eu me sentia desamparada, distante, arrasada.

As palavras de Benton ressuscitaram todas as imagens horríveis que eu havia reprimido. Vi fachos de luz incidindo sobre ossos estraçalhados pelo calor, boiando entre detritos ensopados. Sofri novo abalo quando formas confusas entraram em foco para formar uma cabeça queimada, sem rosto, emoldurada por mechas de cabelo prateado sujo de fuligem.

Sentada à mesa da cozinha, eu bebericava o chá quente que o senador Frank Lord preparou para me acalmar. Estava exausta e meio grogue após os ataques de náuseas que me forçaram a correr duas vezes até o banheiro. Sentia-me mortificada, pois a coisa que mais temia era perder o controle, e acabara de fazer isso.

"Preciso rastelar as folhas de novo", falei tolamente a meu velho amigo. "Seis de dezembro e parece outubro. Olhe lá fora, Frank. As bolotas de carvalho estão imensas, já notou? Dizem que isso indica inverno forte, mas pelo jeito nem teremos inverno de verdade. Não me lembro se há bolotas de carvalho em Washington."

"Sim, há", ele disse. "Se você conseguir encontrar um carvalho, claro."

“São grandes? As bolotas?”

“Vou verificar isso, Kay.”

Cobri o rosto com as mãos e chorei. Ele se levantou da mesa e se aproximou. O senador Lord e eu crescemos juntos em Miami e freqüentamos a mesma escola da diocese, embora eu tenha cursado apenas um ano na St. Brendan's High School, muito tempo depois de sua passagem por lá. Contudo, nossa ligação tênue era um sinal do que estava por vir.

Quando ele era promotor distrital, eu trabalhava para o Departamento de Medicina Legal da comarca de Dade e costumava depor nos casos dele. Quando foi eleito senador federal e em seguida presidente da comissão de justiça, eu era legista-chefe da Virgínia. Ele passou a me chamar para colaborar em sua luta contra o crime.

Surpreendi-me quando ele telefonou, na véspera, para dizer que vinha me visitar e entregar uma coisa importante. Passei a noite praticamente em claro. Fiquei desolada quando ele entrou na cozinha e entregou o envelope branco, comum, que trazia no bolso do paletó.

Sentada a seu lado, agora, via que fazia sentido Benton ter confiado tanto nele. Benton sabia que o senador Lord se preocupava muito comigo e que jamais me decepcionaria. Era típico de Benton armar um plano que seria realizado com perfeição mesmo sem sua supervisão pessoal. Típico dele também prever meu comportamento após sua morte e acertar nos mínimos detalhes.

“Kay”, o senador Lord disse, parado a meu lado enquanto eu chorava, sentada. “Sei o quanto isso é penoso e gostaria de poder fazer com que tudo desaparecesse. Creio que uma das coisas mais difíceis de minha vida foi prometer a Benton que viria aqui. Nunca consegui acreditar que esse dia chegaria, mas chegou e você pode contar comigo.”

Ele ficou um instante calado, depois acrescentou: “Ninguém me pediu para fazer nada assim antes, e olha que já me pediram um bocado de coisas”.

"Ele não era como as outras pessoas", retruquei em voz baixa, tentando me acalmar. "Você sabe disso, Frank. Graças a Deus."

O senador Lord era um sujeito admirável que se portava com a dignidade exigida por seu cargo. Cabelo grisalho farto, olhos azuis penetrantes, ele era alto, esguio e geralmente usava terno escuro clássico realçado por uma gravata vistosa, abotoaduras, relógio de bolso e alfinete de gravata. Levantei-me, respirei fundo, ainda trêmula. Tirei vários lenços de papel da caixa para limpar o rosto e o nariz.

"Foi muita gentileza sua ter vindo", falei.

"O que mais posso fazer por você?", ele disse, com um sorriso triste nos lábios.

"Você já fez o que era preciso, ao vir até aqui. Imagino como foi difícil, com uma agenda cheia como a sua."

"Confesso que vim da Flórida de avião. Por falar nisso, estive com Lucy, ela está fazendo um serviço formidável por lá."

Minha sobrinha Lucy era agente do Departamento de Álcool, Tabaco e Armas de Fogo, o ATF. Fora transferida recentemente para Miami e eu não a via fazia meses.

"Ela sabe da carta?", perguntei ao senador Lord.

"Não", ele respondeu, olhando para o dia perfeito, para além da janela. "Creio que cabe a você informá-la. Lamento dizer isso, mas ela se sente meio abandonada por você."

"Por mim?", perguntei, atônita. "Mas é impossível falar com ela. Eu, pelo menos, não estou infiltrada em quadrilhas de traficantes e outros elementos igualmente ilustres. Ela nem pode telefonar para mim, a não ser quando passa na sede regional ou consegue acesso a um telefone público."

"Você também não é muito fácil de achar. Tem se mantido afastada de todos desde a morte de Benton. Morte no cumprimento do dever. Creio que você nem se deu conta disso", ele falou. "Falo por experiência própria. Também tive dificuldade para falar com você, não é verdade?"

Meus olhos se encheram novamente de lágrimas.

"E quando consigo falar, o que você me diz? *Tudo bem por aqui, mas ando muito ocupada.* Isso sem falar que você não foi me visitar nem uma única vez. Pelo menos antigamente você me levava uma sopinha especial, de vez em quando. Você negligenciou as pessoas que a amam. Além de ter negligenciado a si mesma."

Ele já havia consultado o relógio furtivamente várias vezes. Levantei-me da cadeira.

"Vai voltar para a Flórida?", perguntei, com voz trêmula.

"Não. Vou para Washington", ele disse. "Saí de novo na *Face the Nation.* As mesmas coisas. Isso me revolta tanto, Kay..."

"Gostaria de poder fazer algo para ajudá-lo", falei.

"Há muita sujeira lá, Kay. Se certas pessoas soubessem que estou sozinho com você nesta casa, espalhariam boatos venenosos. Tenho certeza disso."

"Teria sido melhor você não vir, então."

"Nada no mundo me impediria. E eu não deveria me queixar de Washington. Você já tem muitas preocupações."

"Posso testemunhar a favor do seu caráter quando você quiser", falei.

"Não adiantaria nada, acredite."

Acompanhei-o pela casa impecável que eu havia projetado, passando pela mobília fina e pelos instrumentos médicos antigos que eu colecionava, caminhando sobre tapetes orientais e pisos de madeira de lei. Tudo exatamente de acordo com meu gosto, mas tudo diferente do que era quando Benton estava entre nós. Eu cuidava da casa tanto quanto de mim, no momento. Transformei-me numa zeladora desleixada de minha própria vida e isso transparecia em qualquer canto para que eu olhasse.

O senador Lord notou minha maleta médica aberta em cima do sofá da sala de visitas, cheia de pastas de casos. Havia correspondência e memorandos espalhados em cima da mesinha de centro com tampo de vidro, e blocos de anotações no chão. Almofadas fora do lugar, um cinzeiro sujo. Eu voltara a fumar. Ele não me censurou.

"Kay, você compreende que precisarei espaçar os contatos com você, a partir de agora?", o senador Lord disse. "Por causa do que acabei de mencionar."

"Meu Deus, olhe que bagunça", falei revoltada. "Não consigo mais nem manter a casa em ordem."

"Correram boatos", ele prosseguiu cauteloso. "Não vou entrar em detalhes. E ameaças veladas." A raiva tingiu sua voz. "Só por causa de nossa amizade."

"Eu era tão organizada." Ri, desanimada. "Benton e eu vivíamos discutindo por causa da minha casa, das minhas coisas. Minha vida arrumadinha e perfeitamente organizada." Elevei a voz, embriagada de dor e fúria, mais do que nunca. "Se ele tirasse algo do lugar, ou guardasse na gaveta errada... É isso que acontece quando chegamos à meia-idade e estamos acostumados a morar sozinhos e a fazer tudo exatamente do nosso jeito."

"Kay, você está me ouvindo? Não quero que pense que eu não ligo para você, se não telefonar com freqüência. Ou se não a convidar para jantar nem pedir conselhos sobre algum projeto que esteja tentando aprovar."

"No momento, não consigo nem me lembrar de quando Tony e eu nos divorciamos", falei, amargurada. "Mil, novecentos e oitenta e três? Ele foi embora. E daí? Eu não precisava dele, assim como não precisava dos outros que vieram depois. Eu queria viver como bem entendesse, e fiz isso. Minha carreira, minhas coisas, meus investimentos. E olhe só no que deu."

De pé no meio da sala, abrangi com um gesto largo minha linda casa de pedra e tudo o que nela havia.

"E para que serviu? Para que porra serviu?" Olhei para o senador Lord. "Benton podia despejar o lixo no meio dessa porra de casa! Ele podia pôr abaixo este lugar! Eu só queria que nada disso tivesse tido importância, Frank." Enxuguei lágrimas inconformadas. "Eu queria voltar no tempo e nunca criticá-lo por nada. Eu só queria que ele estivesse aqui. Ai, meu Deus, como eu queria que ele estivesse aqui. Acordo todos os dias disposta a não me lembrar, mas tudo volta e eu mal consigo sair da cama."

As lágrimas escorriam pelo meu rosto. Parecia que todos os nervos do meu corpo estavam descontrolados.

"Você fez Benton muito feliz", o senador Lord disse carinhosamente, comovido. "Você era tudo pra ele. Benton me disse que você fazia tudo por ele, que compreendia as dificuldades da vida que ele levava, as coisas horríveis que ele tinha de ver quando trabalhava naqueles casos atrozes, para o FBI. Eu sei que no fundo você sabe disso."

Respirei profundamente e me encostei na porta.

"E sei que ele deseja sua felicidade, que você comece a levar uma vida melhor a partir de agora. Se não fizer isso, o resultado de seu amor por Benton Wesley vai ser prejuízo e erro, algo que arruinou sua vida. No fim das contas, equívoco. Isso faz sentido para você?"

"Sim", falei. "Claro que sim. Sei exatamente o que ele desejaria para mim, agora. E sei o que quero. Chega de viver assim. Não agüento mais. Às vezes acho que vou enlouquecer, perder o juízo e acabar num sanatório. Ou, quem sabe, no meu próprio necrotério."

"Não faça isso." Ele segurou minha mão entre as dele. "Sei de uma coisa a seu respeito. Você sempre sobrevive, contra todas as expectativas. Este momento de sua vida pode ser o mais duro de enfrentar, mas tudo vai melhorar no futuro. Eu garanto, Kay."

Eu o abracei com força.

"Obrigada", murmurei. "Obrigada por ter feito isso, em vez de deixar a carta numa pasta qualquer, sem se lembrar, sem se importar."

"Bem, você me telefona, se precisar?", ele praticamente ordenou, quando eu abri a porta da frente. "Mas tenha sempre em mente o que eu disse, e prometa que não vai se sentir abandonada."

"Eu entendo."

"Estarei sempre à disposição, se você precisar de mim.

Não se esqueça disso. Minha equipe sempre sabe onde estou e pode me localizar."

Observei o Lincoln preto se afastar até sumir, depois voltei para a sala e acendi a lareira, embora o frio não estivesse assim tão forte. Mas eu sentia uma necessidade desesperada de calor e força vital para preencher o vazio deixado pela partida do senador Lord. Li a carta de Benton várias vezes, ouvindo sua voz em minha mente.

Eu o vi de mangas arregaçadas, vi as veias saltadas no antebraço forte, a mão firme e elegante empunhando a caneta-tinteiro Montblanc prateada que eu lhe dera só porque ela era exata e pura como ele. As lágrimas não paravam de escorrer, e eu levantei a folha com as iniciais dele impressas para não borrar o texto.

Sua caligrafia e seu modo de expressão sempre foram decididos e enxutos. Suas palavras eram um conforto e um tormento, e eu as estudei obsessivamente, em busca de um significado a mais, uma mudança de tom, como se as dissecasse. De tempos em tempos eu quase chegava a acreditar que ele me dizia, enigmaticamente, que sua morte não era real, fazia parte de um plano, uma manobra orquestrada pelo FBI, pela CIA, só Deus poderia dizer. Aí a verdade retornava, gelando meu coração vazio. Benton fora torturado e morto. DNA, arcada dentária, objetos pessoais e outros elementos provaram que os restos mortais irreconhecíveis eram dele.

Tentei imaginar como eu poderia honrar seu pedido naquela noite, mas não via como. Seria absurdo fazer Lucy pegar um avião e vir até Richmond só para jantar. Levantei o fone do gancho e tentei falar com ela, de qualquer maneira, pois Benton me pedira. Ela ligou de volta, do celular, uns quinze minutos depois.

"O pessoal da sede disse que você me procurou. O que foi?", ela disse, animada.

"É difícil de explicar", falei. "Eu preferia não ter de passar sempre pelo controle do seu departamento para falar com você."

"Eu também."

"Sei que não posso falar nada..." Eu estava ficando irritada novamente.

"Aconteceu alguma coisa?", ela me interrompeu.

"Benton escreveu uma carta..."

"Conversamos mais tarde." Ela me interrompeu de novo, e entendi ou pelo menos pensei que tinha entendido. Telefones celulares não são seguros.

"Vire à direita ali", Lucy disse a alguém. "Desculpe", falou ao retomar a conversa comigo. "Vamos dar uma parada em Los Bobos para tomar uma colada."

"Como?"

"Café forte com açúcar num copinho para aperitivo."

"Bem, foi uma coisa que ele escreveu para ser lida agora, hoje. Ele queria que você... Bem, melhor deixar pra lá. É uma bobagem." Tentei dar a impressão de que lidava bem com aquilo tudo.

"Preciso desligar", Lucy disse.

"Pode me ligar mais tarde?"

"Vou ligar", ela disse, com certa irritação na voz.

"Com quem você está?" Eu prolongava a conversa porque precisava ouvir a voz dela, não queria desligar com uma frase fria a ecoar nos ouvidos.

"Minha parceira psicótica", ela disse.

"Mande lembranças."

"Ela mandou lembranças", Lucy disse à companheira Jo, da DEA, o departamento de narcóticos dos Estados Unidos. Elas trabalhavam juntas numa Área de Alta Intensidade de Tráfico de Drogas, ou HIDTA, e no momento investigavam uma série de ataques muito violentos a residências. O relacionamento entre Jo e Lucy era de parceria também em outro sentido, mas elas se comportavam de modo discreto. Creio que nem o ATF nem a DEA sabiam disso.

"Mais tarde", Lucy disse, e a linha ficou muda.

2

Eu conhecia o capitão Pete Marino, da polícia de Richmond, fazia tanto tempo que por vezes parecia que estávamos um dentro da cabeça do outro. Portanto, não me surpreendi quando ele me ligou antes que eu tivesse a chance de procurá-lo.

"Você parece péssima", ele disse. "Pegou um resfriado?"

"Não", falei. "Fico contente que você tenha ligado, pois eu ia lhe telefonar."

"É mesmo?"

Ele fumava enquanto dirigia sua picape ou uma viatura policial, percebi. Os dois veículos eram equipados com rádios e comunicadores que faziam muito barulho.

"Onde você está?", perguntei.

"Circulando, ouvindo o rádio", ele disse, como se estivesse com a capota abaixada num lindo dia. "Contando as horas que faltam para eu me aposentar. A vida não é bela? Não falta nada, exceto o canto mavioso do pássaro da felicidade."

Seu sarcasmo era tão corrosivo que poderia furar uma folha de papel.

"O que aconteceu com você?"

"Achei que você já soubesse sobre o cadáver em decomposição que acabaram de encontrar no porto de Richmond", ele retrucou. "As pessoas vomitavam assim que viam, pelo que soube. Ainda bem que essa porra não é problema meu."

Minha mente se recusava a funcionar. Eu não conseguia compreender o que ele dizia. O aviso de chamada pendente na outra linha piscou. Passei o telefone sem fio para a outra orelha ao entrar no escritório, onde puxei uma cadeira para me sentar na frente da escrivaninha.

"Que cadáver?", perguntei a ele. "Marino, espere um segundo", falei quando a luz de chamada pendente começou a piscar de novo. "Preciso saber quem é, na outra linha. Não desligue." Acionei a tecla de mudança de linha.

"Scarpetta", falei.

"Aqui é o Jack", disse Jack Fielding, meu assistente-chefe. "Encontraram um corpo dentro de um contêiner de carga no porto de Richmond. Em adiantado estado de decomposição."

"Marino acabou de me contar", falei.

"Pelo seu tom de voz, você deve estar gripada. Acho que eu também estou pegando uma gripe. E Chuck chegou atrasado. Disse que não está se sentindo bem."

"O contêiner acabou de ser descarregado de um navio?", interrompi.

"O *Sirius*, como a estrela. Situação macabra, sem sombra de dúvida. O que você quer que eu faça?"

Eu já estava anotando tudo numa ficha de atendimento com uma caligrafia mais ilegível do que de costume. Meu sistema nervoso central travara feito um disco rígido defeituoso.

"Vou cuidar disso", falei sem pensar, embora as palavras de Benton ainda ecoassem na minha cabeça.

Eu ia fugir e correr novamente. Mais depressa ainda dessa vez.

"Não precisa fazer isso, doutora Scarpetta", Fielding disse, como se estivesse no comando. "Pode deixar que eu vou até lá. Hoje é seu dia de folga."

"Com quem devo falar ao chegar lá?", perguntei. Não queria que ele viesse de novo com aquela conversa.

Fazia meses que Fielding me implorava que eu tirasse uma folga, que viajasse por uma ou duas semanas, ou mesmo que considerasse a hipótese de um ano sabático.

Eu não agüentava mais gente me olhando com ar preocupado. Enfurecia-me a insinuação de que a morte de Benton afetara meu desempenho profissional, de que eu me isolara da equipe e de outras pessoas e vivia cansada e distante.

"A detetive Anderson nos avisou. Ela está na cena do crime", Fielding disse.

"Quem?"

"Deve ser nova. Pode deixar, doutora Scarpetta. Cuido disso. Por que você não descansa um pouco? Fique em casa."

Lembrei-me de que Marino aguardava na outra linha. Voltei a ele para dizer que telefonaria assim que terminasse de falar com meu assistente. Ele já havia desligado.

"Como faço para chegar lá?", perguntei a meu assistente.

"Pelo visto você não vai aceitar minha oferta."

"Saio de casa, pego a Downtown Expressway. E depois?", perguntei.

Ele ensinou o caminho e eu desliguei. Corri para o quarto, ainda com a carta de Benton na mão. Não sabia onde guardá-la. Impossível enfiar a carta numa gaveta ou numa pasta de arquivo. Inadmissível perdê-la ou deixar que a empregada a visse, e eu não queria que ficasse num local onde eu poderia vê-la e perder o controle outra vez. Meus pensamentos giravam descontrolados, o coração batia forte, a adrenalina corria vigorosa em meu sangue enquanto eu olhava para o envelope creme com o nome "Kay" escrito com a letra despojada e firme de Benton.

Decidi guardá-la no cofre pequeno à prova de fogo que havia no meu closet. Agitada, tentei me lembrar de onde estava a combinação.

"Estou perdendo a cabeça", falei em voz alta.

A combinação estava onde eu sempre a deixava, entre as páginas 670 e 671 da sétima edição da *Medicina tropical* de Hunter. Tranquei a carta no cofre e voltei ao banheiro para lavar o rosto com água fria. Telefonei para Rose, minha secretária, e pedi que mandasse a viatura para o porto de Richmond. O pessoal da remoção deveria me procurar lá, dentro de uma hora e meia.

"Informe que o corpo está decomposto", enfatizei.

"Como você vai chegar lá?", Rose perguntou. "Eu ia sugerir que você passasse aqui primeiro e pegasse a Suburban, mas Chuck levou a perua para trocar o óleo."

"Eu achava que ele estava doente."

"Ele apareceu há quinze minutos e saiu com a Suburban."

"Certo. Vou no meu carro mesmo, Rose. Vou precisar de Luma-Lite e de uma extensão elétrica de trinta metros. Peça a alguém para me esperar no estacionamento com o material. Telefonarei quando estiver chegando."

"Acho melhor você saber que Jean está furiosa."

"Qual é o problema?", indaguei, surpresa.

Jean Adams era a administradora, e raramente demonstrava alguma emoção. Fúria, então, nem pensar.

"Parece que o dinheiro do café sumiu. Você sabe que não é a primeira vez que isso acontece..."

"Droga", falei. "Onde o guardavam?"

"Na gaveta da escrivaninha de Jean, trancado a chave. Não parece que a fechadura tenha sido forçada. Mas ela abriu a gaveta esta manhã e o dinheiro tinha sumido. Cento e onze dólares e trinta e cinco centavos."

"Isso precisa acabar", falei.

"Não sei se você já sabe das novidades", Rose prosseguiu. "Almoços desapareceram da copa. Na semana passada Cleta esqueceu o celular em cima da mesa, e quando voltou na manhã seguinte o aparelho tinha sumido. O mesmo aconteceu com o doutor Riley. Ele deixou uma caneta-tinteiro cara no bolso do jaleco. No dia seguinte, nada da caneta."

"As faxineiras do turno da noite?"

"Talvez", Rose disse. "Mas, se você quer saber o que eu acho, doutora Scarpetta, é que foi alguém daqui mesmo. Não quero acusar ninguém, mas tenho essa impressão."

"Concordo. Não podemos acusar ninguém. Alguma boa notícia, hoje?"

"Até agora, nada", Rose respondeu, serenamente.

Rose trabalhava para mim desde que eu havia sido nomeada legista-chefe. Isso queria dizer que ela cuidou da minha vida praticamente durante minha carreira profissional inteira. Ela tinha a notável capacidade de saber tudo o que acontecia sem se envolver. Minha secretária permanecia impecável, e, embora o pessoal da equipe sentisse certo medo dela, corria para procurá-la sempre que surgia um problema.

"Acho bom tomar cuidado com sua saúde, doutora Scarpetta. Sua voz está péssima. Por que não manda o Jack ao local da ocorrência e fica em casa, pra variar?"

"Vou no meu carro", falei enquanto a dor tomava conta de mim e transparecia em minha voz.

Rose entendeu e se calou. Ouvi o farfalhar dos papéis em sua mesa. Sabia que ela queria dizer algo para me reconfortar, e que eu nunca permitia isso.

"Bem, troque de roupa antes de voltar", ela disse, finalmente.

"Voltar para onde?"

"Para o carro", ela disse, como se eu nunca tivesse lidado com um corpo decomposto antes.

"Obrigada, Rose", falei.

3

Acionei o alarme contra ladrão e tranquei a casa antes de acender a luz da garagem, onde abri um armário grande de cedro com orifícios para ventilação no alto e na base. Dentro dele havia botas de cano alto, botas de borracha, luvas de couro grossas e um capote Barbour com revestimento à prova d'água que parecia encerado.

Ali eu guardava meias grossas, roupa de baixo, agasalhos de moletom e outras peças que não poderiam ficar dentro de casa. Após o uso ia tudo para a pia industrial de aço inox, depois para a máquina de lavar e de secar na qual minhas roupas normais não entravam.

Peguei um conjunto de moletom, um par de tênis Reebok preto de couro e um boné do Departamento de Medicina Legal. Joguei tudo no porta-malas. Conferi o conteúdo de minha maleta Halliburton de alumínio para garantir que havia uma quantidade suficiente de luvas de látex, sacos grossos de lixo, plásticos descartáveis, máquina fotográfica e filmes. Saí com o coração pesado, pois as palavras de Benton ainda ecoavam em meus ouvidos. Tentei bloquear sua voz, seu sorriso, o toque de sua pele. Acima de tudo, queria esquecê-lo. Mas não conseguia.

Liguei o rádio enquanto seguia pela Downtown Expressway, no rumo da I-95. O céu de Richmond brilhava ao sol. Quando eu reduzia a velocidade no pedágio de Lonbardy Plaza, o telefone celular tocou. Era Marino.

"Achei melhor avisar. Vou dar uma passadinha lá", ele disse.

Quando mudei de faixa ouvi o som de uma buzina, pois fechara um Toyota prateado que estava na ponto cego do retrovisor. O motorista passou por mim gritando palavras obscenas que não distingui direito.

"Vá pro inferno", falei quando passava.

"Como é?", Marino perguntou em voz tão alta, que doeu em meu ouvido.

"Um motorista idiota."

"Certo. Já ouviu falar em violência no trânsito, doutora?"

"Sim, e acabo de topar com ela."

Peguei a saída para a Ninth Street, no rumo do necrotério onde trabalho, e avisei a Rose de que chegaria em poucos minutos. Quando finalmente entrei no estacionamento, vi Fielding, que me esperava com a maleta de instrumentos e a extensão.

"Pelo jeito, a Suburban ainda não voltou", falei.

"Não", ele respondeu enquanto colocava o equipamento no porta-malas do meu carro. "Vai ser um espetáculo sua chegada no local neste carro. Imagino os estivadores todos reunidos, vendo a loira bonita descer do Mercedes preto. Se quiser, você pode ir no meu carro."

Meu musculoso assistente acabara de se divorciar. Para comemorar, trocara o Mustang por uma Corvette vermelha.

"Sensacional", falei secamente. "Se você não se importar. Por mim, sendo V-8, tudo bem."

"Claro, tudo bem. Telefone para mim se precisar. Você sabe o caminho, não é?"

"Acho que sim."

Segui para o sul, conforme suas instruções, e já estava quase em Petersburg quando saí da via principal e passei pelos fundos da fábrica da Philip Morris, chegando aos trilhos do trem. A via estreita me levou até um terreno baldio grande, coberto de mato, que terminava abruptamente num portão com guarita. Senti-me como se cruzasse a fronteira de um país inimigo. Adiante havia um pátio ferroviário e centenas de contêineres alaranjados em pilhas de três ou quatro. Um guarda que levava seu serviço a sério saiu da guarita. Abaixei o vidro da janela.

"Posso ajudar, senhora?", ele disse em tom seco, militar.

"Sou a doutora Kay Scarpetta."

"E com quem gostaria de falar?"

"Estou aqui porque houve uma morte", expliquei. "Sou a legista-chefe."

Mostrei minhas credenciais. Ele as pegou na mão e examinou cuidadosamente. Percebi que ignorava o que fosse uma legista e que não pretendia perguntar.

"Então você é chefe", ele disse, me devolvendo a carteira preta gasta. "Chefe do quê?"

"Do Departamento de Medicina Legal da Virgínia", expliquei. "A polícia me espera."

Ele voltou para dentro da guarita e pegou o telefone, enquanto minha impaciência crescia. Pelo jeito, sempre que eu precisava entrar numa área restrita tinha de passar por aquele constrangimento. Pensava que era por eu ser mulher, e no passado remoto talvez isso fosse verdade, pelo menos às vezes. Atualmente, creio que as ameaças do terrorismo, a criminalidade e as ações na justiça serviam melhor como explicação. O guarda anotou os dados do meu carro e me passou a prancheta para eu assinar e o crachá de visitante, que não prendi na roupa.

"Está vendo aquele pinheiro ali?", ele disse, apontando com o dedo.

"Vejo vários pinheiros."

"O pequeno, meio torto. Entre à esquerda e siga em frente até a beira da água, senhora", ele disse. "E tenha um bom dia."

Segui em frente, passando por pneus enormes empilhados e vários prédios de tijolo vermelho aparente com placas que os identificavam como Alfândega e Terminal Marítimo Federal. No porto em si havia galpões imensos cheios de contêineres cor de laranja enfileirados para embarque como se fossem animais gigantes a comer em cochos. Ancorados no píer do rio James, vi dois navios de carga, o *Euroclip* e o *Sirius*, cada um deles do tamanho de dois campos de futebol. Guindastes com dezenas de metros pendiam acima dos conveses, cujas aberturas eram maiores que piscinas.

Fitas amarelas de isolamento, presas a cones para fechar o trânsito, cercavam um contêiner que estava em cima de uma carreta. Não havia ninguém por perto. Na verdade, não vi sinal da polícia, exceto pelo Caprice azul sem identificação na beira da área de manobra. O sujeito ao volante conversava pela janela aberta com um homem de camisa branca e gravata. O serviço fora interrompido. Estivadores de capacete plástico e colete refletor esperavam com ar entediado, tomando refrigerante e água mineral, ou fumando.

Telefonei para o departamento e pedi para falar com Fielding.

"Quando você recebeu a notificação a respeito do corpo?", perguntei.

"Espere um pouco. Vou consultar a ficha." Farfalhar de papéis. "Exatamente às dez e cinqüenta e três."

"E quando o corpo foi encontrado?"

"Bem, parece que Anderson não sabia."

"Droga. Como alguém pode não ter uma informação dessas?"

"Como eu já disse, ela é nova."

"Fielding, não há um policial sequer à vista, a não ser ela, ou pelo menos eu suponho que seja Anderson. O que ela disse exatamente quando telefonou para informar?"

"Encontro de cadáver, adiantado estado de decomposição, pediu sua presença no local."

"Ela mencionou especificamente o meu nome?"

"Isso mesmo. Puxa vida, você é sempre a preferida das pessoas. Isso não chega a ser novidade. Mas ela disse que Marino falou para ela mandar você para lá."

"Marino?", perguntei, surpresa. "Ele disse a *ela* para *me* chamar?"

"Sim, eu achei que foi um pouco de falta de respeito da parte dele."

Lembrei-me de que Marino mencionara sua intenção de dar uma *passadinha* no local e fiquei furiosa. Ele manda uma novata me dar ordens, e, se estiver disposto, passa por ali para ver se estamos fazendo tudo certinho?

"Fielding, quando falou com ele pela última vez?"

"Faz semanas. Ele anda muito rabugento."

"Ele vai ver alguém rabugento se e quando resolver nos dar a honra da tal passadinha", prometi.

Os trabalhadores das docas ficaram olhando quando desci do carro e abri o porta-malas. Peguei a maleta de instrumentos, o agasalho de moletom e os sapatos, sentindo os olhos cravados em mim enquanto eu seguia até o carro de polícia e me irritava mais a cada passo, pois a valise pesada batia em minha perna.

O sujeito de camisa e gravata parecia afogueado e infeliz ao erguer a mão para proteger a vista e observar melhor dois helicópteros de emissoras de televisão que sobrevoavam o porto a cerca de cem metros de altura.

"Repórteres", resmungou, e olhou para mim.

"Estou procurando o responsável pela cena do crime", falei.

"Sou eu", disse uma voz feminina de dentro do Caprice.

Debrucei-me e olhei através da janela para a moça sentada ao volante. Era bronzeada, usava o cabelo castanho cortado curto e para trás, o nariz e o queixo eram firmes. Tinha olhos duros e vestia calça jeans folgada e desbotada com camiseta branca. Calçava botas de couro preto e exibia o distintivo num colar. O ar-condicionado estava no máximo e o rádio despejava rock de surfista, encobrindo os diálogos dos policiais pelo rádio.

"Detetive Anderson, suponho", falei.

"Rene Anderson. Sou eu mesma. Você deve ser a doutora de quem tanto falam", disse ela, com a arrogância que eu associava a pessoas sem a menor noção do que estavam fazendo.

"Sou Joe Shaw, diretor do porto", disse o homem ao se apresentar a mim. "Você deve ser a pessoa que acabou de chegar, segundo o guarda."

Ele tinha aproximadamente a minha idade, cabelo louro, olhos azuis-claros e pele crestada por muitos anos de sol em excesso. Dava para perceber por sua expressão que ele detestava Anderson e tudo o que dizia respeito àquele dia.

"Você tem alguma informação útil para me fornecer antes que eu comece?", perguntei a Anderson aos gritos, para que me ouvisse apesar do vento e do ruído provocados pelas pás do helicóptero. "Por exemplo, por que não há policiais vigiando a cena do crime?"

"Não precisava", Anderson disse, abrindo a porta com o joelho. "Até parece que alguém pode entrar aqui a hora que bem entender. Você não viu isso, quando chegou?"

Coloquei a valise de alumínio no chão. Anderson aproximou-se da lateral do meu carro. Era tão baixa que me assustou.

"Não tem muita coisa para saber", ela me disse. "Você já está vendo tudo. Um contêiner com um corpo decomposto dentro."

"Nada disso, detetive Anderson. Você pode me dizer muitas coisas", retruquei. "Como o cadáver foi descoberto, e a que horas? Já o viu? Alguém se aproximou do corpo? A cena foi contaminada de algum modo? E acho melhor que a resposta à última pergunta seja *não*, pois isso é responsabilidade sua."

Ela riu. Vesti o conjunto de moletom por cima da roupa.

"Ninguém se aproximou", ela disse. "Ninguém quis saber de chegar perto."

"Nem precisa entrar para saber o que há lá dentro", Shaw acrescentou.

Troquei meu sapato pelo Reebok preto e coloquei o

boné de beisebol. Anderson não tirava os olhos do meu Mercedes.

"Eu devia trabalhar para o governo estadual", ela disse.

Medi-a de cima a baixo.

"Sugiro que se proteja para entrar lá", falei.

"Preciso dar uns telefonemas", ela disse, afastando-se.

"Não gosto de dizer às pessoas como elas devem fazer seu trabalho", Shaw comentou. "Mas o que está havendo aqui? Temos um cadáver bem na nossa frente e a polícia manda essa merdinha?"

Ele apertava os maxilares com força, seu rosto estava vermelho e pingava suor.

"A gente não fatura nada nesse ramo se as cargas não estiverem em movimento", prosseguiu. "E nada se mexe aqui faz duas horas e meia, pombas."

Ele se esforçava ao máximo para não falar palavrões na minha presença.

"Claro, sei que a morte de alguém é algo sério", ele disse. "Mas eu realmente preferia que você e sua turma fizessem logo o serviço e fossem embora." Ele olhou para cima de novo. "E isso inclui a imprensa."

"Senhor Shaw, qual era a carga desse contêiner?", perguntei.

"Equipamentos fotográficos alemães. Saiba que o lacre do contêiner não foi quebrado. Pelo jeito, não mexeram na carga."

"Quem coloca o lacre é o exportador, na origem?"

"Isso mesmo."

"Portanto a vítima, morta ou viva, provavelmente já estava dento do contêiner quando ele foi selado, certo?"

"É o que tudo indica. O número de referência confere com o que foi fornecido pelo despachante aduaneiro, não há nada de extraordinário. Na verdade, a carga já havia sido liberada pela alfândega. Faz cinco dias", Shaw esclareceu. "Por isso já estava em cima da carreta. Foi aí que sentimos o cheiro e decidimos que a carga não ia a lugar nenhum."

Olhei em torno, examinando o cenário cautelosamente. Uma brisa suave fazia com que pesadas correntes batessem contra guindastes que descarregavam vergalhões de aço do *Euroclip*, em três pontos simultaneamente, quando toda a atividade cessou. Empilhadeiras e caminhões foram abandonados. O pessoal das docas e a tripulação não tinham o que fazer e nos observavam, formando grupos no pátio.

Alguns espiavam da proa do navio e pelas escotilhas do castelo. O calor fumegava no asfalto sujo de óleo, onde havia armações de madeira, trilhos e separadores. Um trem CSX passava ruidoso pela ferrovia, atrás dos galpões. O cheiro de creolina era forte, mas não o bastante para eliminar o fedor de carne humana podre que esvoaçava feito fumaça.

"Qual o porto de origem do navio?", perguntei a Shaw enquanto via uma viatura estacionar ao lado do Mercedes.

"Antuérpia, na Bélgica. Partiu faz duas semanas", ele respondeu, olhando para o *Sirius* e para o *Euroclip*. "Navio de bandeira estrangeira, como o resto. As únicas bandeiras norte-americanas que vemos são aquelas que hasteiam por cortesia, em alguns navios", acrescentou com um traço de ressentimento.

Um sujeito, parado no convés do *Euroclip*, nos observava através de binóculos. Achei esquisito que usasse manga comprida e calça apesar do calor.

Shaw fechou um pouco os olhos. "Puxa vida, que sol forte."

"E quanto a clandestinos?", perguntei. "Embora eu não consiga imaginar por que alguém escolheria passar duas semanas trancado num contêiner, em alto-mar."

"Nunca houve um caso, que eu saiba. Além disso, não somos o primeiro porto. O navio passou antes por Chester, na Pensilvânia. A maioria dos navios faz a rota de Antuérpia a Chester e passa por aqui antes de retornar direto para a Antuérpia. Um clandestino provavelmente tentaria escapar em Chester, em vez de esperar a chegada a Richmond.

Somos um porto de passagem, doutora Scarpetta", Shaw prosseguiu.

Observei atônita Pete Marino descer da viatura que acabara de estacionar ao lado do meu carro.

"No ano passado cerca de cento e vinte navios e balsas oceânicas ancoraram neste porto", Shaw explicava.

Marino era policial desde quando eu o conhecera. Nunca usava uniforme.

"Se eu estivesse no lugar dele e quisesse pegar carona num navio, ou me tornar imigrante ilegal, escolheria um porto grande, como Miami ou Los Angeles, onde poderia sumir no meio da confusão."

Anderson caminhava em nossa direção, mascando chiclete.

"Portanto, não rompemos o lacre e abrimos um contêiner à toa. Só quando suspeitamos de algo ilegal, drogas, carga não declarada", Shaw continuou. "De vez em quando pegamos um navio ao acaso e fazemos uma busca rigorosa, só para incentivar o pessoal a andar na linha."

"Ainda bem que não preciso mais usar isso", Anderson comentou quando Marino veio em nossa direção no passo marcial e agressivo que sempre adotava quando estava inseguro e muito contrariado.

"Por que ele está usando farda?", perguntei a ela.

"Ele foi transferido."

"Entendo."

"Houve muitas mudanças no departamento desde que a chefe interina Bray assumiu", Anderson disse, como se sentisse orgulho do fato.

Não consegui imaginar um motivo para alguém mandar um policial tão valioso vestir farda. Tampouco sabia quando isso ocorrera. Fiquei magoada por Marino não ter me contado e envergonhada por não ter descoberto. Fazia semanas, talvez um mês, que eu não telefonava para saber se ele estava bem. Não me lembrava da última ocasião em que o convidara para tomar um café em meu departamento ou jantar em minha casa.

"O que está havendo aqui?", ele perguntou, à guisa de cumprimento.

Ele não olhou para Anderson nem de relance.

"Sou Joe Shaw. Tudo bem?"

"Tudo uma merda", Marino retrucou, irritado. "Anderson, você mesma resolveu assumir este caso sozinha? Ou o resto da polícia prefere nem chegar perto de você?"

Ela o encarou. Tirou o chiclete da boca e jogou fora, como se Marino tivesse feito com que ele perdesse o sabor.

"Esqueceu de convidar o pessoal para a sua festinha?", ele prosseguiu. "Caramba!" Estava furioso. "Nunca vi isso na vida!"

Marino estava preso numa camisa branca abotoada até o colarinho e usava gravata de nó falso. A pança enorme lutava contra a calça azul-escura e um cinto de couro cheio de tralhas: pistola Sig-Sauer 9 milímetros, algemas, pentes de munição, spray de pimenta e outros equipamentos. Seu rosto estava vermelho. Ele pingava suor, e um par de óculos Oakley enegrecia seus olhos.

"Precisamos conversar", falei.

Tentei puxá-lo de lado, mas ele se encolheu. Tirou um Marlboro do maço que sempre levava consigo, escondido em algum lugar.

"Gostou da minha roupa nova?", perguntou, sarcástico. "A chefe interina Bray achou que eu precisava mudar o guarda-roupa."

"Marino, não precisamos de você aqui", Anderson disse a ele. "Na verdade, aposto que você não quer que ninguém saiba de sua idéia de passar por aqui."

"Para você, é *capitão Marino.*" Ele soprou a fumaça junto com as palavras. "Acho melhor fechar o bico, pois sou seu superior hierárquico, meu bem."

Shaw escutou as grosserias sem dizer uma palavra.

"Não acredito que alguém ainda chame policiais de *meu bem*", Anderson disse.

"Preciso cuidar do caso", falei.

"Temos de passar pelo depósito para chegar lá", Shaw explicou.

Ele guiou Marino e a mim até a porta do galpão que dava para o rio. O depósito era imenso, mal iluminado, abafado. Um cheiro adocicado de tabaco pairava no ar. Milhares de fardos embrulhados em estopa estavam empilhados em armações de madeira. Havia também toneladas de areia rica em silicato de magnésio, material usado na indústria siderúrgica, acho. E máquinas destinadas a Trinidad, de acordo com o que constava nos caixotes.

Alguns compartimentos adiante estava o contêiner, encostado numa doca de descarga. À medida que nos aproximávamos, o cheiro se intensificava. Paramos na fita de isolamento policial estendida na frente da porta aberta do contêiner. O odor era denso, asfixiante, como se tivesse tomado o lugar de cada molécula de oxigênio do ar. Forcei meus sentidos a não formarem opinião a respeito. Moscas haviam começado a enxamear, fazendo um zumbido desagradável que me lembrava o ruído agudo de um aeromodelo com controle remoto.

"Havia moscas quando o contêiner foi aberto?", perguntei a Shaw.

"Não havia tantas."

"Você chegou muito perto?", perguntei, vendo que Marino e Anderson se aproximavam de nós.

"O suficiente", Shaw respondeu.

"Alguém entrou lá?" Eu precisava ter certeza.

"Ninguém, isso eu garanto." O cheiro o incomodava muito.

Marino permanecia impassível. Puxou outro cigarro e ficou resmungando enquanto procurava o isqueiro.

"Então, Anderson", ele disse, "imagine se for algum bicho. Afinal, você não entrou para olhar. Puxa vida, vai que um cachorrão ficou trancado lá dentro acidentalmente. Seria uma pena convocar a doutora até aqui, além da imprensa em peso, para descobrir que um vira-lata do porto morreu e apodreceu aí."

Ele e eu sabíamos que não era cão, porco ou cavalo, nem outro animal qualquer, ali dentro. Abri a valise de equipamentos enquanto Marino e Anderson continuavam a se aporrinhar. Guardei a chave do carro na maleta, calcei várias luvas e vesti a máscara cirúrgica. Preparei a Nikon 35 milímetros, instalando o flash e lentes de 28 milímetros. Coloquei filme ASA 400, para as imagens não granularem muito, e calcei galochas esterilizadas por cima do tênis.

"É igualzinho a quando sentimos mau cheiro vindo de uma casa fechada no meio do verão. Olhamos pela janela. Arrombamos a porta, se for preciso. Precisamos ter certeza de que é humano antes de chamar o legista", Marino disse, continuando a instruir sua nova pupila.

Passei por baixo do cordão de isolamento e entrei no contêiner escuro, sentindo alívio ao perceber que apenas a metade estava ocupada por caixas brancas de papelão empilhadas organizadamente, o que me deixava espaço suficiente para circular. Segui com a ajuda do facho da lanterna, que eu movia para um lado e para o outro.

Perto do fundo a lanterna iluminou uma fileira de caixas na parte inferior, ensopada com o líquido avermelhado que escorre pelo nariz e pela boca de um corpo em decomposição. A luz seguiu a mancha, chegando aos sapatos e pernas para depois iluminar um rosto inchado e barbudo contra o fundo escuro. Olhos esbranquiçados e arregalados me encaravam, a língua inchara tanto que saíra da boca, dando a impressão de que o morto zombava de mim. Minhas galochas revestidas de plástico emitiam ruídos pegajosos quando eu pisava.

O cadáver estava vestido e sentado num canto, apoiado nas laterais metálicas do contêiner. As pernas estavam estendidas e as mãos juntas no colo, sob uma caixa que presumivelmente caíra em cima dele. Afastei a caixa e procurei ferimentos ou marcas que indicassem tentativa de defesa, ou arranhões e unhas quebradas que indicassem esforço para escapar. Não vi sangue nas roupas nem sinais óbvios de ferimentos ou indicações de luta no local.

Procurei comida e água, provisões e orifícios para ventilação nas laterais do contêiner. Não encontrei nada.

Avancei por entre as fileiras de caixas, agachando-me para iluminar obliquamente o piso metálico, em busca de pegadas. Claro, havia muitas, por toda parte. Avançava alguns centímetros por vez, sentindo os joelhos doloridos. Achei uma lixeira plástica vazia. Depois, duas moedas prateadas. Aproximei-me delas. Um marco alemão e outra que não reconheci. Não toquei em nada.

Marino parecia a quilômetros de distância, parado na entrada do contêiner.

"A chave do meu carro está na maleta", gritei sem tirar a máscara.

"Como é?", ele disse, olhando para dentro.

"Você poderia pegar o Luma-Lite? Preciso do aparelho de fibra óptica e da extensão. Veja se o senhor Shaw pode ajudá-lo a encontrar algum lugar para enfiá-la. Precisa ser aterrada, cento e vinte volts."

"Adoro quando você diz obscenidades", ele falou.

4

O Luma-Lite é uma fonte de luz alternada com um tubo em arco que emite quinze watts de energia luminosa a 450 nanômetros, com faixa de freqüência de vinte nanômetros. Pode identificar fluidos corporais, como sangue ou sêmen, assim como drogas, impressões digitais, indícios microscópicos e surpresas inesperadas, invisíveis a olho nu.

Shaw localizou uma tomada no depósito, e eu cobri os pés de alumínio do Luma-Lite com sacos plásticos descartáveis para assegurar que nenhum fragmento de cenas anteriores fosse transferido para aquela. A fonte de luz alternada se assemelhava bastante a um projetor doméstico, e eu a posicionei em cima de uma caixa, dentro do contêiner. Deixei o ventilador ligado por um minuto, antes de acionar o interruptor.

Enquanto esperava a lâmpada chegar à potência máxima, Marino surgiu com os óculos cor de âmbar que precisávamos usar para proteger a vista da luz intensa. As moscas enxameavam. Batiam em nossos corpos, tontas, e zumbiam alto nos ouvidos.

"Cacete, odeio moscas!", Marino reclamou, tentando afastá-las com gestos largos.

Notei que ele não usava macacão, apenas luvas e proteção no sapato.

"Você pretende voltar para casa dirigindo um carro fechado como o seu?", perguntei.

"Tenho outra farda no porta-malas. Para o caso de alguém me sujar ou algo assim."

"Para o caso de você se sujar ou algo assim", falei, consultando o relógio. "Só falta um minuto."

"Você percebeu como a Anderson sumiu, convenientemente? Eu calculei que ela faria isso, no instante em que soube do caso. Só não entendo o fato de ela ser a única por aqui. Caramba, tem algo de muito estranho no ar."

"E como ela se tornou detetive de homicídios, afinal?"

"Puxando o saco da Bray. Ouvi dizer que ela faz servicinhos variados para a chefe, leva o Crown Vic preto bacaninha zero quilômetro cheio de frescuras para lavar, aposto que também aponta os lápis e engraxa os sapatos dela."

"Podemos prosseguir", falei.

Iniciei a verificação com um filtro de 450 nanômetros capaz de detectar uma imensa variedade de resíduos e manchas. Através dos óculos escuros víamos o interior do contêiner como um espaço negro impenetrável com algumas formas brancas e amarelas de diferentes tonalidades que brilhavam quando eu apontava a lâmpada para elas. A luz azul projetada revelou cabelos no chão e fibras por toda parte, como era de se esperar numa área de intensa movimentação, usada para estocar carga que passava pela mão de muita gente. As caixas de papelão branco brilhavam suaves, como se estivessem ao luar.

Transferi o Luma-Lite para o fundo do contêiner. Os fluidos corporais do cadáver não fluoresceram, e o corpo não passava de uma forma escura irregular, num dos cantos.

"Se ele morreu de causas naturais", Marino disse, "por que está sentado desse jeito, com as mãos no colo, como se estivesse na igreja?"

"Se ele morreu por falta de ar, desidratação ou insolação, poderia ter morrido sentado."

"Para mim, é muito esquisito."

"Estou apenas dizendo que seria possível. Falta espaço, aqui. Pode me passar a fibra óptica, por favor?"

Ele tropeçou nas caixas quando vinha em minha direção.

"Acho melhor tirar os óculos para vir até aqui", sugeri, pois não dava para ver nada com eles, exceto a luz forte que não estava na linha de visão de Marino no momento.

"Nem pensar", ele disse. "Ouvi dizer que basta olhar uma vez, e zap. Catarata, câncer, tudo quanto é desgraça."

"Pode até virar estátua."

"Hã?"

"Marino! Cuidado!"

Ele se chocou comigo e depois disso não sei bem o que aconteceu, mas de repente as caixas começaram a cair em cima dele, que quase me derrubou ao desabar no chão.

"Marino?" Fiquei desorientada, assustada. "Marino!"

Desliguei o Luma-Lite e tirei os óculos para enxergar melhor.

"Filho-da-puta desgraçado!", ele gritou, como se tivesse sido picado por uma cobra.

Marino escorregou, caiu de costas e começou a dar pontapés para todos os lados, tentando afastar as caixas de cima dele. O balde plástico de lixo saiu voando. Agachei-me a seu lado.

"Fique quieto", ordenei com firmeza. "Não faça mais nada até ter certeza de que está tudo bem."

"Minha nossa! Que merda! Essas coisas caíram em cima de mim!", ele gritou, em pânico.

"Você se machucou?"

"Meu Deus. Acho que vou vomitar. Minha nossa, que horror!"

Ele se levantou, afastando as caixas a pontapés, e seguiu cambaleando para a porta do contêiner. Ouvi quando vomitou. Depois soltou um gemido e vomitou de novo.

"Isso, assim você vai se sentir melhor", falei.

Ele abriu a camisa branca, engasgando, ofegante, com dificuldade para puxar as mangas. Ficou de camiseta, embolou o que restava da camisa e jogou fora.

"E se ele tiver Aids?" A voz de Marino soava como um sino à meia-noite.

"Ninguém pode pegar Aids assim", falei.

"Porra!" Ele voltou a vomitar.

"Posso terminar sozinha, Marino", falei.

"Espere só um minuto."

"Por que você não sai e procura uma ducha?"

"Não conte isso para ninguém", ele disse, e percebi que se referia a Anderson. "Sabe, aposto que se pode conseguir uma nota com esse equipamento fotográfico."

"Com certeza."

"Fico pensando no que vão fazer com a mercadoria."

"O serviço de remoção já chegou?", perguntei.

Ele aproximou o rádio portátil dos lábios.

"Meu Deus do céu!" Ele engasgou e vomitou mais um pouco.

Depois de energicamente limpar o rádio na calça, ele pigarreou para soltar o muco da garganta e escarrou.

"Unidade nove", disse no ar, mantendo o rádio afastado do rosto uns trinta centímetros.

"Unidade nove, pode falar."

Uma mulher atendeu. Senti calor em sua voz, uma surpresa. Operadores e atendentes do 911 quase sempre se mantinham calmos e não demonstravam suas emoções, por mais terrível que fosse a emergência.

"Dez-cinco Rene Anderson", Marino disse. "Não sei o número de sua unidade. Diga a ela que precisamos do pessoal da remoção aqui, se não for incômodo."

"Unidade nove. Sabe o nome do serviço?"

"Ei, doutora." Marino parou de transmitir e levantou a voz para falar comigo. "Qual é o nome do serviço?"

"Capital Transport."

Ele passou a informação adiante, acrescentando: "Rádio, se ela for dez-dois, dez-dez ou dez-sete, ou se nós devemos dez-vinte-dois, me avisem."

Muitos policiais clicaram os microfones, um sinal combinado para risos e incentivo.

"Dez-quatro, unidade nove", a operadora disse.

"O que você acabou de dizer que causou tamanha comoção? Sei que dez-sete é fora de serviço, mas não entendi o resto."

"Pedi a ela para me avisar se Anderson tinha *sinal fraco* ou *negativo*, ou se *poderia pegar no tranco*. E que talvez fosse melhor simplesmente *descartá-la*."

"Não admira que ela o ame tanto."

"Ela é uma grande merda."

"Por acaso você sabe que fim levou o cabo de fibra óptica?", perguntei.

"Estava na minha mão."

Encontrei-o onde Marino escorregara e derrubara as caixas.

"E se ele tiver Aids?", Marino insistiu.

"Se quiser se preocupar com alguma coisa, prefira as bactérias gram-negativas. Ou gram-positivas. Clostrídio. Estreptococos. Se você tiver algum machucado não cicatrizado, pior ainda. Mas acho que não tem nenhum."

Inseri o plugue na tomada e a outra ponta no equipamento, apertando os parafusos de fixação. Ele não me escutava.

"Ninguém vai falar isso de mim! Que eu sou uma bicha louca! Prefiro comer minha arma, você vai ver!"

"Você não vai pegar Aids, Marino", repeti.

Liguei a lâmpada de novo. Precisava esquentar durante quatro minutos, pelo menos, até que eu pudesse acendê-la.

"Cortei a unha ontem, e ela sangrou! Tenho uma ferida que ainda não cicatrizou, sabia?"

"Você está usando luvas, certo?"

"E se eu pegar uma doença mortal? Vou matar aquela anã vagabunda."

Presumi que se referia a Anderson.

"Bray vai acabar com ela, também. Vou dar um jeito."

"Marino, fique quieto", falei.

"Como você reagiria, se fosse você?"

"Você não imagina quantas vezes isso já aconteceu comigo. O que acha que eu faço o dia inteiro?"

"Aposto que não cai em cima dos fluidos cadavéricos!"

"*Fluidos cadavéricos?*"

"Não sabemos nada a respeito do defunto. E se houver doenças terríveis na Bélgica que não podem ser tratadas aqui?"

"Marino, fique quieto", insisti.

"Não!"

"Marino..."

"Tenho o direito de ficar incomodado!"

"Tudo bem. Mas saia daqui." Minha paciência se esgotara. "Você atrapalha minha concentração. Está interferindo em tudo. Tome uma ducha e uns goles de bourbon."

O Luma-Lite chegou ao ponto adequado e eu pus os óculos de proteção. Marino ficou quieto.

"Não vou embora", ele disse finalmente.

Empunhei o aparelho de fibra óptica como se fosse um ferro de solda. O facho de luz azulada que pulsava intensamente era fino como uma mina de grafite. Comecei a examinar áreas pequenas.

"Achou algo?", ele perguntou.

"Até agora, nada."

Seus sapatos pegajosos se aproximavam à medida que eu trabalhava, cobrindo centímetro por centímetro dos locais aonde a luz maior não chegava. Debrucei o corpo para a frente, pois queria olhar as costas e a nuca. Depois, examinei a virilha. Verifiquei as palmas das mãos. O Luma-Lite identificava fluidos corporais como urina, sêmen, suor e saliva, além de sangue, claro. Mas nada brilhava, ainda. Eu sentia dores nas costas e no pescoço.

"Aposto que ele já estava morto quando o puseram aí", Marino disse.

"Vamos saber muitas coisas quando ele chegar ao necrotério."

Levantei-me e a luz intensa passou pelo canto de uma caixa que saíra do lugar quando Marino escorregara. Um pedaço do que parecia ser uma letra Y brilhou, esverdeado como néon, na escuridão.

"Marino", falei. "Veja só."

Letra por letra, iluminamos palavras manuscritas em

francês. Tinham cerca de dez centímetros de altura e um formato retangular estranho, como se um braço mecânico as tivesse desenhado com movimentos angulares. Precisei pensar um pouco até entender o sentido.

"*Bon voyage, le loup-garou*", li.

Marino se debruçara por cima de mim, bafejando em meu cabelo. "Mas que diabo é um *loup-garou*?"

"Não sei."

Examinei a caixa atentamente. Estava úmida em cima e seca no fundo.

"Digitais? Vê alguma na caixa?", Marino perguntou.

"Tenho certeza de que há inúmeras impressões digitais por aqui", respondi. "Mas, até agora, nenhuma brilhou."

"Você acha que o autor da frase queria que alguém a descobrisse?"

"Provavelmente. Ele usou um tipo de tinta fluorescente. Vamos deixar o pessoal das digitais trabalhar. A caixa vai para o laboratório, e precisamos recolher um pouco dos pêlos do chão para o exame de DNA, se for o caso de fazê-lo. Depois das fotos podemos sair daqui."

"Acho melhor pegar as moedas, já que estamos aqui", ele disse.

"Acho bom, mesmo", falei, olhando na direção da entrada do contêiner.

Alguém espiava para dentro. O sol forte e o céu azul desenhavam a silhueta nitidamente, mas não reconheci quem era.

"Onde está o pessoal da polícia científica?", perguntei a Marino.

"Não faço idéia."

"Droga!", falei.

"O que foi?", Marino disse.

"Tivemos dois homicídios na semana passada e as coisas não foram assim."

"Você não esteve na cena dos crimes, portanto não sabe como foram as coisas", ele disse, com razão.

"Alguém do meu departamento esteve lá. Se ocorresse algum problema, eu saberia..."

"Não se o problema não fosse óbvio", ele alegou. "E o problema não era óbvio, claro, pois este é o primeiro caso de Anderson. Agora é óbvio."

"Como assim?"

"Detetive novinha em folha. Ela é capaz de ter plantado esse corpo aqui só para ter o que fazer."

"Ela disse que você pediu a ela que ligasse para mim."

"Claro. Como se eu não pudesse ser incomodado, mandasse recadinhos para você, só para ver se você fica brava. Ela mente mais que a boca."

Terminamos uma hora depois. Saímos daquele local malcheiroso e escuro e retornamos ao galpão. Anderson estava no compartimento vazio ao lado do nosso, conversando com um homem que eu conhecia, o chefe adjunto Al Carson, supervisor de investigações. Concluí que era ele a figura que vira na entrada do contêiner, pouco antes. Passei por ela sem dizer nada e o cumprimentei enquanto olhava para saber se o serviço de remoção já havia chegado. Senti alívio ao notar dois homens de macacão parados ao lado da perua azul-escura. Conversavam com Shaw.

"Tudo bem, Al?", falei ao chefe adjunto Carson.

Ele estava na ativa havia muito tempo, tanto quanto eu. Era um sujeito calmo, educado, criado numa fazenda.

"Vou levando, doutora", ele disse. "Pelo jeito soltaram uma bomba na sua mão."

"Parece que sim", concordei.

"Eu estava de serviço, resolvi dar uma passada para ver se está tudo em ordem."

Carson não dava "passadas" em cenas de homicídio. Estava tenso e parecia deprimido. Mais importante, dava a Anderson a mesma atenção que nós, ou seja, nenhuma.

"Está tudo sob controle", Anderson disse, atropelando descaradamente a hierarquia para responder ao chefe Carson. "Conversei com o diretor do porto e..."

Sua voz sumiu quando ela viu Marino. Ou talvez tenha sentido o cheiro primeiro.

"Oi, Pete", Carson disse, mais animado. "O que foi, meu velho? Instituíram um novo padrão no departamento de uniformes e não me avisaram?"

"Detetive Anderson", chamei quando ela tentou se afastar de Marino o máximo possível, "preciso saber quem é o responsável por este caso. Onde estão os técnicos da polícia científica? Por que o serviço de remoção demorou tanto para chegar aqui?"

"Pois é, chefe. O serviço disfarçado funciona assim. A gente tira a farda", Marino respondeu em voz alta.

Carson caiu na gargalhada.

"E posso saber por que você não estava no local coletando provas e colaborando no que fosse possível?", continuei a pressionar Anderson.

"Não devo satisfações a você", ela retrucou, dando de ombros.

"Então fique sabendo de uma coisa", rebati num tom que atraiu sua atenção de imediato, "é exatamente a mim que você deve satisfações quando há um cadáver."

"... aposto que a Bray abusou do serviço disfarçado, antes de chegar à chefia. Figuras como ela sentem necessidade de ficar por cima", Marino disse, piscando.

O brilho nos olhos de Carson se apagou. Ele parecia deprimido outra vez. Cansado, como se a vida o tivesse pressionado até seu limite.

"Al?" Marino falava sério agora. "O que está acontecendo, porra? Por que não tem ninguém aqui nessa festa?"

Um Crown Victoria preto reluzente vinha na direção do estacionamento.

"Bem, preciso ir andando", Carson disse abruptamente, e sua fisionomia indicava que a mente já estava em outro lugar. "Vamos nos encontrar no bar da polícia. Você paga a cerveja. Lembra de quando Louisville derrotou Charlotte e você perdeu a aposta, cara?"

Carson se foi, ignorando Anderson totalmente, pois estava claro que não tinha nenhuma autoridade sobre ela.

"Ei, Anderson", Marino disse, batendo nas costas da moça.

Ela engasgou, levando a mão à boca e ao nariz para tossir.

"Você gosta de trabalhar para Carson? Grande sujeito, né?", ele disse.

Ela recuou e Marino a acompanhou de perto. Até eu estava assustada com Marino, de calça malcheirosa e luvas e sapatos imundos. A camiseta nunca mais voltaria a ser branca, e havia buracos grandes onde o tecido perdera a briga com a barriga. Ele chegou tão perto de Anderson que dava a impressão de querer beijá-la.

"Você está fedendo!", ela disse, tentando se afastar.

"Gozado, não é, isso vive acontecendo no tipo de trabalho que escolhemos."

"Afaste-se de mim!"

Mas ele não pretendia obedecer. Ela foi para um lado e para outro, e a cada passo ele bloqueava sua passagem como se fosse uma montanha, até que a moça ficou prensada contra pilhas de plástico destinadas ao Caribe.

"Agora me explique o que você está fazendo, porra." Suas palavras a encurralaram ainda mais. "Temos um corpo apodrecendo num contêiner de carga num porto internacional onde metade das pessoas nem fala inglês e você resolve lidar com tudo sozinha, cacete?"

O pedrisco chiou no estacionamento, pois o Crown Victoria preto tinha pressa.

"A detetive caloura ganhou seu primeiro caso. E aproveitou para chamar a legista-chefe e os helicópteros da tevê, certo?"

"Vou denunciá-lo à Corregedoria", Anderson gritou. "Vou conseguir uma ordem para afastá-lo de mim!"

"Com base no quê? Fedor?"

"Você está ferrado!"

"Eu não. Quem está ferrado é nosso amigo ali." Marino apontou para o contêiner. "E quem está ferrada é você, se um dia precisar dar um depoimento no tribunal a respeito do caso."

"Marino, já chega", falei, enquanto o Crown Victoria invadia a área restrita.

"Ei!" Shaw corria atrás do carro, acenando. "Não pode estacionar aqui!"

"Você é um velho fracassado e estúpido", Anderson gritou para Marino enquanto se afastava.

Marino tirou a luva e removeu o papel plastificado que protegia o sapato, pisando em cada pedaço com o outro pé antes de puxar. Levantou a camisa imunda pela gravata, que se soltou. Irritado, pisoteou-as como se estivessem em chamas. Esperei e calmamente recolhi as duas peças, as quais guardei com as minhas numa sacola vermelha para material biologicamente contaminado.

"Já terminou?", perguntei a ele.

"Ainda nem comecei", Marino disse, observando a porta do motorista do Crown Victoria que se abria para um policial de farda sair.

Anderson deu a volta pela lateral do galpão e seguiu na direção de seu carro. Shaw caminhava apressado, também, e os estivadores das docas olhavam interessados para a impressionante mulher fardada que descia do banco traseiro. Ela olhou em torno e o mundo olhou de volta. Alguém assobiou. E mais alguém. Logo as docas pareciam um encontro de juízes apitando todas as faltas imagináveis.

"Aposto que é a Bray", falei a Marino.

5

A estática das moscas ansiosas enchia o ar, como se o calor e o passar do tempo aumentassem seu volume. Os atendentes do serviço de remoção levaram a maca até o depósito e esperavam por mim.

"Uau", um dos atendentes exclamou, balançando a cabeça, com ar desesperado. "Que horror, que horror."

"Já sei", falei, calçando luvas e galochas novas. "Vou entrar primeiro. Não vai demorar muito, prometo."

"Por mim, tudo bem. Pode entrar na frente, doutora."

Retornei ao interior do contêiner e eles me acompanharam, medindo cuidadosamente os passos, segurando a maca com força na altura da cintura, como se fosse uma liteira. Ofegavam sob a máscara cirúrgica. Eram dois sujeitos maduros e obesos, já tinham passado da idade de carregar cadáveres pesados.

"Vamos pegá-lo pelas pernas e pelos pés", instruí. "Com cuidado, pois a pele pode se romper e descolar. É melhor segurar nas roupas."

Eles baixaram a maca e se debruçaram sobre os pés do morto.

"Que horror", um deles repetiu.

Segurei o cadáver pelas axilas. Eles se encarregaram dos tornozelos.

"Muito bem, agora vamos levantá-lo quando eu chegar no três", falei. "Um, dois, três."

Os dois homens lutavam para manter o equilíbrio. Recuaram, resfolegando. O corpo cedia, pois o *rigor mortis* chegara e passara. Depositamos o cadáver no centro da maca e dobramos a cobertura. Fechei o zíper do saco preto, e os atendentes levaram o corpo embora. Eles o conduziriam até o necrotério, onde eu faria o possível para que ele conversasse comigo.

"Merda!", ouvi um deles dizer. "Não ganho o suficiente para aturar isso!"

"Só você?"

Segui-os para fora do depósito. O sol forte cegava, o ar estava límpido. Marino continuava com a camiseta imunda, falando com Anderson e Bray nas docas. Pelo modo como gesticulava, deduzi que a presença de Bray freara seus ímpetos. Os olhos dela fixaram-se em mim quando me aproximei. Como não se apresentou, tomei a iniciativa, sem estender a mão.

"Sou a doutora Scarpetta", falei.

Ela retribuiu meu cumprimento com um aceno discreto, como se não fizesse a menor idéia de quem eu era e do que fazia ali.

"Creio que seria uma boa idéia conversarmos um pouco", acrescentei.

"Quem você disse que é, mesmo?", Bray perguntou.

"Essa é boa!", Marino explodiu. "Ela sabe muito bem quem você é."

"Capitão." O tom de voz de Bray lembrava o estalar de um chicote.

"Sou a legista-chefe", informei a Bray o que ela já sabia. "Kay Scarpetta."

Marino revirou os olhos para o alto. Anderson não escondeu a inveja e o ressentimento quando Bray sugeriu que nos afastássemos, com um gesto curto. Fomos até a beira do cais, onde o *Sirius* estava atracado, erguendo-se acima de nós praticamente sem se mexer, apesar da correnteza azul enlameada.

"Lamento não ter reconhecido seu nome imediatamente", ela começou.

Não falei nada.

"Foi descortês de minha parte", prosseguiu.

Permaneci em silêncio.

"Eu deveria ter marcado uma reunião com você antes. Mas ando ocupada demais. Bem, aqui estamos nós. Acabou sendo bom, assim. É o momento perfeito, pode-se dizer." Ela sorriu. "Perfeito para nos conhecermos."

Diane Bray era uma mulher formosa, soberba, de cabelos negros e traços perfeitos. Sua presença era impressionante. Os estivadores não conseguiam tirar os olhos dela.

"Sabe", ela prosseguiu no mesmo tom frio, "tenho um probleminha. O capitão Marino é meu subordinado, mas pensa que trabalha para você."

"Absurdo", falei finalmente.

Ela suspirou.

"Você tirou da cidade o detetive de homicídios mais decente e experiente que conheço, chefe Bray, e eu gostaria de saber o motivo."

"Aposto que gostaria."

"O que você pretende, afinal?", indaguei.

"Chegou a hora de renovar a equipe, de ter detetives que podem usar computador e que têm e-mail. Sabe que Marino não consegue nem usar o processador de texto? Ainda bate à máquina com dois dedos!"

Não pude acreditar que ela estava dizendo aquelas coisas para mim.

"Sem falar nos pequenos detalhes. Ele é insubordinado e se recusa a aprender. Seu comportamento grosseiro envergonha o departamento de polícia inteiro", prosseguiu.

Anderson se afastara, deixando Marino sozinho, fumando encostado no carro. Seus braços e ombros eram gordos, peludos, e a calça, abaixo da barriga, corria o risco de escorregar de vez. Sabia que fora humilhado, pois recusava-se a olhar em nossa direção.

"Por que não há ninguém da polícia técnica aqui?", perguntei a Bray.

Um trabalhador do porto acotovelou outro e colocou

as mãos no peito, separadas, em concha, imitando os seios enormes de Bray.

"Por que você está aqui?", perguntei a ela.

"Porque fui informada de que Marino estava aqui", ela respondeu. "Ele recebeu ordens expressas. Eu queria comprovar que ele havia ignorado descaradamente minhas instruções."

"Ele está aqui porque alguém tinha de vir."

"Ele veio para cá porque quis." Ela cravou os olhos em mim. "E porque você veio. Esse é o motivo real, não concorda, doutora Scarpetta? Marino é seu detetive pessoal. Tem sido assim há anos."

Seus olhos se fixavam em pontos que eu não conseguia ver, e ela parecia abrir caminho por partes sagradas do meu corpo e compreender o significado de minhas inúmeras barreiras. Analisou meu rosto e meu corpo, não entendi se os comparava com os dela ou se avaliava algo que talvez viesse a desejar.

"Deixe-o em paz", falei. "Você está tentando desmotivá-lo. No fundo, quer acabar com ele, pois não consegue controlá-lo."

"Ninguém jamais conseguiu controlá-lo", ela comentou. "Por isso o mandaram para mim."

"*Mandaram* para você?"

"A detetive Anderson é o sangue novo de que precisamos. Só Deus sabe o quanto esse departamento precisa de gente nova."

"A detetive Anderson é incompetente, ignorante e covarde", repliquei.

"Com tamanha experiência, Kay, você certamente pode tolerar uma pessoa nova e orientá-la um pouco, não é mesmo?"

"Não há como ensinar quem não deseja aprender."

"Suponho que você andou dando ouvidos a Marino. Segundo ele, ninguém é competente, preparado ou interessado pelo serviço."

Eu não agüentava mais aquela mulher. Mudei de posição para tirar o máximo de proveito da mudança de direção do vento. Dei um passo a fim de me aproximar dela, pois pretendia esfregar seu nariz numa pequena poça de realidade.

"Nunca mais faça isso comigo, chefe Bray", exigi. "Nunca mais me chame, nem ninguém do meu departamento, para o local de um crime onde haja um idiota que nem se dá ao trabalho de recolher provas. E não me chame de *Kay*."

Ela recuou por causa do mau cheiro que eu exalava, mas não antes que eu notasse sua careta de nojo.

"Vamos almoçar qualquer dia desses", ela disse para me dispensar, enquanto chamava o motorista.

"Simmons? A que horas é meu próximo compromisso?", perguntou, olhando para o navio. Obviamente, estava adorando ser o centro das atenções.

Ela caprichava nos movimentos sedutores, esfregando as costas na altura dos quadris, enfiando a mão no bolso traseiro da calça da farda, passando a mão pela gravata na altura dos seios, distraída.

Simmons era bem-apessoado, em ótima forma, mas quando tirou o papel dobrado do bolso suas mãos tremiam. Ela se aproximou e ele limpou a garganta.

"Dois-quinze, chefe", disse.

"Deixe-me ver." Ela se debruçou, esfregando-se no braço dele, demorando-se de propósito na consulta da agenda, e reclamou: "Ah, não! Aquela reunião idiota na escola de novo!".

O policial Simmons mudou o pé de apoio, e uma gota de suor escorreu por sua têmpora. Parecia apavorado.

"Telefone e cancele."

"Pois não, chefe."

"Espere um pouco. Talvez seja melhor adiar apenas."

Ela pegou o papel das mãos de Simmons, esfregando-se nele como uma gata lânguida, e a fúria na fisionomia de Anderson me surpreendeu. Marino veio conversar quando eu estava a caminho de meu carro.

"Viu como ela se pavoneia?", ele perguntou.

"Não para cima de mim."

"Não se iluda, fique atenta. Estou avisando, aquela vaca é perigosa."

"Qual é o problema dela?"

Marino deu de ombros. "Nunca se casou, ninguém estava à sua altura. Trepa com um monte de caras poderosos, mesmo casados, pelo que dizem. Tudo para ela é uma questão de poder, doutora. Corre que o projeto dela é chegar a secretária de Segurança Pública para ter a polícia do estado inteiro a seus lindos pezões."

"Impossível."

"Não tenha tanta certeza. Ouvi dizer que ela tem amigos no alto escalão, gente influente na Virgínia, esse foi um dos motivos para nos enfiarem a figura goela abaixo. Ela vai aprontar alguma, víboras desse tipo sempre têm algum plano secreto."

Abri o porta-malas, cansada e deprimida, pois o trauma inicial do dia voltara com tanta força que parecia me empurrar contra o carro.

"Você não vai fazer nada hoje, né?", Marino perguntou.

"Claro que não", respondi. "Seria injusto com ele."

Marino me olhou, intrigado. Senti que me observava enquanto eu tirava o moletom e os tênis e os guardava dentro de um saco e depois dentro de outro.

"Marino, por favor, me dê um cigarro."

"Não posso acreditar que você vai fumar."

"Tem uns cinqüenta milhões de toneladas de tabaco naquele depósito. O cheiro me deu vontade de fumar."

"Não foi de tabaco o cheiro que eu senti."

"Conte o que está acontecendo", falei ao devolver o isqueiro.

"Você viu o que está acontecendo. Ela explicou tudo, aposto."

"Explicou mesmo. Mas não entendi nada. Ela é responsável pela divisão uniformizada, não pelo departamento de investigações. Ela disse que ninguém consegue controlar você, por isso foi encarregada de lidar pessoalmente com o problema. Por quê? Quando chegou aqui, você nem estava sob as ordens dela. Por que ela se importa com você?"

"Vai ver ela me acha um gato."

"Só pode ser isso", falei.

Ele soltou uma baforada com a força de quem sopra velas de aniversário e olhou para a camiseta como se apenas naquele momento se desse conta de que a usava. As mãos imensas e gordas embranqueceram por causa do talco das luvas cirúrgicas, e por um momento ele expôs toda a sua fragilidade e carência. Mas logo retomou a pose cínica e indiferente.

"Sabe, eu poderia me aposentar agora, se quisesse, e receber uma pensão de quarenta mil por ano."

"Venha jantar comigo, Marino."

"Se a gente juntar isso com o que eu poderia ganhar com consultoria de segurança e outras coisas, daria para viver muito bem. Não precisaria mais engolir merda todos os dias, no meio desse monte de vermes que se acham muito sabidos."

"Pediram que eu o convidasse."

"Quem pediu?", ele perguntou, desconfiado.

"Você saberá quando chegar lá."

"Mas de que diabo você está falando?", ele perguntou, bravo.

"Pelo amor de Deus, tome um banho e ponha uma roupa que não espante a cidade inteira. Depois, vá lá pra casa. Por volta das seis e meia."

"Bem, caso você ainda não tenha notado, doutora, estou no turno das três às onze, esta semana. E das onze às sete na semana que vem. Fui nomeado comandante de plantão na nova escala, para a cidade inteira, caramba. E a única hora em que precisam de um comandante de plantão é quando todos os outros comandantes estão fora de serviço, ou seja, de manhã cedo, tarde da noite e nos finais de semana. Portanto, vou passar o resto da vida jantando no carro."

"Você tem rádio", argumentei. "Moro no centro, não

fica fora de sua jurisdição. Vá até minha casa. Se for chamado, paciência, você atende."

Entrei no carro e liguei o motor.

"Não sei se vai dar", ele disse.

"Eu recebi um pedido...", comecei a dizer, mas as lágrimas ameaçaram brotar novamente. "Eu ia ligar quando você me telefonou."

"É? Isso não faz sentido. Quem falou para me convidar? Lucy está na cidade?"

Marino ficou contente ao pensar que ela havia pensado nele, deduzindo que a solicitação partira de minha sobrinha, e que essa seria a explicação para minha hospitalidade.

"Eu bem que gostaria que ela estivesse. Seis e meia, está bom?"

Ele hesitou mais um pouco, espantando as moscas, cheirando mal.

"Marino, preciso muito que você vá", falei, limpando a garganta. "É muito importante para mim. Um caso pessoal muito importante."

Foi muito difícil dizer aquilo. Creio que jamais havia dito que precisava dele como pessoa. Não me lembro de ter pronunciado frases do gênero para ninguém, exceto para Benton.

"Falo sério", insisti.

Marino apagou o cigarro com o pé até restar apenas tabaco esmagado e papel picado. Acendeu outro e olhou para o lado.

"Sabe, doutora, eu preciso largar isso. E o Wild Turkey. Ando abusando demais de tudo. Tudo bem. Depende do que vai ter para o jantar."

6

Marino foi tomar banho em algum lugar e eu senti o espírito mais leve, como se uma convulsão terrível tivesse cedido por um momento. Estacionei no acesso de casa, peguei no porta-malas do carro o saco com as roupas sujas usadas na cena do crime e iniciei o ritual de desinfetar que venho repetindo praticamente desde que começara minha vida profissional.

Abri os sacos de lixo dentro da garagem e joguei-os num tanque de água fervente, sabão em pó e alvejante, junto com os tênis. Pus o conjunto de moletom na máquina de lavar roupa, mexi os tênis e os sacos com uma colher grande de pau e os enxagüei. Coloquei os dois sacos de lixo num saco maior, que foi para o latão de lixo contaminado, e deixei os tênis ensopados numa prateleira, para secar.

Tudo o que eu vestia, dos jeans a lingerie, foi para a máquina de lavar também. Mais sabão em pó e alvejante. Em seguida corri nua pela casa até chegar ao banheiro, onde me esfreguei inteira com Phisoderm, sem esquecer um centímetro sequer, inclusive dentro do nariz e do ouvido, sob as unhas dos dedos das mãos e dos pés. Escovei os dentes durante o banho.

Sentei-me na borda da banheira e senti a água batendo na nuca e nas costas, lembrando o modo como os dedos de Benton percorriam meus músculos e tendões. *Para desempená-los*, era o que ele dizia sempre, na época. Sua falta provocava em mim uma dor sufocante. Eu podia sentir o que estava lembrando como se estivesse sentindo agora, e me perguntava o que seria necessário para viver no momento em que eu estava, e não no passado. O sofrimento não cedia. Eu não abria mão do sentimento de perda; fazer isso seria aceitar a realidade. Era o que eu sempre dizia para famílias e amigos que sofriam perdas.

Vesti calça cáqui, sapato baixo, blusa azul listrada e liguei o aparelho de som para ouvir um CD de Mozart. Reguei as plantas e removi as folhas mortas. Arrumei e lustrei o que foi preciso, depois guardei o material de limpeza longe das vistas alheias. Telefonei para minha mãe em Miami, pois sabia que segunda-feira era noite de bingo, portanto ela não estaria em casa e bastaria eu deixar um recado. Não liguei a tevê para não ser lembrada do que acabara de fazer tanto esforço para afastar da mente.

Me servi de um Scotch duplo, fui para o escritório e acendi a luz. Examinei as estantes cheias de livros de medicina e ciência, uma enciclopédia Britannica, obras diversas sobre jardinagem, flora e fauna, insetos, rochas e minerais, até ferramentas. Achei o dicionário de francês e o levei para a escrivaninha. *Loup* era lobo, mas não tive sorte com *garou*. Tentei imaginar um jeito de contornar o problema e resolvi principiar por um plano simples.

La Petite France era um dos melhores restaurantes da cidade. Embora fechasse nas segundas à noite, eu conhecia bem o chef e sua esposa. Telefonei para a casa deles. Ao telefone, o cozinheiro foi cortês como sempre.

"Faz tempo que você não aparece", disse. "Sentimos sua falta."

"Tenho saído pouco", falei.

"Você trabalha demais, Kay."

"Preciso de ajuda numa tradução", falei. "E também que isso fique entre nós. Nem uma palavra a ninguém."

"Fique tranqüila."

"O que é um *loup-garou*?"

"Kay, você anda tendo pesadelos?", ele disse, intrigado. "Ainda bem que não estamos na lua cheia! *Loup-garou* quer dizer lobisomem!"

A campainha tocou.

"Na França, há mais de um século, eles enforcavam suspeitos de serem lobisomens. Havia muitos relatos de *loup-garou*, entende?"

Consultei o relógio. Seis e quinze. Marino chegara cedo e me pegara desprevenida.

"Obrigado", agradeci a meu amigo cozinheiro. "Eu apareço em breve, prometo."

A campainha tocou de novo.

"Cheguei", Marino disse no porteiro eletrônico.

Desativei o alarme e abri a porta para ele. Usava farda limpa, penteara o cabelo e tomara um banho de loção pós-barba.

"Está bem melhor do que quando o vi pela última vez", comentei enquanto íamos para a cozinha.

"Pelo jeito, você fez faxina na casa", ele disse quando passamos pela sala de jantar.

"Estava mais do que na hora", falei.

Chegamos à cozinha e ele ocupou o lugar de sempre, na mesa próxima da janela. Ele me olhava com olhos curiosos. Tirei o alho e o fermento da geladeira.

"Então, qual é o cardápio? Posso fumar aqui?"

"Não."

"Você fuma."

"A casa é minha."

"E se eu abrir a janela e soprar a fumaça para fora?"

"Depende do sentido do vento para dar certo."

"Podemos ligar o ventilador de teto e ver se ajuda. Sinto cheiro de alho."

"Pensei em fazer pizza."

Procurei farinha de trigo com alto teor de glúten e tomates pelados na despensa, afastando latas e vidros variados.

"As moedas encontradas são inglesas e alemãs", ele me disse. "Duas libras e um marco alemão. Mas é aí que a história começa se tornar interessante. Fiquei mais um pouco ali pelo porto, depois que você saiu, para tomar uma ducha e me arrumar. E, por falar nisso, eles não perderam tempo em tirar tudo do contêiner para fazer a limpeza. Você vai ver, eles vão vender as máquinas fotográficas como se não tivesse acontecido nada."

Misturei meio pacote de fermento, água morna e mel numa tigela e mexi. Em seguida, peguei a farinha de trigo.

"Estou morrendo de fome."

Seu rádio portátil estava em pé sobre a mesa, vociferando códigos e números de viaturas. Ele afrouxou a gravata e desafivelou o cinto carregado de equipamentos. Comecei a sovar a massa.

"Minhas costas estão me matando, doutora", ele reclamou. "Você tem idéia do que é carregar dez quilos de material na cintura?"

Seu estado de espírito parecia melhorar bastante com o espetáculo da massa sendo sovada. Eu trabalhava em cima do cepo de açougueiro, misturando farinha e preparando a massa.

"*Loup-garou* quer dizer lobisomem", contei a ele.

"Hã?"

"Um lobisomem. Meio homem, meio lobo."

"Porra, eu odeio esse bicho."

"Não sabia que você já tinha encontrado um."

"Lembra de Lon Chaney com a cara cheia de pêlos, quando era lua cheia? Rocky adorava ver *Shock Theater*, você não lembra?"

Rocky era o único filho de Marino, e eu nem o conhecia pessoalmente. Coloquei a massa sobre a mesa e a cobri com um pano úmido e quente.

"Você tem tido notícias dele?", perguntei, cautelosa. "Vai encontrá-lo no Natal?"

Marino bateu a cinza, nervoso.

"Sabe pelo menos onde ele mora?", perguntei.

"Sei", ele disse. "Claro que sei."

"Você age como se não gostasse nem um pouco dele."

"Vai ver eu não gosto."

Examinei a prateleira dos vinhos em busca de um belo tinto. Marino sugava a fumaça e exalava ruidosamente. Não tinha nada a dizer a respeito de Rocky, como de costume, aliás.

"Um dia desses você vai me contar tudo sobre ele", falei enquanto despejava os tomates amassados na panela.

"Você sabe tudo que precisa saber a respeito dele", Marino disse.

"Você ama seu filho, Marino."

"Já disse que não amo coisa nenhuma. Lamento que ele tenha nascido. Preferia nem tê-lo conhecido."

Ele olhava fixamente através da janela para o quintal que sumia na noite. Naquele momento tive a impressão de que não conhecia nada de Marino. Ele era um estranho em minha cozinha, um sujeito de farda com um filho que eu nem conhecia e sobre o qual nada sabia. Marino evitava olhar para mim diretamente, e não agradeceu quando coloquei uma xícara de café no lugar onde ele sentara.

"Quer amendoim ou alguma outra coisa?"

"Não", ele disse. "Ando pensando em fazer regime."

"Pensar não adianta nada. Pode ver nos livros."

"Você vai usar alho em volta do pescoço ou algum amuleto, quando fizer a autópsia do seu lobisomem morto? Sabe, se for mordida por ele, você também vira lobisomem. É que nem Aids."

"Não tem nada a ver com Aids, eu gostaria muito que você deixasse de lado essa obsessão pela Aids."

"Você acha que ele mesmo escreveu aquilo na caixa?"

"Não podemos presumir que a caixa e as palavras escritas lá tenham ligação com ele, Marino."

"*Faça boa viagem, lobisomem.* Claro, isso vem escrito em muitas caixas de material fotográfico. Principalmente naquelas que acompanham defuntos."

"Vamos voltar a Bray e à nova ordem", falei. "Comece do princípio. O que você fez para ela gostar tanto de você?"

"Tudo começou duas semanas depois que ela chegou. Lembra do enforcamento erótico?"

"Claro."

"Ela apareceu no meio da cena e passou a dizer às pessoas o que fazer, como se fosse investigadora. Começou a examinar uma pilha de revistas pornográficas que o sujeito espiava quando sufocou na máscara de couro. Começou a interrogar a viúva."

"Nossa", falei.

"Eu lhe pedi que saísse, ela estava atrapalhando e estragando tudo. No dia seguinte ela me convocou para uma reunião na sala dela. Calculei que tivesse ficado furiosa com o caso, mas não disse uma só palavra. Em vez disso, perguntou o que eu achava da divisão dos detetives."

Ele tomou um gole de café e acrescentou mais duas colheres de chá de açúcar.

"Claro, vi logo que ela não estava nem um pouco interessada no assunto", prosseguiu. "Sabia que desejava algo. Não era responsável pelas investigações, por que cargas-d'água fazia perguntas sobre a divisão dos detetives?"

Servi um cálice de vinho para mim.

"E o que ela queria, afinal?", perguntei.

"Queria falar a seu respeito. Começou a fazer milhões de perguntas sobre você, alegou saber que éramos 'companheiros de crime' havia muito tempo. Foram as palavras dela."

Conferi a massa e o molho.

"Ela queria saber as fofocas. O que os policiais pensavam de você."

"E o que você disse?"

"Disse que você era médica-advogada-cacique, tinha um QI maior do que meu holerite, que a polícia inteira a adorava de paixão, inclusive as mulheres. Deixa eu ver... o que mais?"

"Acho que já foi o bastante."

"Ela perguntou sobre Benton e o que aconteceu a ele. Queria saber o quanto tudo isso afetou seu trabalho."

A raiva tomou conta de mim.

"Depois começou a me interrogar a respeito de Lucy.

Por que ela largou o FBI, e se o modo como ela se comporta teve algo a ver."

"Essa mulher vai se dar mal comigo", eu disse.

"Falei que a Lucy abandonou o FBI porque a Nasa a convidou para ser astronauta", Marino prosseguiu. "Quando entrou para o programa espacial, contudo, ela descobriu que preferia pilotar helicópteros e se alistou como piloto do ATF. Bray mandou que eu a avisasse quando Lucy viesse à cidade novamente, para marcar um encontro, pois estava pensando em convidá-la para fazer parte de sua equipe. Eu disse que seria o mesmo que convidar Billie Jean King para catar bolinha de tênis. Final da história? Não contei nada a Bray, só não deixei de dizer que não sou sua secretária. Uma semana depois, fui parar dentro da farda."

Peguei o maço e me senti uma viciada. Compartilhamos o cinzeiro, sentados à mesa, na minha casa, frustrados e calados. Eu tentava sufocar a ira.

"Creio que ela morre de inveja de você, apenas isso, doutora", Marino disse finalmente. "Ela é a chefona que chegou de Washington achando que ia arrasar, mas só ouve falar na incrível doutora Scarpetta. Creio que acabar com a nossa raça vai excitá-la. Dar sensação de poder àquela vaca."

Ele apagou o cigarro no cinzeiro, esmagando-o com força.

"Esta é a primeira vez que você e eu não vamos trabalhar juntos, desde que você se mudou para cá", ele disse enquanto a campainha tocava pela segunda vez naquela noite.

"Quem será?", ele disse. "Você convidou mais alguém, sem me avisar?"

Levantei-me para olhar a câmera de segurança na parede da cozinha. Arregalei os olhos, incrédula, para a imagem da porta da frente na tela.

"Acho que estou sonhando", falei.

7

Lucy e Jo pareciam assombrações, presenças físicas que não podiam ser de carne e osso. Não fazia nem oito horas, as duas estavam percorrendo as ruas de Miami. Agora, me abraçavam com força.

"Nem sei o que dizer", repeti pela quinta vez, quando largaram as sacolas de lona no chão.

"Mas que diabo está havendo aqui?", Marino gritou, entrando intempestivamente na sala de estar. "E você, o que acha que está fazendo aqui?", perguntou a Lucy, como se ela tivesse feito alguma coisa errada.

Ele nunca foi capaz de demonstrar sua afeição de um modo normal. Quanto mais rabugento e sarcástico se mostrava, mais contente estava por rever minha sobrinha.

"Já despediram você de lá também?", ele perguntou.

"O que é isso, interrogatório?", Lucy disse, no mesmo tom de voz, puxando a manga da farda dele. "E você, resolveu tentar fazer a gente acreditar que é um policial de verdade?"

"Marino", eu disse enquanto íamos para a cozinha, "creio que você ainda não conhece Jo Sanders."

"Não mesmo."

"Mas já me ouviu falar muito nela."

Ele encarou Jo, muito sério. Era uma loura musculosa de olhos azul-escuros, e percebi que Marino a achou muito bonita.

"Ele sabe muito bem quem você é", falei a Jo. "E não está sendo grosseiro, é só o jeito dele."

"Você trabalha?", Marino perguntou a ela enquanto apanhava a ponta fumegante do cinzeiro para dar a última tragada.

"Só quando não tem outro jeito", Jo respondeu.

"Fazendo o quê?"

"Rappel de cima dos Black Hawks. Flagrantes de tráfico. Nada de mais."

"Não me diga que você e Lucy estão na mesma divisão para a América do Sul?"

"Ela é da DEA", Lucy explicou.

"Puxa vida", Marino disse a Jo. "Você me parece meio fraquinha para a DEA."

"Entrei na cota", Jo retrucou.

Ele abriu a geladeira e empurrou tudo até achar uma cerveja Red Stripe. Desenroscou a tampa e começou a beber.

"Bebida por conta da casa", gritou.

"Marino", falei, "o que é isso? Você está de serviço."

"Já parei. Vou lhe mostrar uma coisa."

Ele bateu com a garrafa na mesa e teclou um número.

"Cara, tudo bem?", disse ao telefone. "É, isso aí. Cara, é sério. Estou passando mal. Dava pra você pegar meu plantão essa noite? Fico devendo."

Marino piscou para nós. Desligou, apertou o botão de conferência e teclou de novo. Atenderam no primeiro toque.

"Bray", disse a chefe interina Diane Bray para a cozinha inteira ouvir.

"Chefe interina Bray, é Marino", ele disse, com a voz de alguém que morria de uma terrível praga. "Desculpe-me por ligar para sua casa."

Em resposta ele só recebeu o silêncio, já que irritara instantânea e deliberadamente sua superiora ao chamá-la de "chefe interina". De acordo com o protocolo, chefes interinos eram sempre tratados por "chefe", enquanto o chefe era chamado de "coronel". Telefonar para a casa dela também não ajudou em nada.

"O que foi?", Bray perguntou, irritada.

"Estou me sentindo muito mal", Marino gaguejou. "Vomitei, estou com febre, realmente péssimo. Preciso ser dispensado do plantão e ir para casa, ficar na cama."

"Tenho certeza de que você não estava doente quando o encontrei há poucas horas."

"Foi de repente. Só espero que não tenha sido contaminado por uma bactéria..."

Rabisquei rapidamente *Estreptococo* e *Clostrídio* num bloco.

"... sabe, que nem strep ou clos-te-rida, na cena do crime. Liguei para o médico, ele me alertou para essa possibilidade, inclusive por causa da proximidade com o cadáver..."

"A que horas seu plantão acaba?", ela o interrompeu.

"Onze horas."

Lucy, Jo e eu estávamos ficando roxas pelo esforço de sufocar o riso.

"Dificilmente poderei conseguir alguém para substituí-lo a essa hora", Bray retrucou friamente.

"Já falei com o tenente Mann, do terceiro distrito. Ele foi muito gentil e aceitou cobrir o resto do plantão para mim", Marino informou, enquanto sua saúde piorava a olhos vistos.

"Você deveria ter me ligado antes!", Bray reclamou.

"Chefe interina Bray, eu lamento. Eu preferia ficar aqui, sinceramente."

"Vá para casa. Quero vê-lo em minha sala amanhã."

"Se eu melhorar, passo por lá. Faço questão, chefe interina Bray. Cuide-se, tá bom? Espero que não pegue a mesma doença."

Ela desligou.

"Um doce de pessoa", Marino disse, soltando o riso.

"Minha nossa, que coisa", Jo disse quando conseguiu falar novamente. "Eu soube que ela é odiada."

"Quem falou isso?" Marino franziu a testa. "Ela é conhecida em Miami?"

"Eu sou daqui mesmo. De Old Mill, logo depois de Three Chopt, perto da Universidade de Richmond."

"Seu pai leciona lá?", Marino perguntou.

"Ele é ministro batista."

"Uau! Deve ser divertido."

"Claro", Lucy interferiu. "Acho curioso que ela tenha crescido aqui e nunca tenhamos nos encontrado. Só em Miami. Então, o que você pretende fazer com a Bray?"

"Nada", ele disse, tomando o resto da cerveja antes de pegar outra na geladeira.

"Bom, eu com certeza faria alguma coisa." Ela falava com imensa confiança.

"Sabe, a gente pensa essas besteiras quando é jovem", ele retrucou. "Verdade, justiça, modo de vida americano. Espere só até você chegar à minha idade."

"Lucy me contou que você é detetive", Jo disse a Marino. "Por que está usando farda?"

"Hora de contar história", Marino disse. "Quer sentar no colinho do titio?"

"Já sei. Você pisou no calo de alguém. No dela, aposto."

"A DEA a ensinou como fazer essas deduções brilhantes ou você é incrivelmente esperta para uma menina da sua idade?"

Fatiei cogumelos, pimentão verde e cebola, cortei pedaços de mozarela enquanto Lucy observava. Finalmente, ela me fez olhar em seus olhos.

"Depois que você telefonou hoje de manhã, recebi uma ligação do senador Lord", ela me disse calmamente. "Deixou a equipe inteira quase em estado de choque."

"Posso imaginar."

"Ele me disse para pegar o primeiro avião e vir para cá..."

"Se pelo menos você se importasse assim comigo..." Eu comecei a vacilar por dentro novamente.

"Disse que você precisava de mim."

"Estou muito contente por você ter vindo..." Minha

voz vacilou quando aquele buraco negro gelado começou a me sugar outra vez.

"Por que você não me disse que precisava de mim?"

"Eu não queria incomodar. Você estava muito ocupada. Não queria falar comigo."

"Bastava dizer *eu preciso de você.*"

"Estávamos no celular."

"Quero ver a carta", ela disse.

8

Larguei a faca sobre a tábua de cortar e enxuguei a mão na toalha. Lucy viu o medo e a dor em meus olhos, quando a fitei.

"Quero ficar sozinha com você para ler a carta", ela disse.

Concordei com um movimento de cabeça. Fomos para meu quarto pegar a carta que estava guardada no cofre. Sentamo-nos na beirada da cama, e notei a pistola Sig-Sauer 232 acomodada num coldre de tornozelo Uncle Mike's Sidekick a se projetar para fora da barra da perna direita da calça. Não pude deixar de sorrir ao pensar no que Benton diria. Ele balançaria a cabeça, claro. E daria uma lição em psicologuês hilário que nos levaria às gargalhadas.

Mas seu senso de humor não errava o alvo. Eu tinha plena noção do lado sombrio e agourento da cena que eu via naquele momento. Lucy sempre defendera ardorosamente o direito à autodefesa. Desde a morte de Benton, porém, tornara-se extremista.

"Estamos em casa", falei. "Por que não deixa seu tornozelo descansar um pouco?"

"O único jeito de eu me acostumar com essa coisa é usar sempre", ela retrucou. "Principalmente se for de aço inox, que é bem mais pesado."

"E por que você prefere o aço inox, então?"

"Gosto mais. Além disso, onde moro é muito úmido e cheio de água salgada."

"Lucy, por quanto tempo você ainda pretende atuar

como policial disfarçada?", falei, sem conseguir me conter mais.

"Tia Kay!" Ela me olhou com firmeza e pegou no meu braço. "Não vamos começar com isso outra vez."

"É que eu..."

"Eu sei. É que você não quer receber uma daquelas cartas com meu nome, um dia."

Suas mãos firmes seguraram a folha de papel creme.

"Não me fale uma coisa dessas", pedi, angustiada.

"E eu não quero receber uma com o seu nome", ela acrescentou.

As palavras de Benton continuavam tão intensas e perturbadoras quanto no momento em que o senador Lord trouxera a carta, naquela manhã. Ouvi novamente a voz de Benton, vi seu rosto, senti o amor em seus olhos. Lucy a leu com muita calma. Quando terminou, ficou em silêncio por algum tempo.

Depois, disse: "Nunca me mande uma carta assim. Não quero receber isso nunca".

Sua voz tremia de dor e raiva.

"Qual é a graça? Só para deixar todo mundo sentido outra vez?", ela disse, levantando-se da cama.

"Lucy, você sabe qual é o objetivo dele." Limpei as lágrimas e a abracei. "Lá no fundo, você sabe."

Levei a carta para a cozinha. Marino e Jo também a leram. A reação dele foi olhar pela janela, para a noite escura, com as mãos enormes no colo. Ela se levantou para sair da sala, mas não sabia direito para onde ir.

"Acho melhor eu ir andando", ela repetia, e nós tentávamos convencê-la a ficar. "Ele queria que vocês três se reunissem aqui. Acho melhor eu não atrapalhar."

"Ele ia querer que você estivesse aqui, se a conhecesse", falei.

"Ninguém sai", Marino falou, como se fosse um policial numa sala cheia de suspeitos. "Estamos juntos nessa história, caramba."

Ele se levantou da mesa e esfregou o rosto com as mãos.

"Eu preferia que ele não tivesse feito isso." Marino olhou para mim. "Você faria isso comigo, doutora? Bom, se por acaso teve a idéia, pode esquecer, estou mandando. Não quero mensagem do outro lado depois que você for embora."

"Vamos assar a pizza", falei.

Seguimos para o quintal, onde passei a massa do filme plástico para a grelha, depois de espalhar o molho e as carnes, os vegetais e o queijo de cobertura. Marino, Lucy e Jo se sentaram nas cadeiras de ferro, pois não permiti que me ajudassem. Forçaram assuntos, mas na verdade ninguém demonstrava disposição para conversar. Reguei a pizza com azeite de oliva, com cuidado para não provocar chamas no carvão.

"Eu acho que ele não reuniria vocês só para entrarem em depressão", Jo disse finalmente.

"Não estou deprimido", Marino falou.

"Está, sim", Lucy retrucou.

"E por causa de quê, sua metida?"

"Por causa de tudo."

"Pelo menos eu não tenho vergonha de dizer que sinto saudades dele."

Lucy o encarou, incrédula. A troca de farpas fora longe demais.

"Não acredito que você foi capaz de dizer uma coisa dessas", ela falou.

"Pois pode acreditar. Ele foi o único pai que você teve na vida, mas nunca ouvi você dizer que sente saudades dele. Por quê? Porque ainda acha que foi tudo sua culpa, certo?"

"O que deu em você, afinal?"

"Adivinha, agente Lucy Farinelli." Marino pretendia ir até o fim. "Só que a culpa não foi sua. Foi da Carrie Grethen, porra, e não adiantou abater aquela piranha no helicóptero, ela nunca estará morta o bastante para você. É assim mesmo quando a gente odeia tanto alguém."

"E você não a odeia?", Lucy rebateu.

"Claro." Marino tomou o que restava da cerveja. "Eu a odeio mais do que você."

"Eu acho que Benton não pretendia que nos reuníssemos aqui para discutir quem a odeia mais", falei.

"E como você lida com isso, doutora Scarpetta?", Jo perguntou.

"Prefiro que me chame de Kay." Eu já havia dito isso muitas vezes. "Vou levando. É o máximo que consigo fazer."

As palavras soaram banais, inclusive para mim. Jo debruçou-se um pouco e, iluminada pelo brilho da churrasqueira, me encarou como se eu soubesse a resposta para todas as perguntas que ela guardara a vida inteira.

"E como você consegue ir levando?", ela quis saber. "Como as pessoas vão levando? Temos muitas coisas ruins para encarar diariamente, mas estamos do outro lado. Não acontece conosco. Depois que fechamos a porta, não precisamos olhar para a mancha no chão, no lugar onde a esposa de alguém foi estuprada e esfaqueada até a morte, ou onde os miolos do marido se espalharam após o tiro. Nós podemos nos enganar, dizendo que trabalhamos nos casos, e que nunca nos tornaríamos um caso. Mas você sabe que não é bem assim que funciona."

Ela fez uma pausa, ainda debruçada e iluminada pelo brilho das brasas. As sombras do fogo dançavam em seu rosto jovem e inocente demais para pertencer a alguém que tinha tantas dúvidas.

"Então, como você consegue ir levando?", ela insistiu.

"O espírito humano é muito perseverante." Eu não sabia o que dizer.

"Bem, acho que é isso", Jo disse. "Mas eu sempre penso no que faria se acontecesse alguma coisa a Lucy."

"Não vai acontecer nada comigo", Lucy disse.

Ela se levantou e beijou a testa de Jo. Depois a abraçou, e, embora aquele sinal claro do relacionamento que mantinham fosse novidade para Marino, ele não demonstrou surpresa nem interesse. Ele conhecia Lucy desde que ela era uma menina de dez anos, e em certa medida a decisão dela de entrar para a polícia se devia à influência dele. Ele a ensinara a atirar. Levava Lucy para fazer a ronda e chegou a permitir que ela pegasse no volante de uma de suas benditas caminhonetes.

Quando descobriu que ela não se interessava por rapazes, Marino se comportou como o mais preconceituoso retrógrado, provavelmente por temer que sua influência tivesse sido incapaz de ajudá-la no que mais importava, em sua opinião. Isso ocorrera havia vários anos. Eu não me recordava mais de quando ele havia feito um comentário maldoso sobre as preferências sexuais dela.

"Você trabalha com a morte todos os dias", Jo insistiu com suavidade. "Tudo o que aconteceu não volta a sua mente, quando vê a mesma coisa acontecer com os outros? Não me leve a mal, eu só gostaria de não sentir tanto medo da morte."

"Não tenho nenhuma fórmula mágica", falei ao me levantar. "Só que a gente aprende a não pensar demais."

A pizza borbulhava; retirei-a da grelha com uma pá de pizzaiolo.

"Que cheiro gostoso", Marino disse com ar preocupado. "Você acha que vai dar pra todo mundo?"

Fiz a segunda, depois a terceira. Acendi a lareira, e nos sentamos na frente do fogo, na sala maior, com as luzes apagadas. Marino continuou bebendo cerveja, Lucy, Jo e eu preferimos um borgonha branco leve e refrescante.

"Acho bom você arranjar alguém", Lucy disse enquanto luzes e sombras dançavam em seu rosto.

"Que merda!", Marino explodiu. "Que história é essa, de repente? Você resolveu dar uma de casamenteira? Se ela quiser conversar sobre questões íntimas, vai fazer isso. Mas você não devia dizer nada. Não é legal."

"A vida não é legal", Lucy retrucou. "E por que você se incomoda se ela estiver a fim de conhecer alguém?"

Jo olhava para o fogo, em silêncio. Eu já estava no limite. Pensei se não teria sido melhor ficar em casa sozinha, naquela noite. Nem mesmo Benton tinha razão em tudo.

"Você se lembra de quando Doris o abandonou?", Lucy insistiu. "E se ninguém tivesse falado nada? E se ninguém se importasse com o que você ia fazer da vida, ou se ia superar a crise? Duvido que você fosse tocar no assunto espontaneamente. O mesmo se aplica às idiotas com quem você andou saindo desde então. Sempre que não dá certo, seus amigos precisam procurá-lo e arrancar tudo de você."

Marino bateu com a garrafa vazia na borda da lareira com tanta força que pensei que fosse quebrar a pedra.

"Acho melhor você pensar em crescer um pouco, qualquer dia desses", Marino disse. "Ou você vai esperar até passar dos trinta para deixar de ser ranheta e metida? Vou pegar outra cerveja."

Ele saiu da sala batendo o pé.

"E vou dizer mais uma coisa", Marino falou, "só porque sabe pilotar helicóptero e fazer programas de computador e vive malhando e tudo mais, isso não quer dizer que você é melhor do que eu, cacete!"

"Eu nunca falei que era melhor do que você!", Lucy gritou nas costas dele.

"Claro que falou!", Marino berrou da cozinha.

"A diferença entre nós é que eu faço o que quero na vida", ela gritou. "Não aceito limitações."

"Você é uma merda de policial", ele disse.

"Agora chegamos ao que interessa", Lucy falou quando ele apareceu novamente, com a cerveja na mão. "Sou agente federal e luto contra o crime organizado nas piores quebradas desse mundo. E você passeia por aí de farda e fica cuidando dos guardinhas a noite inteira."

"E você adora armas porque queria ter um pau!"

"Para quê? Virar tripé?"

"Já chega!", falei. "Nem mais uma palavra! Vocês dois deviam sentir vergonha. Fazer isso... logo agora..."

Minha voz fraquejou e as lágrimas encheram meus olhos. Estava decidida a não me descontrolar novamente, mas percebi, horrorizada, que seria incapaz de evitar isso. Desviei a vista. O silêncio era opressivo e o fogo estalava. Marino se levantou e removeu a tela da lareira. Remexeu as brasas com o ferro e colocou mais um pedaço de lenha.

"Odeio o Natal", Lucy disse.

9

Na manhã seguinte, Lucy e Jo levantaram cedo para pegar o avião, e eu não ia conseguir suportar o vazio que deixariam quando fechassem a porta. Resolvi acompanhá-las, levando minha valise. Sabia que o dia seria terrível.

"Gostaria muito que vocês pudessem ficar", falei. "Mas suponho que Miami não sobreviveria mais um dia sem vocês."

"Miami provavelmente não vai sobreviver, de qualquer modo", Lucy disse. "Mas somos pagas para isso — lutar em guerras perdidas. Pensando bem, parece Richmond. Caramba, estou péssima hoje."

As duas usavam jeans desbotados e camisetas amarrotadas. Só passaram um pouco de gel no cabelo. Estávamos de ressaca e exaustas, paradas no acesso de casa. Luzes da rua e dos carros se apagavam à medida que o céu azulava, acinzentado. Não nos víamos direito, éramos apenas silhuetas e olhos brilhantes atrás do hálito nevoento. O gelo acumulado nos carros parecia renda.

"Só que os Um-Sessenta-Cinco não vão sobreviver", Lucy disse, arrogante. "Isso eu garanto."

"Quem?", perguntei.

"Os traficantes de armas que estamos investigando. Lembra?, nós demos esse apelido a eles porque usam sempre munição Speer Gold Dot um-sessenta-cinco. Coisa de profissional, pesada mesmo. Isso e mais armamento de todos os tipos — AR-15, rifles calibre dois-vinte e três, metralhadoras russas e chinesas vindas da terra prometida dos vermes. Brasil, Venezuela, Colômbia, Porto Rico."

"Sabe, uma parte vem sendo contrabandeada aos poucos, em navios cheios de contêineres, sem que os responsáveis saibam de nada", ela prosseguiu. "Por exemplo, no porto de Los Angeles. Um contêiner de carga é descarregado a cada minuto e meio. Ninguém consegue vistoriar tudo."

"Sem dúvida." Minha cabeça latejava.

"Ficamos muito orgulhosas quando recebemos esta missão", Jo acrescentou. "Faz uns meses o cadáver de um sujeito do Panamá, ligado ao cartel, apareceu num canal no sul da Flórida. Durante a autópsia encontraram a língua no estômago. Fora cortada pelos compatriotas do morto, que o obrigaram a engoli-la."

"Talvez eu prefira não ouvir os detalhes", falei, pois minha cabeça pesava cada vez mais, amargurada.

"Meu nome é Terry", Lucy me contou. "Ela é Brandy." Sorriu para Jo. "Moças da Universidade de Miami que não chegaram a se formar, e não se importam com isso. Não precisam, pois durante um semestre puxado como viciadas em drogas fizeram muito sexo e descobriram um monte de casas bacanas para invadir. Estabelecemos um relacionamento social produtivo com dois um-meia-cincos que arrombam casas em busca de dinheiro, drogas e armas. Temos um cara em Fisher Island no momento. Ele possui tantas armas que poderia abrir uma loja, e coca suficiente para fazer nevar lá dentro."

Eu não suportava ouvi-la falar daquele jeito.

"Claro, a vítima é um agente disfarçado também", Lucy prosseguiu enquanto corvos enormes e pretos começaram a fazer muito barulho. As luzes se acenderam do outro lado da rua.

Vi castiçais nas janelas e enfeites nas portas. Eu praticamente não pensara no Natal, que chegaria em menos de três semanas. Lucy tirou a carteira do bolso traseiro da calça e me mostrou a carteira de motorista. A foto era dela, e só.

"Terry Jennifer Davis", ela leu. "Sexo feminino, cor branca, idade vinte e quatro anos, um metro e setenta, sessenta quilos. Realmente, é estranho ser outra pessoa. Você precisava me ver lá, tia Kay. Tenho uma casinha linda em South Beach e ando num Mercedes esporte confiscado de uma quadrilha em São Paulo. Cinza-chumbo metálico. Precisa ver minha Glock, também. Modelo de colecionador. Calibre quarenta, pequena, aço inox. Uma doçura."

O veneno começava a me sufocar. Eu já via tudo meio arroxeado. Mãos e pés perdiam a sensibilidade.

"Lucy, acho melhor parar por aqui", Jo disse, percebendo que algo me incomodava. "É como se você a visse fazer uma autópsia. Mais do que você precisa saber, entendeu?"

"Ela me deixa assistir", Lucy se gabou. "Acho que já vi uma meia dúzia."

Jo se irritou.

"Aulas da academia de polícia." Minha sobrinha deu de ombros. "Nada de machadadas."

Sua insensibilidade me abalava. Ela parecia estar falando de restaurantes.

"Em geral, pessoas que morreram de causas naturais ou suicídio. A família doa o corpo para a divisão de anatomia."

Suas palavras penetravam em mim como um gás tóxico.

"Portanto, eles não se incomodam se o tio Tim ou a prima Beth vão passar por uma autópsia na frente de um monte de policiais. Muitas famílias não podem pagar o enterro mesmo, e talvez até faturem algum por conta da doação do corpo, não é, tia Kay?"

"Não ganham nada, e corpos doados à ciência pelas famílias não são usados em autópsias do curso", falei, chocada. "O que há com você, afinal?", disparei.

As árvores peladas erguiam-se feito aranhas na madrugada nublada, e dois Cadillacs passaram. Senti que as pessoas olhavam para nós.

"Espero que essa postura brutal não se torne um hábito." Lancei as palavras friamente na cara dela. "Já é suficientemente estúpida quando gente ignorante e lobotomizada a adota. E, a bem da verdade, Lucy, permiti que você assistisse a três autópsias, e, embora os corpos na academia de policia não pertencessem a vítimas de machadadas, eram de seres humanos. Alguém amava aquelas três pessoas que você viu. Aqueles três cadáveres um dia tiveram sentimentos. Amor, felicidade, tristeza. Eles jantavam, iam trabalhar, tiravam férias."

"Eu não quis dizer...", Lucy interrompeu.

"Pode ter certeza de que aquelas três pessoas, quando estavam vivas, nunca imaginaram que acabariam num necrotério com vinte policiais novatos e uma menina como você olhando seus corpos nus e retalhados", prossegui. "Gostaria que eles ouvissem o que você acabou de dizer?"

Os olhos de Lucy se encheram de lágrimas. Ela engoliu em seco e olhou para o outro lado.

"Lamento muito, tia Kay", disse com voz sumida.

"Sabe, sempre acreditei que a gente deve imaginar que os mortos estão ouvindo, quando falamos. Talvez eles possam escutar as piadas de mau gosto e os comentários grotescos. Com certeza, *nós* os escutamos. O que acha que acontece com a gente, quando diz ou escuta essas barbaridades?"

"Tia Kay..."

"Vou lhe dizer o que acontece com essas pessoas", falei, incapaz de conter minha revolta. "Elas acabam como eu."

Ergui as mãos como se apresentasse o mundo a ela, que me encarou atônita.

"A gente acaba fazendo o que estou fazendo agora", falei. "Acaba aqui, na porta de casa, ao amanhecer. Imaginando alguém que você ama deitado num necrotério. Imagine as pessoas a zombar dele, contando piadas, comentando o tamanho do pênis ou quanto ele fede. Talvez o joguem com força demais na mesa. Talvez na metade do serviço joguem uma toalha em cima do tórax aberto e saiam para almoçar. E talvez os policiais que entram e saem, com outros casos, comentem a respeito dos *bem-passados*, ou dos *torrados por causa de um dedo-duro* ou *FBI flambado*."

Lucy e Jo me encaravam, espantadas.

"Não pense que ainda me falta ouvir alguma coisa", falei, destrancando a porta do carro para abri-la em seguida. "Uma vida passando por mãos indiferentes, ar frio, água fria. Tudo muito frio, muito frio. Mesmo se ele tivesse morrido na cama, no fim é tudo muito frio. Então não me venha falar de autópsias."

Sentei-me ao volante.

"Nunca mais adote essa atitude na minha frente, Lucy." Eu não conseguia parar.

Minha voz parecia vir de outro lugar. Cheguei a pensar que estava perdendo o juízo. Não é isso que acontece quando as pessoas ficam insanas? Elas se projetam para fora de si e observam enquanto fazem coisas que jamais fariam, como matar alguém ou pular pela janela.

"Essas coisas ecoam na cabeça da gente o resto da vida", falei. "Ricocheteiam dentro do crânio, pavorosas. É mentira que as palavras não podem ferir a gente. As suas me feriram profundamente", falei a minha sobrinha. "Volte para Miami."

Lucy, paralisada, viu quando engatei a primeira e saí em alta velocidade, batendo um pneu traseiro na guia. Vi Lucy e Jo pelo retrovisor. Trocaram algumas palavras e entraram no carro que haviam alugado. Minhas mãos tremiam tanto que só consegui acender o cigarro quando parei por causa do trânsito.

Não deixei que Lucy e Jo me alcançassem. Peguei a saída da Ninth Street e as imaginei correndo pela I-64, a caminho do aeroporto, de volta a suas vidas de policiais disfarçadas.

"Desgraçada", resmunguei para minha sobrinha.

Meu coração batia forte, como se quisesse se libertar do peito.

"Você é uma desgraçada, Lucy", repeti chorando.

10

O prédio novo onde trabalho está situado no centro de uma tempestade de expansão imobiliária que eu nunca teria imaginado ser possível quando mudei para lá, nos anos 1970. Lembro-me de ter sentido que me traíam quando mudei de Miami bem a tempo de ver as empresas e lojas de Richmond se transferirem para áreas e shoppings em distritos vizinhos. As pessoas deixaram de fazer compras e comer no centro, principalmente à noite.

A histórica personalidade do centro sucumbiu à negligência e ao crime até meados dos anos 1990, quando a Universidade Commonwealth da Virginia passou a reivindicar e revitalizar o que fora relegado ao abandono. Prédios elegantes começaram a surgir do dia para a noite, todos similares em tijolo e vidro. Meu departamento e o necrotério dividiam o espaço com o recém-fundado Instituto de Ciência e Medicina Legal da Virgínia, a primeira instituição acadêmica do gênero no país e talvez no mundo.

Ganhei até vaga demarcada, perto da entrada, onde parei e fiquei sentada dentro do carro por um momento, juntando minhas coisas e meus pensamentos dispersos. Num gesto infantil, havia desligado o telefone do carro para impedir que Lucy falasse comigo depois que saí correndo. Liguei-o, esperando que tocasse. Olhei para o aparelho. Eu agira assim pela última vez após a pior briga que Benton e eu tivemos, ao ordenar que ele sumisse de minha casa e nunca mais voltasse. Eu desligara os telefones, ligara tudo de novo uma hora depois e entrara em pânico porque ele não telefonara.

Consultei o relógio. Lucy entraria no avião em menos de uma hora. Pensei em telefonar para a USAir e pedir que a bipassem. Sentia-me chocada e envergonhada por meu comportamento. Impotente, eu não tinha como pedir desculpas a uma moça chamada Terry Davis que não possuía uma tia Kay nem telefone cujo número fosse do meu conhecimento, e que morava em South Beach.

Minha aparência era péssima quando entrei no acesso envidraçado que dava para o saguão do prédio. Jake, responsável pela segurança, notou isso imediatamente.

"Bom dia, doutora Scarpetta", ele disse, com seus olhos e mãos nervosos de costume. "O frio está incomodando a senhora?"

"Bom dia, Jake", respondi. "Tudo bem com você?"

"Na mesma, na mesma. Para completar, o tempo deve piorar logo, e isso eu dispensava."

Ele mexia na caneta sem parar.

"Minha dor nas costas não passa, doutora. Bem aqui, entre os ombros."

Ele moveu os ombros e o pescoço.

"Sinto umas pontadas, como se tivesse algo preso bem aqui. Começou quando eu estava levantando pesos, faz uns dias. O que a senhora acha que eu devo fazer? Quer que eu mande uma carta?"

Pensei que ele estava brincando, mas não sorria.

"Deve ter sido apenas um mau jeito. Pare de levantar pesos por algum tempo", falei.

"Obrigado. Quanto devo?"

"Você não poderia pagar minha consulta, Jake."

Ele sorriu. Passei o cartão magnético na fechadura eletrônica do departamento, e entrei quando ela destravou. Ouvia as secretárias, Cleta e Polly, conversando e digitando. Os telefones tocavam, e mal passava das sete.

"... Muito, muito mal."

"Você acha que as pessoas de outros países cheiram diferente, quando o corpo se decompõe?"

"Imagine, Polly. Que idéia mais idiota."

Elas estavam enfiadas em seus cubículos cinzentos, folheando fotos de autópsias, registrando dados no computador. O cursor saltava de um campo ao próximo.

"Acho melhor pegar um café enquanto ainda dá tempo", Cleta me cumprimentou com ar severo.

"Tomara que não seja verdade." Polly bateu na tecla de retorno.

"Eu ouvi", falei.

"Bem, vou fechar a boca", Polly disse, mas não conseguiria, se tentasse.

Cleta levou a mão aos lábios, como quem fecha um zíper, sem parar de digitar.

"Cadê todo mundo?"

"No necrotério", Cleta informou. "Temos oito casos hoje."

"Você emagreceu um bocado, Cleta", falei, recolhendo os atestados de óbito de minha caixa de correio.

"Mais de seis quilos", ela exclamou, enquanto ajeitava fotos macabras como se fossem cartas de baralho, separando-as pelos números dos casos. "Obrigada por notar. Fico contente em saber que alguém por aqui percebe as coisas."

"Droga", falei ao ver o atestado de óbito no alto da pilha. "Será que um dia conseguiremos convencer o doutor Carmichael de que 'parada cardíaca' não é causa de morte? O coração de todo mundo pára quando a pessoa morre. A questão é *o motivo* de sua parada. Bem, este aqui precisa ser refeito."

Examinei mais alguns atestados enquanto seguia pelo corredor forrado com carpete cor de ameixa até minha sala particular. Rose trabalhava numa sala ampla, cheia de janelas, e só se chegava até minha porta depois de passar por seu local de trabalho. Ela estava em pé, na frente de uma gaveta de arquivo aberta. Seus dedos percorriam as etiquetas, impacientes.

"Tudo bem?", ela perguntou, com a voz abafada pela caneta em sua boca. "Marino quer falar com você."

"Rose, por favor, ligue para o doutor Carmichael."

"De novo?"

"Infelizmente."

"Está mais do que na hora de ele se aposentar."

Minha secretária dizia isso havia anos. Ela fechou a gaveta e abriu outra.

"O que Marino quer comigo? Ele ligou de casa?"

Ela tirou a caneta da boca.

"Ele está aqui, doutora Scarpetta. Ou estava. Lembra da carta que recebemos no mês passado daquela mulher medonha?"

"Que mulher medonha?", perguntei, olhando para um lado e para o outro do corredor, à procura de Marino, sem ver sinal dele.

"Aquela que foi para a cadeia por assassinar o marido logo depois de ter feito um seguro de vida para ele no valor de um milhão de dólares."

"Ah, aquela", falei.

Tirei o casaco ao entrar no escritório e coloquei a valise no chão.

"O que Marino quer comigo?", insisti.

Rose não respondeu. Eu já havia notado que sua audição piorara, e cada sinal revelador de sua idade avançada me apavorava. Pus os atestados de óbito em cima de uma pilha com cerca de cem outros que eu ainda não conseguira revisar e pendurei o casaco no encosto da poltrona.

"O problema é que ela mandou outra carta. Desta vez, acusa você de fraude", Rose disse bem alto.

Peguei o jaleco branco pendurado atrás da porta.

"Ela alega que você conspirou com a seguradora e mudou a causa da morte do marido de acidental para homicídio para que eles não tivessem de pagar o seguro. E levou uma bolada para fazer isso, o que explica, segundo ela, o fato de você ter um Mercedes e usar roupas caras."

Joguei o jaleco nas costas e enfiei os braços nas mangas.

"Sabe, eu não agüento mais esses malucos, doutora

Scarpetta. Alguns realmente me assustam, e creio que a internet está tornando tudo muito pior."

Rose espiou pela porta.

"Você não está ouvindo uma só palavra do que eu estou dizendo", ela se queixou.

"Compro roupas em liquidações", respondi. "E você acha que a culpa de tudo o que acontece é da internet."

Provavelmente eu nem compraria roupas, se Rose não me obrigasse a fazer isso de tempos em tempos, quando as lojas liquidavam as coleções da estação passada. Odiava fazer compras, exceto no caso de vinho e comida. Não suportava aglomerações. Nem shopping centers. Rose odiava a internet e acreditava que um dia o mundo ia acabar por causa dela. Só usava e-mail à força.

"Se Lucy ligar, dê um jeito de me localizar, não importa onde eu esteja, certo?", falei enquanto Marino entrava na sala de Rose. "Tente falar com a sede regional dela também. Se der, passe-a para mim."

Pensar em Lucy fazia meu estômago dar um nó. Eu dissera coisas terríveis a ela, ao perder a paciência. Estava arrependida. Rose me olhou de esguelha. Ela havia percebido isso, não sei como.

"Capitão", ela disse a Marino, "o senhor está um traste hoje."

Marino resmungou qualquer coisa. O vidro tilintou quando ele abriu um pote com balas de limão na mesa dela para pegar uma.

"O que você deseja que eu faça com a carta da louca?" Rose olhou para mim pela porta aberta, com os óculos de leitura na ponta do nariz, enquanto examinava outra gaveta do arquivo.

"Creio que está na hora de mandar a pasta dessa senhora — se conseguir encontrá-la — para a promotoria", falei. "Caso ela resolva abrir um processo. O que será o próximo passo, provavelmente. Bom dia, Marino."

"Vocês ainda estão falando daquela maluca que eu prendi?", ele perguntou, chupando a bala.

"Isso mesmo." Então me lembrei. "A maluca foi um caso seu."

"Então aposto que ela vai me processar também."

"Provavelmente", murmurei em pé, ao lado da mesa, vendo os recados telefônicos do dia anterior. "Por que todo mundo liga quando eu não estou aqui?"

"Adoro ser processado", Marino disse. "Faz com que eu me sinta especial."

"Não consigo me acostumar a vê-lo de uniforme, capitão Marino", Rose disse. "Devo bater continência?"

"Assim você me excita, Rose."

"Pensei que seu plantão só começasse às três", falei.

"A melhor coisa de ser processado é que o governo tem que pagar minha defesa. Rá-rá. Azar deles."

"Será que vamos ouvir esse *rá-rá* se por acaso você for condenado e perder a caminhonete e a piscina suspensa? Ou todas aquelas decorações de Natal e as caixas de luz extras?", Rose disse enquanto eu abria e fechava gavetas.

"Alguém viu minhas canetas?", perguntei. "Não estou achando uma única caneta. Rose? As esferográficas Pilot. Havia pelo menos uma caixa delas aqui, na sexta-feira. Lembro bem, pois as comprei pessoalmente da última vez em que fui à Ukrops. Ei, não acredito! Minha Waterman também sumiu!"

"Você não pode dizer que não avisei. Eu bem que falei para não deixar nada de valor aqui", Rose interrompeu.

"Preciso fumar", Marino me disse. "Não agüento mais esses prédios onde é proibido fumar. Isso aqui está cheio de defuntos e o Estado se preocupa com quem fuma. E os vapores de formalina? Uma boa cheirada derruba até um cavalo."

"Droga!" Fechei uma gaveta e abri outra. "E sabe o que mais? Não encontro nada de Advil, Sudafed, BC em pó. Isso está me dando nos nervos."

"O dinheiro do café, o celular de Cleta, marmitas, agora até canetas e aspirina. Cheguei ao ponto de ter de levar a bolsa comigo aonde quer que eu vá. O pessoal começou a chamar o ladrão de 'O invasor de corpos', o que para mim não tem a menor graça", Rose disse, furiosa.

Marino aproximou-se e pôs a mão no ombro dela.

"Querida, você não pode culpar alguém por querer invadir seu corpo", disse com voz meiga, no ouvido dela. "Ando desejando isso desde que pus os olhos em você pela primeira vez, na época em que precisei ensinar à doutora tudo o que ela sabe agora."

Rose, fazendo muxoxo, deu-lhe um beijo de leve e repousou a cabeça em seu ombro. De repente, parecia cansada e muito velha.

"Estou exausta, capitão", ela murmurou.

"Eu também, querida, eu também."

Consultei o relógio.

"Rose, por favor, diga a todos que a reunião da equipe começará um pouco mais tarde. Marino, precisamos conversar."

A sala para fumantes ficava num canto, perto da entrada dos fundos, e havia duas cadeiras, uma máquina de Coca e um cinzeiro sujo de metal que Marino colocou entre nós. Acendemos os cigarros e eu senti vergonha novamente.

"Por que você veio aqui?", perguntei. "Já não chegam os problemas que criou para você mesmo, ontem?"

"Andei pensando no que Lucy disse a noite passada", Marino falou. "A respeito de minha situação atual, sabe. Como é chegar ao fim da linha, ser posto para escanteio, fora de combate. Doutora, eu não agüento isso, se quer saber a verdade. Sou detetive. Fiz isso a vida inteira. Não consigo agüentar essa história de farda. Não consigo trabalhar para idiotas como a burra da Diane Bray."

"Foi por isso que você fez o exame para investigador autônomo no ano passado", mencionei. "Você não precisa continuar no departamento de polícia, Marino. Em *nenhum* departamento de polícia. Já pode se aposentar por tempo de serviço, com folga. E viver como quiser."

"Sem querer ofender, doutora, também não quero trabalhar para a senhora", ele disse. "Nem em regime de meio período, nem por caso, nem em nenhum outro esquema."

O governo abrira duas vagas de investigador em meu departamento, e eu não havia preenchido nenhuma até o momento.

"A questão é que você tem várias opções", respondi, sentindo uma mágoa que não pretendia demonstrar.

Ele ficou quieto. Benton entrou em minha mente, vi seus sentimentos nos olhos, e em seguida ele sumiu. Eu sentia a sombra de Rose e temia perder Lucy. Pensei na velhice e nas pessoas sumindo da minha vida.

"Não me abandone, Marino", pedi.

Ele não me respondeu imediatamente, mas quando o fez vi que seus olhos brilhavam.

"Que se fodam todos, doutora", ele disse. "Ninguém vai me dizer o que fazer. Se eu quiser trabalhar num caso, vou fazer isso e pronto."

Ele bateu a cinza, demonstrando muita satisfação consigo.

"Não quero que você seja expulso ou rebaixado", falei.

"Não podem me rebaixar mais", ele disse, sem ocultar sua contrariedade. "Não podem tirar minha patente de capitão, e não há função pior do que essa que me arranjaram. Eles que me mandem embora. Mas, sabe de uma coisa? Não vão fazer isso. E quer saber o motivo? Eu posso ir para Henrico, Chesterfield, Hanover, para onde bem entender. Você não sabe quantas vezes fui convidado para chefiar a área de investigações de outros departamentos."

Lembrei-me do cigarro apagado em minhas mãos.

"Alguns querem até que eu seja chefe de polícia." Ele cambaleava em sua viagem de Poliana.

"Não se iluda", falei quando o mentol fez efeito. "Meu Deus, não acredito que estou fumando de novo."

"Não estou tentando iludir ninguém", ele disse, e senti que sua depressão avançava como uma frente fria. "Mas parece que estou no planeta errado. Não me entendo com as Brays e as Andersons deste mundo. Quem são essas mulheres?"

"Mulheres ávidas por poder."

"Você é poderosa. Você é muito mais poderosa do que elas ou qualquer pessoa que já conheci, inclusive a maioria dos homens, mas não é assim."

"Não me sinto muito poderosa atualmente. Não consegui nem controlar meus nervos esta manhã, na porta de casa, na frente da minha sobrinha e da namorada dela, sem contar alguns vizinhos, aposto." Soltei a fumaça. "E me sinto péssima por isso."

Marino debruçou-se na cadeira. "Você e eu somos as únicas pessoas que se importam com aquele corpo que apodrece ali."

Ele apontou para a porta que dava para o necrotério.

"Aposto que a Anderson nem vai aparecer hoje", ele prosseguiu. "De uma coisa tenho certeza, ela não vai ficar lá olhando você fazer a autópsia."

O olhar em seu rosto fez meu coração perder o ritmo. Marino estava desesperado. O serviço que fizera a vida inteira era tudo o que lhe restava, exceto por uma ex-mulher e um filho distante chamado Rocky. Marino vivia preso a um corpo maltratado que com certeza ia cobrar os abusos qualquer dia desses. Não tinha dinheiro e seu gosto para mulheres era péssimo. Era politicamente incorreto, desleixado e boca suja.

"Bem, você tem razão numa coisa", falei. "Não deveria usar farda. Na verdade, é uma vergonha para o departamento. O que é isso na sua camisa? Mostarda, de novo? A gravata é curta demais. Deixe-me ver suas meias."

Abaixei-me e ergui um pouco a calça do uniforme.

"Não combinam. Uma é preta, a outra azul-marinho", falei.

"Não me deixe arranjar nenhuma encrenca para você, doutora."

"Eu já estou encrencada, Marino", falei.

11

Um dos aspectos mais cruéis de minha atividade é que restos mortais não identificados tornam-se "O Torso" ou "A Mulher da Mala", ou "O Superman". Essas denominações roubavam a identidade da pessoa e tudo o que ela havia sido ou feito durante sua passagem pelo mundo, tanto quanto a própria morte.

Eu considerava uma derrota pessoal não conseguir a identificação de alguém que estivesse aos meus cuidados. Guardava ossos em caixas metálicas, dentro do armário dos esqueletos, na esperança de que um dia eles me revelassem a quem haviam pertencido. Eu mantinha corpos intactos ou partes no congelador por meses, anos até, e não permitia que os enterrassem como indigentes enquanto houvesse espaço ou esperança. Não havia onde guardar alguém para sempre.

Naquela manhã, o caso fora batizado de "O Homem do Contêiner". Ele estava em péssimas condições, e eu esperava não ter de guardá-lo por muito tempo. Quando a decomposição chegava naquele ponto, nem a refrigeração conseguia detê-la.

"Não sei como você consegue agüentar isso", Marino resmungou.

Estávamos no vestiário do necrotério; paredes de concreto e portas trancadas não conseguiam impedir que o cheiro se espalhasse.

"Você não é obrigado a ficar aqui", alertei.

"Eu não perderia isso por nada no mundo."

Vestimos cada um dois trajes cirúrgicos, luvas, proteção extra nas mangas e nos sapatos, toucas cirúrgicas e máscaras com viseira. Não usávamos cilindros de ar, pois eu não acreditava que fossem necessários. Eu torcia para nunca surpreender um médico de minha equipe passando Vick no nariz disfarçadamente, como os policiais costumavam fazer o tempo inteiro. Se um médico-legista não conseguia lidar com o lado desagradável da profissão, deveria procurar outra coisa para fazer.

Afinal de contas, os odores são importantes. Contam sua própria história. Um odor adocicado pode indicar presença de etclorvinol, enquanto hidrato de cloral tem cheiro de pêra. Os dois compostos me fazem pensar em overdose de sedativos. Mas o cheiro de alho pode significar presença de arsênico. Fenóis e nitrobenzeno fazem pensar em éter e graxa de sapato, respectivamente, e etilenoglicol cheira exatamente igual a anticongelante, pois é isso mesmo. Isolar odores potencialmente significativos do fedor pavoroso de corpos em decomposição e carne podre parece arqueologia. A gente precisa se concentrar no que pode haver ali, e não nas condições precárias existentes no local.

A sala dos decompostos, como a chamávamos, era uma miniatura da sala de autópsia. Possuía sistemas de ventilação e refrigeração exclusivos, além de uma mesa com rodízios, que podia ser presa na pia. Tudo, inclusive armários e portas, era de aço inoxidável. Paredes e piso haviam sido revestidos de acrílico não absorvente capaz de suportar uma faxina pesada com os produtos mais fortes, como desinfetantes industriais e cloro. Portas automáticas se abriam quando tocávamos nos botões de aço, tão grandes que podíamos apertá-los com o cotovelo, em vez de usar as mãos.

Quando as portas se fecharam atrás de Marino e de mim, fiquei surpresa ao ver Anderson encostada numa bancada, enquanto a maca com o cadáver dentro de um saco estava no centro da sala. O corpo é uma prova. Eu nunca deixava um investigador sozinho com um cadáver que não havia sido examinado, principalmente depois do estrago causado pelo julgamento de O. J. Simpson, quando entrou na moda questionar os procedimentos e barrar todo mundo no tribunal, exceto o réu.

"O que você está fazendo aqui? E cadê o Chuck?", perguntei a Anderson.

Chuck Ruffin era o supervisor do necrotério e deveria ter passado por ali antes, para inspecionar instrumentos cirúrgicos, rotular tubos de ensaio e garantir que toda a documentação estava em ordem.

"Ele me deixou entrar e foi embora."

"Ele a deixou entrar e simplesmente a deixou aqui sozinha? Faz quanto tempo?"

"Uns vinte minutos", Anderson respondeu.

Ela mantinha os olhos fixos em Marino, ressabiada.

"Estou sentindo um cheirinho de Vick no seu nariz?", Marino perguntou com voz suave.

A pomada brilhava no lábio superior de Anderson.

"Viu aquele eliminador de odores industrial ali?" Marino apontou com a cabeça para o sistema de ventilação especial que havia no teto. "Sabe, Anderson, ele não vai adiantar nada quando a gente abrir esse saco."

"Não pretendo ficar aqui", ela respondeu.

Isso era óbvio. Ela não havia posto nem a luva cirúrgica.

"Você não deveria ter entrado aqui sem traje protetor", observei.

"Eu só queria avisar que vou interrogar umas testemunhas. Quero que me avise pelo pager quando tiver alguma informação a respeito do que aconteceu", ela disse.

"Que testemunhas? Bray vai mandá-la para a Bélgica?", Marino perguntou, e seu hálito embaçou a viseira.

Não acreditei por um minuto sequer que ela viera até aquele lugar desagradável para me contar alguma coisa. Anderson estava ali por interesses pessoais alheios ao caso. Olhei para o saco vermelho-escuro para ver se havia sido mexido, pois o toque gelado da paranóia penetrara em meu cérebro. Olhei para o relógio de parede. Quase nove horas.

"Ligue para mim", Anderson disse, como se me desse uma ordem.

As portas se fecharam após sua saída. Peguei o interfone e chamei Rose.

"Onde Chuck se meteu?", perguntei.

"Só Deus sabe", Rose disse, sem tentar ocultar o desprezo que sentia pelo rapaz.

"Por favor, localize-o e mande-o para cá imediatamente", falei. "Ele está me deixando louca. E registre meu chamado. Documente tudo."

"Sempre faço isso."

"Qualquer dia desses vou demiti-lo", falei a Marino ao desligar. "Assim que puder. Ele anda preguiçoso e completamente irresponsável, mas antes não era assim."

"Ele está *mais* preguiçoso e irresponsável do que antes", Marino retrucou. "Esse sujeito anda muito esquisito, doutora. Está aprontando alguma. Para seu governo, ele tentou entrar para a polícia."

"Ótimo", falei. "Vocês podem ficar com ele."

"É um frustrado que acha uniformes, armas e luzes que piscam o máximo", ele disse quando comecei a abrir o zíper do saco.

A voz de Marino perdeu a força. Ele fazia o possível para bancar o estóico.

"Tudo bem?", perguntei.

"Claro."

O mau cheiro nos atingiu como uma tempestade súbita.

"Merda!", ele reclamou quando abri os lençóis enrolados no corpo. "Que puta fedor!"

Quando um corpo chegava àquela condição horrível, tornava-se um miasma surrealista de cores irreais, texturas e odores capazes de confundir, desorientar e nocautear qualquer um. Marino afastou-se, tentando ficar o mais longe possível da maca, e precisei me conter para não rir.

Ele ficava ridículo de traje cirúrgico. Quando punha os protetores de sapato, caminhava como se patinasse, e como a touca não tinha onde se firmar na cabeça calva, tendia a ficar franzida feito uma forminha de doce infantil. Não demorariam quinze minutos e ele arrancaria a touca, como sempre.

"Ele não tem culpa de sua condição", lembrei a Marino, que se dedicava a entupir as narinas com Vick.

"Sua atitude é meio hipócrita", comentei. A porta de correr se abriu e Chuck Ruffin entrou com as radiografias.

"Não acho que seja uma boa idéia acompanhar alguém até aqui e simplesmente desaparecer", censurei Ruffin, com muito menos firmeza do que gostaria. "Principalmente uma detetive nova."

"Eu não sabia que ela era nova", Ruffin retrucou.

"O que achou que era, então?", Marino disse. "Ela nunca deu as caras por aqui antes e aparenta uns treze anos."

"Eu notei que ela não tinha peito. Detesto mulher assim, se você quer saber." Ruffin gaguejava um pouco. "Atenção! Alerta de lésbica! Uuuuuóóóó uuuóóóó", disse, imitando uma sirene enquanto gesticulava para imitar as luzes de emergência.

"Não podemos deixar nenhuma pessoa ficar aqui sem autorização com corpos que não foram examinados. Isso inclui policiais. Experientes ou não." Senti vontade de demiti-lo naquele momento.

"Estou sabendo." Ele tentava bancar o descontraído. "O. J. e a luva plantada, outra vez."

Ruffin era um rapaz alto e magro de olhos castanhos sonolentos e cabelo aloirado rebelde que dava a impressão de crescer para todos os lados. Muitas mulheres, pelo que sei, consideravam aquele ar desgrenhado de quem acabou de sair da cama irresistível. Seu charme não funcionava em mim, e ele havia desistido de usar esse recurso.

"A que horas a detetive Anderson chegou aqui, esta manhã?", indaguei.

Sua resposta foi dar a volta na sala, acendendo as lâmpadas dos negatoscópios. Eles brilhavam leitosos nas paredes.

"Lamento a demora. Minha mulher está doente, fui telefonar", ele disse.

Ele usara a esposa como desculpa tantas vezes que ela só podia ser paciente crônica ou hipocondríaca, sofrer da síndrome de Munchausen ou estar praticamente morta.

"Acho que Rene não quis ficar...", ele disse, referindose a Anderson.

"*Rene?*", Marino repetiu. "Não sabia que vocês eram íntimos."

Ruffin concentrou-se nas radiografias que tirava de envelopes pardos enormes.

"Chuck, a que horas Anderson chegou aqui?", tentei novamente.

"A hora exata?" Ele ficou pensativo por um momento. "Creio que chegou lá pelas oito e quinze."

"Oito e quinze", repeti.

"Isso mesmo."

"E você a deixou entrar no necrotério, sabendo que todos estariam na reunião da equipe? Deixando relatórios, objetos pessoais e corpos sem vigilância nenhuma."

"Ela não conhecia o local, então mostrei tudo a ela. Além disso, eu estava aqui. Tentando pôr a contagem das pílulas em dia."

Ele se referia à quantidade assombrosa de medicamentos controlados que vinham com muitos casos. Ruffin assumira a tediosa tarefa de contar as pílulas e depois jogá-las fora, pelo ralo da pia.

"Puxa vida, olhem só isso", ele disse.

Radiografias de diferentes ângulos do crânio mostravam suturas metálicas no lado esquerdo da região maxilar. Nítidas como a costura de uma bola de beisebol.

"O Homem do Contêiner quebrou a cara", Ruffin disse. "Isso é praticamente suficiente para identificá-lo, não concorda, doutora Scarpetta?"

"Se conseguirmos radiografias antigas", respondi.

"Sempre o eterno *se*", Ruffin disse, fazendo o possível para me distrair, pois sabia que estava encrencado.

Examinei as sombras opacas e as formas do septo nasal e dos ossos da face sem encontrar outras fraturas, deformidades ou anomalias. Contudo, quando limpei os dentes, encontrei uma cúspide adicional do molar Carabelli. Todos os molares possuem quatro cúspides, ou protuberâncias. Aquele tinha cinco.

"O que é Carabelli?", Marino quis saber.

"Uma pessoa. Não sei quem." Apontei para o dente em questão. "Maxilar superior. Lingual e médio, ou seja, perto da língua, no meio."

"Acho que já basta", Marino disse. "Deu para ter uma idéia do que você está falando."

"Uma característica rara", comentei. "Isso sem mencionar a configuração do septo nasal e a fratura no maxilar. Temos o suficiente para confirmar sua identidade uma dúzia de vezes, se conseguirmos material de quando estava vivo, para comparação."

"A gente vive dizendo isso, doutora", Marino ressaltou. "Diacho, já vi gente aqui com olho de vidro, pernas artificiais, placas metálicas na cabeça, anéis com brasão, dentes engastados, o que for possível imaginar, e mesmo assim ficamos sem saber quem era, pois ninguém sentiu sua falta. Ou talvez tenham sentido, mas o caso se perdeu no espaço. Ou nunca conseguimos botar as mãos numa única radiografia ou ficha dentária."

"Restaurações dentárias em alguns pontos", falei, apontando para as obturações metálicas brilhantes que contrastavam com a forma opaca de dois molares. "Pelo jeito, ele cuidava bem dos dentes. Unhas bem cortadas. Vamos colocá-lo na mesa de autópsia. Precisamos nos apressar. Ele está se deteriorando rapidamente."

12

Os olhos saltavam das órbitas como os de um sapo, couro cabeludo e barba soltavam-se junto com a camada superior de pele escurecida. A cabeça estava praticamente solta, e o pouco líquido que restava nele vazou quando o peguei pelos joelhos e Ruffin, pelas axilas. Com esforço o transferimos para a mesa de autópsia enquanto Marino firmava a maca.

"O conceito dessas novas mesas", arfei, "é exatamente evitar que sejamos obrigados a fazer isso!"

Nem todos os serviços de remoção e agências funerárias haviam aprendido a lição. Ainda entravam pisando duro, com padiolas, e transferiam o corpo para uma maca velha qualquer, em vez de usar as novas mesas de autópsia que podíamos empurrar e acoplar às pias. Até agora, meu esforço para poupar as costas ainda não fora recompensado.

"Ei, Chuck, ouvi dizer que você está doidinho para virar polícia."

"Quem falou?" Ruffin, obviamente surpreso, postou-se na defensiva num instante.

"Um passarinho me contou", Marino disse.

Ruffin calou-se e começou a lavar a maca. Enxugou-a depois com uma toalha, e a cobriu, assim como a um pedaço da bancada, com panos limpos, enquanto eu tirava as fotos.

"Bem, acho bom você ficar sabendo que não é lá grande coisa, como imagina", Marino provocou.

"Chuck", falei, "precisamos de filme para a Polaroid."

"Vou buscar."

"A realidade sempre é outra", Marino prosseguiu em seu tom condescendente. "Passar a noite rodando por aí na patrulha, de saco cheio com tudo. Levar cuspida, ser xingado e maltratado, dirigir viaturas caindo aos pedaços enquanto os bundas-moles fazem politicagem, puxam o saco dos poderosos, arranjam salas chiques e jogam golfe com o secretário."

O ar sibilou, a água roncou e fluiu. Desenhei as suturas metálicas e a cúspide extra, torcendo para que o peso dentro de mim fosse embora. Apesar de tudo o que eu sabia sobre o funcionamento do corpo humano, não entendia — e não entendia mesmo — como o sofrimento era capaz de começar no cérebro e se espalhar pelo corpo feito uma infecção sistêmica, erodindo e latejando, inflamando e entorpecendo, até finalmente destruir famílias e carreiras profissionais, ou, em casos extremos, até tirar a vida da pessoa.

"Bela roupa", Ruffin comentou. "Ar-ma-ni. Eu nunca tinha visto assim de perto."

"Os sapatos e o cinto de crocodilo devem custar uns mil dólares", falei.

"Sério mesmo?", Marino perguntou. "Então foi isso que o matou, aposto. A mulher comprou para ele de aniversário, o sujeito descobriu quanto haviam custado e teve um ataque do coração. Incomoda-se se eu fumar aqui, doutora?"

"Claro que sim. Qual era a temperatura em Antuérpia quando o navio zarpou? Você perguntou isso a Shaw?"

"Mínima dez graus, máxima vinte", Marino respondeu. "O mesmo tempo maluco em toda parte. Acho que vou passar o Natal em Miami com a Lucy, se continuar fazendo calor desse jeito. Ou plantar uma palmeira na sala de casa."

A menção a Lucy fez parecer que uma mão fria comprimia meu coração. Ela sempre fora difícil e complicada. Poucas pessoas a conheciam direito, mesmo que pensassem saber tudo a seu respeito. Oculta atrás da profissional inteligente e fenomenal, disposta a correr riscos sérios, havia uma criança magoada que perseguia os dragões que todos temíamos. Sentia pavor do abandono, imaginário ou não. Lucy sempre tomava a iniciativa em matéria de rejeição.

"Você já notou como as pessoas, na maioria das vezes, morrem malvestidas?", Chuck disse. "Por que será que acontece isso?"

"Vou trocar de luva e ficar no cantinho", Marino disse. "Preciso fumar, sério mesmo."

"Exceto no caso daqueles rapazes, na primavera. Eles foram assassinados quando voltavam para casa do baile de formatura", Chuck prosseguiu. "Um deles, de smoking azul, chegou com uma flor na lapela."

A cintura da calça estava franzida na parte próxima ao cinto.

"Calça folgada demais na cintura", falei, registrando o fato numa ficha. "Um ou dois números acima do normal para ele. Talvez tenha sido mais gordo, há algum tempo."

"É difícil dizer qual o tamanho real", Marino observou. "No momento, a barriga dele está maior que a minha."

"Ele inchou por causa dos gases", expliquei.

"Pena que você não possa dar essa desculpa", Ruffin disse. Estava ficando descarado.

"Um metro e setenta e cinco de altura, peso cinqüenta quilos, ou seja, se levarmos em conta a perda de líquidos, provavelmente pesava setenta ou setenta e cinco quilos, em vida", calculei. "Um sujeito de estatura mediana, que pode ter sido mais gordo antigamente, como já falei, a julgar pelas roupas. Há uns cabelos estranhos nas roupas dele. Quinze centímetros de comprimento, amarelos, bem claros."

Virei os bolsos da calça jeans pelo avesso e encontrei mais cabelo, um pegador de charuto de prata e um isqueiro. Depositei tudo em cima de uma folha de papel branco, com cuidado para não estragar possíveis impressões digitais. No bolso direito havia duas moedas de cinco francos, uma libra inglesa e muitas notas de um dinheiro estrangeiro que eu desconhecia.

"Sem carteira, passaporte ou jóias", falei.

"Definitivamente, parece roubo", Marino disse. "Exceto pelo dinheiro no bolso. Isso não faz muito sentido. Se ele tivesse sido assaltado, o ladrão levaria esse dinheiro também."

"Chuck, já entrou em contato com o doutor Boatwright, como pedi?"

Era um dos dentistas forenses que costumávamos tomar emprestados da Faculdade de Medicina da Virgínia.

"Vou fazer isso agora mesmo."

Ele removeu as luvas e se aproximou do telefone. Ouvi o ruído de gavetas e portas de armário sendo abertos.

"Alguém viu o caderno de telefones?", ele perguntou.

"Você é o encarregado de cuidar dessas coisas", falei secamente.

"Já volto." Ruffin não agüentava mais e aproveitaria a oportunidade para desaparecer de novo.

Ele saiu rapidamente. Os olhos de Marino o acompanharam até a porta.

"Burro até dizer chega", comentou.

"Não sei mais o que fazer com ele", eu disse. "Ele não é burro, Marino. Isso é parte do problema."

"Você tentou perguntar a ele o que está havendo? Por exemplo, se tem lapsos de memória, dificuldade em se concentrar ou algo assim? Vai ver tomou uma pancada na cabeça ou anda se masturbando demais."

"Não perguntei nada assim específico."

"Não se esqueça de que ele perdeu um projétil na pia, no mês passado, doutora. Depois ainda tentou botar a culpa em você, mas não convenceu. Claro, eu estava bem ali vendo tudo."

Eu lidava com a calça jeans úmida do morto, tentando tirá-la. Puxei para fazer com que deslizasse pelos quadris e coxas.

"Você pode me dar uma mão?", perguntei.

Com muito cuidado, puxamos a calça até o joelho e depois a tiramos pelos pés. Em seguida, tiramos a cueca, as meias e a camiseta. Pus tudo na maca coberta pelo lençol. Examinei o tecido em busca de lágrimas, furos ou qualquer outro vestígio importante. Notei que os fundilhos da calça estavam bem mais sujos do que a parte da frente. E os calcanhares dos sapatos estavam arranhados.

"Jeans, cueca preta e camiseta são Armani e Versace. A cueca está do avesso", prossegui com o inventário. "Sapatos, cinto e meias são Armani. Está vendo a sujeira e os arranhões?"

"Era nisso que eu estava pensando", Marino disse.

Quinze minutos depois a porta se abriu e Ruffin entrou com uma lista de telefones na mão. Ele pregou a folha na porta de um armário, com fita adesiva.

"Perdi alguma coisa?", ele perguntou, irônico.

"Vamos examinar as roupas com Luma-Lite, depois secá-las, e o pessoal dos traços pode começar o serviço", instruí Ruffin com voz séria. "Os outros pertences devem secar antes de ser guardados nos sacos respectivos."

Ele calçou as luvas.

"Positivo", ele disse, contrariado.

"Pelo jeito você está estudando firme para entrar na polícia", Marino disse, para provocá-lo mais um pouco. "Vai ser bom para você, meu filho."

13

Mergulhei no que fazia, me perdi no estudo de um corpo em adiantado estado de putrefação e autólise, dificilmente identificável como humano.

A morte tornara aquele homem indefeso, e as bactérias que escaparam do trato intestinal, invadindo o corpo livremente, fermentaram e encheram todas as cavidades de gás. As bactérias romperam as paredes das células e tornaram o sangue das veias e artérias preto-esverdeado, permitindo assim a visão do sistema circulatório inteiro através da pele descolorida, como se fossem rios e afluentes num mapa.

As áreas do corpo que estavam cobertas pelas roupas apresentavam condição melhor do que as mãos e a cabeça.

"Minha nossa, já imaginou alguém esbarrar nele quando estivesse nadando pelado à noite?", Ruffin disse, olhando para o morto.

"Ele não tem culpa", falei.

"Quer saber de uma coisa, Chuquinho?", Marino disse. "Quando você morrer, um dia, vai ficar feio também, igualzinho a ele."

"Sabemos qual era a posição exata do contêiner no navio de carga?", perguntei a Marino.

"Umas duas fileiras para baixo."

"E quanto às condições climáticas nas duas semanas de travessia marítima?"

"Temperatura amena, média entre quinze e vinte graus centígrados. Graças a El Niño. As pessoas podem fazer compras de Natal de shorts, se quiserem."

"Você acha que o sujeito morreu a bordo, e que alguém o colocou dentro do contêiner?", Ruffin perguntou.

"Não, eu não acho nada disso, Chuquinho."

"Meu nome é Chuck."

"Depende de quem estiver falando com você, Chuquinho. Veja bem, temos toneladas e mais toneladas de contêineres amontoados feito sardinha em lata no porão do navio. Como alguém conseguiria enfiar um cadáver dentro de um deles?", Marino disse. "Não dá nem para abrir a porta. Além disso, o lacre estava intacto."

Aproximei a lâmpada cirúrgica e recolhi fibras e fragmentos, usando pinça e lente, além de cotonetes, quando era o caso.

"Chuck, precisamos verificar quanta formalina ainda resta", falei. "Vi recentemente que o estoque estava baixo. Você já tomou alguma providência?"

"Ainda não."

"Não inale os vapores", Marino disse. "Você já deve ter visto o que eles fazem com os cérebros que você manda para a faculdade de medicina."

A formalina era formol diluído, um produto químico instável, usado para preservar ou "fixar" cortes de tecidos ou órgãos, ou mesmo de corpos inteiros, no caso de doações para estudos de anatomia. Ele mata os tecidos. É extremamente corrosivo para o trato respiratório, a pele e os olhos.

"Vou checar a formalina", Ruffin disse.

"Agora não vai dar", falei. "Espere até terminarmos aqui."

Ele tirou a tampinha de um marcador permanente.

"Que tal perguntar a Cleta se Anderson já foi?", sugeri. "Não quero que ela fique perambulando por aí."

"Farei isso", Marino disse.

"Confesso que ainda me intrigam essas histórias das mulheres que prendem assassinos", Ruffin disse a Marino. "Quando você começou, aposto que a única coisa que elas faziam era multar quem estacionava em lugar proibido."

Marino foi para o telefone.

"Tire a luva", gritei para ele, pois sempre se esquecia, por mais que eu espalhasse cartazes dizendo MANTENHA AS MÃOS LIMPAS.

Movimentei as lentes bem devagar, depois parei. Os joelhos pareciam arranhados e sujos, como se ele tivesse ajoelhado numa superfície áspera, sem calça. Verifiquei os cotovelos. Também estavam sujos e escoriados, mas era difícil confirmar isso, pois a pele estava em péssimo estado. Mergulhei um cotonete em água destilada e vi que Marino desligava o telefone. Ouvi quando ele rasgou o saco para pegar outro par de luvas.

"Anderson não está aqui", informou. "Cleta disse que ela saiu faz uma meia hora."

"E o que você acha de mulheres que fazem musculação?", Ruffin perguntou a Marino. "Viu os músculos dos braços da Anderson?"

Usei uma régua de trinta centímetros como referência para tirar fotos com uma máquina 35 mm e lentes macro. Localizei outras áreas sujas na parte interna do braço, e também colhi amostras do material.

"Acho que a mulher precisa ser tão forte quanto o homem, para viver num mundo tão masculino", Ruffin prosseguiu.

A água corria sem cessar, o aço retinia ao bater no aço, as luzes do teto não permitiam sombras.

"Hoje teremos uma nova lua", falei. "A Bélgica fica no hemisfério oriental, mas o ciclo lunar é o mesmo que o nosso."

"Então poderia ser lua cheia", Marino disse.

Percebi aonde ele queria chegar, e meu silêncio serviu de alerta para que evitasse falar em lobisomens.

"E o que aconteceu, Marino? Vocês dois disputaram a função no braço-de-ferro?", Ruffin perguntou, cortando o fio que mantinha presas as toalhas do pacote.

Os olhos de Marino eram como um cano duplo apontado para o rapaz.

"Falou comigo?"
"Você ouviu direitinho", Ruffin disse, abrindo a porta do armário envidraçado.
"Acho que estou ficando velho." Marino arrancou a touca cirúrgica e a atirou no lixo. "Não escuto mais como antes. Mas, se não me engano, você está me enchendo o saco."
"O que você acha daquelas mulheres que fazem musculação na tevê? E das lutadoras de luta-livre?"
"Cala a boca, porra", Marino disse.
"Você é solteiro, Marino. Sairia com uma mulher musculosa?"
Ruffin sempre antipatizara com Marino, e agora tinha a chance de feri-lo, ou imaginava isso, pois seu mundo egocêntrico girava em torno de um eixo muito precário. Segundo sua visão estreita e equivocada, Marino estava por baixo, humilhado. Bom momento para provocá-lo.
"Na verdade, a pergunta é outra. Uma mulher assim ia querer sair com você?" Ruffin não teve o bom senso de sair da sala. "Ou melhor, *alguma* mulher ia querer sair com você?"
Marino aproximou-se dele. Chegou tão perto que seus rostos quase se tocavam.
"Vou lhe dar um conselho, seu bunda-mole", Marino disse, embaçando o plástico que protegia seu rosto ameaçador. "Fecha essa boca suja antes que eu arrebente seus dentes. E guarde a viola no saco, sua bicha-louca."
O rosto de Chuck ficou vermelho. Tudo aconteceu enquanto as portas se abriam e Neils Vander entrava trazendo tinta, rolinho e dez fichas.
"Já chega. Vamos parar com isso imediatamente", ordenei a Marino e a Ruffin. "Senão vou pôr os dois para fora."
"Bom dia", Vander disse, como se nada tivesse acontecido.
"A pele está soltando inteira", falei.
"Isso torna tudo mais fácil."
Vander chefiava a seção de impressões digitais do la-

boratório, e quase nada o abalava. Era comum que afastasse os vermes antes de tirar as impressões digitais de corpos decompostos, e ele nem piscava ao ver corpos queimados dos quais era preciso amputar os dedos da vítima e levá-los para cima num frasco.

Eu o conhecia desde minha chegada à cidade, e sua aparência era a mesma, não mudara nem envelhecera. Continuava sendo calvo, alto e magro, sempre perdido em jalecos grandes demais que esvoaçavam enquanto ele circulava apressado pelos corredores.

Vander calçou a luva de látex e segurou a mão do cadáver com cuidado, examinando um lado e depois o outro.

"O procedimento mais fácil é remover a pele", sentenciou.

Quando um corpo estava decomposto como aquele, a camada superior da pele da mão se solta como uma luva, sendo por isso conhecida também como luva. Vander trabalhava depressa, removendo a pele das duas mãos para enfiar a sua por dentro delas. Calçava a mão do morto, por assim dizer, para passar os dedos na tinta e carimbar os cartões de identificação. Ele removeu as luvas de pele e as depositou com cuidado numa bandeja de aço. Em seguida, tirou as luvas de látex e voltou para cima.

"Chuck, ponha isso em formalina", falei. "Quero preservá-las."

Com ar contrariado, ele abriu a tampa de um frasco plástico.

"Vamos virá-lo", falei.

Marino nos ajudou a virar o corpo de bruços. Encontrei mais sujeira, principalmente nas nádegas, e recolhi novas amostras. Não vi ferimentos, apenas uma área nas costas que parecia mais escura do que a pele existente em volta. Examinei-a com uma lupa, atentamente, suspendendo os pensamentos como sempre fazia quando procurava marcas de ferimentos ou de mordidas e outros indícios sutis. Era como mergulhar sem ter visibilidade alguma. Eu só distinguia sombras e formas vagas, até bater em alguma coisa concreta.

"Está vendo isso, Marino? Ou é fruto da minha imaginação?", indaguei.

Ele passou mais Vick no nariz e se debruçou sobre a mesa, olhando com muita atenção.

"Pode ser", disse. "Não tenho certeza."

Limpei a pele com uma toalha úmida, e a epiderme, ou camada externa, se soltou facilmente. A derme, logo abaixo, parecia papelão marrom molhado com uma mancha de tinta escura.

"Uma tatuagem." Eu tinha quase certeza. "A tinta penetra na derme, mas não consigo distinguir nada. Só vejo uma mancha grande."

"Como uma daquelas marcas de nascença cor de vinho que algumas pessoas têm", Marino sugeriu.

Aproximei-me com a lupa e ajustei a lâmpada cirúrgica no melhor ângulo. Ruffin, de cara amarrada, polia mecanicamente uma bancada de aço inox.

"Vamos tentar a UV", decidi.

A lâmpada ultravioleta multibanda era fácil de usar, parecia um pouco aqueles detectores de metal manuais dos aeroportos. Reduzimos a iluminação para eu tentar primeiro a onda UV mais longa, empunhando a lâmpada perto da área que me interessava. Nada reagiu, mas uma nuance púrpura parecia formar um padrão, e isso me fez pensar que poderia haver tinta branca ali. Sob a luz ultravioleta, qualquer artigo branco, como o lençol na maca próxima, brilhava como a neve ao luar e refletia um pouco do violeta da lâmpada. Reduzi a intensidade e tentei a onda mais curta em seguida. Não notei diferença entre as duas opções.

"Acenda a luz", pedi.

Ruffin fez isso.

"Pensei que tinta de tatuagem brilhasse feito néon", Marino disse.

"Só as tintas fluorescentes", expliquei. "Como altas concentrações de mercúrio e iodo não fazem muito bem à saúde, deixaram de usá-las já faz um tempo."

Passava do meio-dia quando finalmente iniciei a autópsia, fazendo a incisão em Y para remover a proteção das costelas. Encontrei o que esperava, sem grandes surpresas. Os órgãos estavam moles e frágeis. Praticamente se desmanchavam ao toque, e eu tive de tomar muito cuidado ao removê-los para a pesagem e o corte de amostras. Não podia saber muito sobre as artérias coronárias, exceto que não estavam entupidas. Não restava nenhum sangue, só um fluido putrefato oleoso que coletei na cavidade pleural. O cérebro estava liquefeito.

"Amostras do cérebro e do fluido vão para exame toxicológico de dosagem de álcool", falei a Ruffin, sem interromper o serviço.

Urina e bile vazaram pelas células dos órgãos que as continham e se perderam, e não havia mais nada no estômago. No entanto, quando levantava o tecido que revestia o crânio, encontrei a resposta. Ele apresentava manchas no osso temporal que aloja o ouvido interno e nas células da apófise situada na parte posterior e inferior do osso temporal, bilateralmente.

Embora não pudesse fazer um diagnóstico definitivo até receber os resultados dos exames toxicológicos, eu tinha quase certeza de que o homem morrera afogado.

"E aí?" Marino me olhava, curioso.

"Está vendo essa mancha aqui?" Apontei. "Hemorragia intensa, provavelmente quando ele se debatia ao se afogar."

O telefone tocou e Ruffin foi atender.

"Quando você tratou com a Interpol pela última vez?", perguntei a Marino.

"Faz uns cinco ou seis anos, quando um fugitivo da Grécia apareceu por aqui e se meteu numa briga de bar perto da Hull Street."

"Com certeza há conexões internacionais neste caso. Se ele foi considerado desaparecido na França, na Inglaterra, na Bélgica ou em outro lugar, se é procurado em vários países, só saberemos algo aqui em Richmond se a Interpol puder relacioná-lo a alguém que conste no banco de dados deles."

"Já conversou com alguém de lá?", Marino perguntou.

"Nunca. Isso é serviço para vocês."

"Você devia ouvir o pessoal da polícia torcendo para arranjar um caso que envolva a Interpol. Mas, se perguntar o que é a Interpol, ninguém sabe responder", Marino contou. "Se quer mesmo saber, não vejo a menor graça em trabalhar com a Interpol. Eles me assustam, como a CIA. Não gosto que esse tipo de gente saiba que eu existo."

"Isso é ridículo, Marino. Sabe o que quer dizer Interpol?"

"Sei. Serviço secreto."

"Abreviatura de *polícia internacional*. A idéia é facilitar o diálogo e a ação conjunta da polícia dos países-membros. Como você gostaria que as pessoas fizessem no seu departamento."

"Aposto que não tem ninguém como a Bray trabalhando lá."

Eu observava Ruffin ao telefone. Ele falava baixo, como se tratasse de algum segredo.

"Telecomunicações, um conjunto restrito de agentes policiais atuando no mundo inteiro... Não sei quanto tempo ainda consigo aturar essa história", mudei de assunto ao olhar Ruffin quando ele desligou. "O sujeito não só me afronta como gosta de fazer isso."

Marino olhou para ele.

"A Interpol envia avisos a respeito de criminosos procurados e pessoas desaparecidas, ou inquéritos e alertas. Usam códigos de cores", retomei o raciocínio meio distraída, enquanto Ruffin enfiava uma toalha no bolso de trás da calça e pegava frascos cheios de pílulas dentro de um armário.

Sentou-se numa banqueta na frente da pia de inox, de costas para mim. Abriu um saco de papel pardo com a identificação numérica do caso e tirou três frascos de Advil e dois de medicamentos controlados.

"Um cadáver sem identificação é um alerta negro", falei. "Em geral, criminosos procurados com ligações internacionais. Chuck, por que você está fazendo isso aqui?"

"Como expliquei, o serviço atrasou. Nunca vi tantas pílulas chegando com os corpos, doutora Scarpetta. Não consigo dar conta. Quando chego a sessenta ou setenta, o telefone toca ou alguém me chama. Aí perco a conta e preciso começar tudo de novo."

"Claro, Chuquinho", Marino disse. "Dá para ver que você perde a conta muito fácil."

Ruffin começou a assobiar.

"Por que você ficou tão feliz assim, de repente?", Marino perguntou irritado, enquanto Ruffin usava uma pinça para alinhar as pílulas numa bandeja plástica azul.

"Vamos precisar de impressões digitais, fichas dentárias, tudo o que for possível", falei a Marino enquanto preparava um corte do músculo da coxa para DNA. "Tudo o que conseguirmos precisa ser enviado para eles."

"Eles?", Marino perguntou.

Eu estava ficando exasperada.

"Interpol", expliquei laconicamente.

O telefone tocou de novo.

"Ei, Marino, dá para você atender? Estou contando as pílulas."

"Vai à merda", ele disse a Ruffin.

"Está me ouvindo?" Olhei para Marino.

"Claro", ele disse. "O contato do setor de investigações criminais da polícia estadual era um antigo sargento. Eu me lembro de ter convidado o sujeito para tomar uma cerveja qualquer dia desses, ou comer com o pessoal no Chetti's. Sabe, só por cordialidade, e ele nem mudou o tom de voz. Tenho certeza de que estavam gravando tudo."

Preparei o corte de uma vértebra para limpá-la com ácido sulfúrico e pedir análise da presença de algas microscópicas chamadas diatomáceas, encontradas na água do mundo inteiro.

"Eu bem que gostaria de me lembrar do nome dele", Marino dizia. "Ele pegou todas as informações, contatou Washington, o pessoal de lá contatou Lyon, onde fica a tal polícia secreta. Ouvi dizer que é um prédio cavernoso, numa estrada escondida, que nem a batcaverna. Os guardas usam metralhadoras, essas coisas."

"Você anda vendo James Bond demais", comentei.

"Nunca mais, desde que o Sean Connery parou. Os filmes de hoje são uma porcaria, não tem mais nada que preste na tevê. Nem sei por que me dou ao trabalho de ligar."

"Talvez seja uma boa idéia ler um livro de vez em quando."

"Doutora Scarpetta", Chuck disse ao desligar. "Era o doutor Cooper. Disse que o álcool deu zero-vírgula-zero-oito no fluido e zero no cérebro."

O índice 0,08 não queria dizer nada, uma vez que não havia álcool no cérebro. Talvez aquele homem tivesse bebido um pouco antes de morrer, ou fosse álcool gerado por bactérias, após o óbito. Não havia outros fluidos para comparação, nada de urina, sangue ou a substância gelatinosa do olho, conhecida como humor vítreo, o que era ruim. Se 0,08 fosse o nível real, no mínimo indicaria que o sujeito estava alcoolizado, e portanto mais vulnerável.

"Como vai declarar a causa da morte?", Marino perguntou.

"Enjôo marítimo fulminante", Ruffin disse, espantando uma mosca com a toalha.

"Sabe, você está me dando nos nervos", Marino falou, como quem avisa.

"Causa da morte indeterminada", falei. "Modo, homicídio. Não se trata de um estivador que caiu dentro do contêiner. Chuck, preciso de um coletor cirúrgico. Deixe em cima do balcão. Quero conversar com você antes do final do expediente."

Seus olhos fugiram dos meus como peixinhos. Tirei as luvas e liguei para Rose.

"Por favor, você pode procurar nos armários uma daquelas tábuas de carne antigas?", pedi.

A secretaria decidira que todas as tábuas de cortar precisavam ser revestidas com Teflon, pois a porosidade da madeira as sujeitava a contaminação. Muito adequado para quem lidava com pacientes vivos ou fazia pão. Obedeci, mas não joguei nada fora.

"Preciso também de alfinetes de peruca", prossegui. "Você deve encontrar uma caixinha plástica na gaveta superior direita de minha escrivaninha, caso alguém não tenha roubado."

"Pode deixar", Rose respondeu.

"Acho que as tábuas estão na prateleira de baixo, no fundo do depósito, perto das caixas com os antigos manuais dos legistas."

"Mais alguma coisa?"

"Lucy ainda não ligou, não é?"

"Ainda não. Se ela ligar, eu aviso."

Pensei um pouco. Passava da uma. Ela já tinha descido do avião e bem que podia ligar. O medo e a depressão tomaram conta de mim novamente.

"Mande flores para ela, no escritório", falei. "Com um cartão dizendo 'Obrigada pela visita. Com amor, tia Kay'."

Silêncio.

"Está me ouvindo?", perguntei a minha secretária.

"Tem certeza de que só vai dizer isso?", ela perguntou.

Hesitei.

"Ponha também que eu a amo e que peço desculpas", falei.

14

Normalmente eu usaria um marcador permanente para delinear a área de pele que precisava remover de um cadáver. Mas, no caso, nenhuma caneta serviria para marcar pele em condições tão ruins.

Fiz o melhor que pude com uma régua plástica. Medi da base da nuca até o ombro, descendo depois pela escápula e voltando ao alto.

"Vinte e um e meio por dezoito por seis por dez", ditei a Ruffin.

A pele é elástica. Assim que a removemos, ela se contrai, e era importante que, ao ser presa à tábua, ela fosse esticada até as dimensões originais, ou qualquer imagem tatuada nela ficaria distorcida.

Marino já tinha ido embora, meus funcionários estavam ocupados com seus afazeres, nos escritórios ou salas de autópsia. De vez em quando o circuito fechado de televisão mostrava um veículo que entrava para entregar ou buscar um corpo. Ruffin e eu estávamos sozinhos atrás das portas de aço fechadas da sala dos decompostos. Eu ia aproveitar para ter uma conversa séria com ele.

"Se quiser entrar para a polícia, faça isso. Por mim, tudo bem."

O vidro tilintou quando ele colocou tubos de ensaio limpos no suporte.

"Contudo, se pretende continuar aqui, Chuck, mostre-se confiável. Sabe que eu exijo dedicação e respeito."

Peguei o bisturi e a pinça na mesa cirúrgica e o encarei. Ele parecia estar esperando ouvir aquilo. Tinha a resposta na ponta da língua.

"Posso não ser perfeito", ele disse, "mas sou digno de confiança."

"Deixou de ser há algum tempo. Preciso de mais grampos."

"Tenho muitos problemas", ele disse enquanto pegava os grampos para colocá-los numa bandeja ao meu alcance. "Na minha vida pessoal, quero dizer. Minha esposa está doente, compramos uma casa. Você não acreditaria se soubesse tudo o que está havendo."

"Lamento suas dificuldades, mas tenho um departamento de âmbito estadual para tocar. Francamente, não quero mais saber de desculpas. Se você não dá conta do serviço, complica minha vida. Não quero mais entrar no necrotério e ver que você não preparou a sala. Não me obrigue a sair por aí procurando você novamente."

"Sei. Já temos problemas sérios por aqui", ele disse, como se estivesse esperando a oportunidade para falar isso.

Iniciei a incisão.

"Mas você não sabe", ele acrescentou.

"Então por que não me conta quais são esses problemas, Chuck?", falei. Levantei a pele do cadáver, até atingir a camada subcutânea. Ruffin observou enquanto eu prendia as áreas cortadas com os grampos, para manter a pele esticada. Parei o que estava fazendo e o encarei, do outro lado da mesa de autópsia.

"Prossiga", falei. "Pode contar."

"Não sei se devo fazer isso", Ruffin disse, e o brilho em seus olhos me enervava. "Doutora Scarpetta, sei que não tenho sido um funcionário exemplar. Faltei ao serviço para fazer entrevistas de trabalho e talvez não tenha sido tão dedicado quanto deveria. E não me dou bem com Marino, admito. Mas falarei o que ninguém mais tem coragem de dizer, se você prometer que não vai me castigar."

"Não castigo as pessoas por sua sinceridade", falei, furiosa por ele insinuar uma coisa dessas.

Ele deu de ombros e notei um certo prazer perverso em sua expressão, pois ele me incomodara e sabia disso.

"Eu não castigo ninguém, e ponto final. Simplesmente espero que as pessoas façam as coisas certas. Se não fizerem, elas mesmas estão se punindo. Se não conseguir segurar seu emprego, será por culpa sua."

"Acho que usei a palavra errada", ele retrucou, recuando até a bancada para se encostar nela e cruzar os braços. "Eu não sei me expressar tão bem quanto você, com certeza. Mas não quero que fique brava comigo se eu falar certas coisas, está bem?"

Não respondi.

"Bem, todo mundo lamenta muito o que aconteceu no ano passado", ele disse, iniciando a argumentação. "Ninguém consegue entender como você conseguiu lidar com aquilo. Quer dizer, se fizessem aquilo com minha mulher eu nem imagino como reagiria. Principalmente se fosse tão terrível como o que sucedeu ao agente especial Wesley."

Ruffin sempre se referia a Benton como "agente especial", o que eu considerava tolice. Se havia alguém despretensioso era Benton. Ele chegava a demonstrar embaraço com esse tratamento. Contudo, quando Marino fez os comentários ferinos sobre a forma como Ruffin idolatrava a polícia, entendi melhor o rapaz. Meu supervisor do necrotério, débil e insignificante, provavelmente se deslumbrara com aquele veterano agente do FBI, principalmente por ele ser especialista em perfis psicológicos. Não pude deixar de pensar que o comportamento exemplar de Ruffin naquela época tinha mais a ver com a presença de Benton do que com a minha.

"Aquilo afetou a todos nós também", Ruffin continuou. "Ele costumava descer aqui e pedir lanches ou pizza. Brincava com a gente, ficava conversando um tempão. Era um sujeito importante, mas não se achava melhor que os outros. Um espanto."

Fragmentos do passado de Ruffin voltaram à minha mente. O pai falecera num desastre automobilístico quando Ruffin era criança. Fora criado pela mãe, uma professora primária inteligente e admirável. A esposa de Ruffin também era muito enérgica, e agora ele trabalhava para mim. Sempre considerei fascinante o fato de as pessoas retornarem ao cenário dos crimes de sua infância, buscando incessantemente o mesmo vilão, que no caso era uma figura feminina investida de autoridade, como eu.

"Todos a tratam como se pisassem em ovos", Ruffin disse, desfiando seus argumentos. "Por isso ninguém diz nada quando você não presta atenção, e acontecem muitas coisas sem que você saiba."

"Por exemplo?", perguntei, cautelosa, trabalhando com o bisturi.

"Bem, pra começo de conversa, tem um ladrão no prédio", ele respondeu. "Aposto que é alguém da equipe. Os roubos estão ocorrendo há várias semanas e você não fez nada a respeito."

"Só fiquei sabendo disso recentemente."

"Provando o que digo."

"Isso é ridículo. Rose não oculta nenhuma informação de mim", rebati.

"As pessoas tentam poupá-la também. Encare os fatos, doutora Scarpetta. Quem trabalha aqui considera a Rose uma espiã sua. Ninguém se abre com ela."

Esforcei-me para me concentrar, pois suas palavras abalaram minha confiança e meus sentimentos. Continuei a remover o tecido, com cuidado para não rompê-lo ou furá-lo. Ruffin aguardava minha reação. Encarei-o.

"Não tenho espiões", falei. "Nem preciso deles. Todos os membros da equipe sabem que podem entrar em minha sala e conversar a respeito de qualquer assunto."

Seu silêncio parecia uma acusação cheia de maldade. Ele manteve a pose desafiadora, presunçosa. Estava adorando a cena. Apoiei a mão na mesa.

"Não creio que seja necessária nenhuma justificativa minha, Chuck", falei. "Acho que você é o único da equipe que tem problemas comigo. Claro, posso compreender que se sinta incomodado por ter uma mulher como chefe, pois todas as figuras poderosas de sua vida foram mulheres."

O brilho em seus olhos sumiu quando toquei no ponto fraco. A raiva endureceu sua fisionomia. Retomei a retirada do tecido delicado, frágil, escorregadio.

"Mas sou grata por você dar sua opinião", falei com voz calma, pausada.

"Não é só minha essa opinião", ele retrucou, rude. "Todo mundo acha que você está fora do ar."

"Pelo jeito você sabe o que todo mundo pensa", respondi, sem demonstrar a fúria que sentia.

"Não é difícil perceber. Não fui o único que notou que você não faz mais as coisas como fazia antigamente. Você sabe disso muito bem. Tem de admitir isso."

"Explique o que devo admitir."

Pelo jeito ele tinha uma lista pronta.

"Coisas estranhas. Como trabalhar feito louca e ir a cenas de crimes sem necessidade. Isso a deixa exausta a maior parte do tempo, você não acompanha o que acontece no departamento. Quando os parentes das vítimas telefonam, você não tem mais tempo para conversar com eles, como antes."

"Que parentes?" Minha paciência estava no limite. "Sempre converso com a família e com qualquer um que me procura, desde que a pessoa tenha direito às informações."

"Talvez seja bom você conversar com o doutor Fielding e perguntar quantas ligações suas ele pega, verificar quantas vezes ele assume seu lugar. E tem aquela coisa sua na internet. Foi longe demais. A gota d'água."

Fiquei atônita.

"Que *coisa* na internet?", indaguei.

"Os chats e outras coisas que você anda fazendo. Para ser sincero, como não tenho computador em casa e não uso o AOL, não vi nada pessoalmente."

Furiosa, tive pensamentos bizarros, irados, que revoavam em minha mente e embaçavam qualquer noção que eu pudesse ter de minha própria vida. Muitos pensamentos sombrios e tenebrosos perturbaram meu discernimento como se fossem garras afiadas cravadas na carne.

"Não quero que se sinta mal", Chuck disse. "Espero que entenda que eu sei como se pode chegar a esse ponto. Depois de tudo o que você passou."

Eu não queria ouvir mais uma única palavra que fosse sobre tudo o que acontecera.

"Grata pela compreensão, Chuck", falei com os olhos fixos nele, até que ele desviou a vista.

"Estamos aguardando um corpo de Powhatan, aliás já deveria ter chegado. Não quer que eu vá ver o que houve?", ele disse, ansioso para sair dali.

"Faça isso e depois guarde esse corpo na geladeira."

"Pode deixar", ele disse.

A porta se fechou atrás dele, devolvendo o silêncio ao ambiente. Removi o restante da pele e a estendi sobre a tábua de cortar, enquanto a dúvida e a paranóia gélida se infiltravam sob o manto pesado da minha autoconfiança. Comecei a prender a amostra de tecido com os alfinetes. Estendia e media, estendia e media. Quando ficou pronto, cobri tudo com um pano verde e guardei na geladeira.

Tomei banho e troquei de roupa no vestiário, afastando da mente fobias e a indignação. Fiz um intervalo longo o bastante para tomar um café; estava tão velho que o fundo do bule ficou preto. Iniciei uma nova caixinha para comprar café, dando vinte dólares a minha administradora.

"Jean, você andou lendo os chats dos quais eu supostamente participo, na internet?", perguntei-lhe.

Ela balançou a cabeça, demonstrando constrangimento. Tentei Cleta e Polly a seguir, fazendo a mesma pergunta.

O sangue subiu às faces de Cleta, e ela disse, baixando os olhos: "De vez em quando".

"Polly?", indaguei.

Ela parou de digitar e também corou.

"Raramente", respondeu.

Também balancei a cabeça.

“Não sou eu”, informei. “Alguém está se passando por mim. Pena que eu não soube disso antes.”

As duas funcionárias ficaram confusas. Não sei se acreditaram em mim.

“Compreendo perfeitamente que não tenham comentado nada comigo quando souberam desses chats”, prossegui. “Provavelmente eu teria agido da mesma forma, se estivesse no lugar de vocês. Mas preciso de ajuda. Se tiverem alguma pista sobre quem está fazendo isso, vocês me contam?”

Elas demonstraram alívio.

“Que coisa horrível”, Cleta disse, veemente. “Quem está fazendo isso deveria ir para a cadeia.”

“Lamento não ter falado nada”, Polly acrescentou, vexada. “Mas não tenho a menor idéia de quem seria capaz de fazer uma coisa dessas.”

“O problema é que parece você, quando a gente lê”, Cleta acrescentou.

“Como assim, parece que sou eu?”, perguntei, franzindo a testa.

“A pessoa dá conselhos sobre prevenção de acidentes, dicas de segurança, como lidar com perdas e muitas informações médicas.”

“Está dizendo que parece ser um médico ou outro profissional de saúde?”, perguntei, cada vez mais incrédula.

“Bem, é alguém que dá a impressão de saber do que está falando”, Cleta respondeu. “Mas o tom é coloquial. Não parece um relatório de autópsia, por exemplo.”

“Na verdade, pensando bem, acho que não é o estilo dela”, Polly disse.

Notei que a pasta de um caso estava aberta sobre a mesa dela, mostrando fotos digitalizadas de uma autópsia. Um homem cuja cabeça ensangüentada fora arrancada pela metade por um tiro de escopeta. Reconheci-o, fora assassinado pela esposa que escrevia para mim da prisão, acusando-me de tudo, de incompetência a fraude.

“O que é isso?”, perguntei.

"Parece que o *Times-Dispatch* e a promotoria ouviram falar naquela mulher maluca, e Ira Herbert telefonou há pouco, pedindo informações a respeito", ela disse.

Herbert trabalhava como repórter policial para o jornal local. Se telefonara, isso provavelmente queria dizer que eu estava sendo processada.

"E depois Harriet Cummins ligou para Rose para pedir uma cópia dos arquivos", Cleta explicou. "Parece que a esposa maluca apresentou uma nova versão para o caso. Alega que ele enfiou o cano da espingarda na boca e puxou o gatilho com o dedão do pé."

"O pobre coitado usava bota militar", retruquei. "Ele não poderia ter puxado o gatilho com o pé. Além disso, levou um tiro à queima-roupa, na parte posterior da cabeça."

"Não compreendo o que acontece com essa gente", Polly disse, suspirando. "Só sabem mentir e enganar, e se vão para a cadeia, passam a criar confusão de lá de dentro, abrindo processos e tudo mais. Dá nojo na gente."

"Concordo", Cleta disse.

"Sabem onde posso encontrar o doutor Fielding?", perguntei às duas.

"Eu o vi passar agora há pouco", Polly respondeu.

Encontrei-o na biblioteca médica, folheando a *Nutrition in Exercise and Sport*. Sorriu quando me viu, mas parecia cansado e aborrecido.

"Não estou ingerindo carboidratos como deveria", falou, apontando para a página com o indicador. "Sempre digo que terei carência de glicogênio se não mantiver um teor de cinqüenta e cinco a setenta por cento de carboidratos em minha dieta. Sinto-me fraco ultimamente..."

"Jack." Meu tom de voz fez com que ele interrompesse a frase. "Preciso que você seja mais sincero do que nunca comigo."

Fechei a porta da biblioteca. Contei a ele tudo o que Ruffin havia dito, e percebi no rosto de meu principal assistente um sinal de preocupação. Ele puxou uma cadeira e sentou-se à mesa. Fechou o livro. Sentei-me a seu lado, e viramos as cadeiras para ficarmos frente a frente.

"Corre por aí um boato de que o secretário Wagner pretende se livrar de você", ele disse. "Acredito que seja tudo mentira e lamento que isso tenha chegado aos seus ouvidos. Chuck não passa de um cretino."

Sinclair Wagner era secretário de Saúde e Serviço Social. Apenas ele e o governador podiam nomear ou demitir o legista-chefe.

"E quando começaram esses boatos?", perguntei.

"Recentemente. Há poucas semanas."

"E eu seria demitida por que motivo?"

"Alegam que vocês dois não se entendem."

"Isso é ridículo!"

"Ou que ele não está contente com você, e conseqüentemente o governador também não."

"Jack, por favor, seja mais específico."

Ele hesitou e se ajeitou na cadeira, embaraçado. Agia como se coubesse a ele a culpa pelos meus problemas.

"Vou dizer tudo de uma vez, doutora Scarpetta", ele falou. "Corre que você deixou Wagner constrangido por causa da participação nas salas de bate-papo na internet."

Aproximei-me e pousei a mão em seu braço.

"Não sou eu", falei pausadamente, com gravidade. "Alguém está se passando por mim."

Ele me olhou, intrigado.

"Está brincando", disse.

"Claro que não. Isso não tem a menor graça."

"Minha nossa!", ele falou, revoltado. "Há momentos em que penso que a internet foi a pior coisa que já aconteceu conosco."

"Jack, por que você não me perguntou nada a respeito? Se achou que eu estava fazendo algo impróprio... Será que assustei tanto os membros de minha equipe, a ponto de ninguém mais ter coragem de me contar nada?"

"Não é por aí", ele disse. "Não tem nada a ver com as pessoas se sentirem intimidadas ou indiferentes. Pelo contrário, nos preocupamos tanto com você que adotamos uma postura superprotetora."

"Em relação a quê?"

"Todo mundo tem o direito de chorar uma perda e deixar o resto de lado por um tempo", ele respondeu em voz baixa. "Ninguém esperava que você continuasse a trabalhar com força total. Eu compreendo perfeitamente seu distanciamento. Puxa vida, quase não sobrevivi ao meu divórcio."

"Não estou distante, Jack. Continuo trabalhando com força total. Minha vida pessoal é outra coisa, meu sofrimento é íntimo apenas."

Ele me olhou por um bom tempo, e me encarava sem acreditar no que eu dizia.

"Antes fosse assim tão fácil", comentou.

"Nunca achei que fosse fácil. Muitas vezes, levantar da cama de manhã é a coisa mais difícil do mundo. Mas não posso permitir que meus problemas interfiram na atividade profissional, e eles não entram aqui."

"Francamente, eu não sabia o que fazer e me sinto muito mal a respeito de tudo isso", ele confessou. "E também não consigo lidar com a morte. Sei o quanto você o amava. Vivo pensando em convidá-la para jantar e perguntar se posso ajudar em alguma coisa, sei lá, consertar algo em sua casa. Mas tenho meus problemas também, como você sabe. Concluí que a única coisa que eu tinha a oferecer era assumir o máximo de tarefas aqui por um tempo."

"Você anda atendendo os telefonemas por mim? Quando os familiares das vítimas pedem para falar comigo?" Aquilo me deixou desarvorada.

"Não tem problema", ele disse. "É o mínimo que eu posso fazer."

"Meu Deus", falei, baixando a cabeça, passando a mão no cabelo. "Não posso acreditar no que estou ouvindo."

"Eu só queria ajudar..."

"Jack", interrompi, "tenho estado aqui todos os dias, exceto quando sou chamada para depor. Por que minhas ligações foram transferidas para você? Eu não estava sabendo de nada a respeito."

Foi a vez de Fielding ficar perdido.

"Você não percebe o quanto seria desprezível de minha parte fugir das pessoas que sofrem e precisam de consolo?", enfatizei. "Deixar de esclarecer suas dúvidas, como quem não se importa?"

"Eu só pensei..."

"Isso é loucura!", gritei, sentindo um nó no estômago. "Se eu fosse assim, não seria digna dessa função. Se um dia ficar assim, é melhor ir embora! Como podem achar que eu não me importo com as perdas alheias? Como não seria capaz de compartilhar os sentimentos, e deixar de fazer tudo o que fosse possível para responder às perguntas, aliviar a dor e me esforçar para mandar o criminoso para a cadeira elétrica?"

Estava a ponto de chorar. Minha voz tremia.

"Ou injeção letal. Que merda. Seria melhor que voltássemos a enforcar essa gente em praça pública."

Fielding olhou para a porta fechada, como se temesse que alguém pudesse me ouvir. Respirei fundo e procurei me acalmar.

"Quantas vezes isso ocorreu?", perguntei. "Quantas vezes você atendeu telefonemas no meu lugar?"

"Muitas, recentemente", ele admitiu, relutante.

"Quanto é muitas?"

"Provavelmente metade dos casos em que você trabalhou nos últimos meses."

"Não pode ser verdade", rebati.

Ele ficou calado, e tentei refletir a respeito. Dúvidas atormentaram minha mente outra vez. As famílias não me procuravam tanto quanto costumavam fazê-lo. Mas eu não dera muita atenção a isso, pois não há um padrão, nem como prever a freqüência. Alguns parentes querem saber todos os detalhes. Outros preferem negar e ignorar tudo.

"Presumo portanto que houve reclamações contra mim",

falei. "Pessoas que perderam seus entes queridos e acharam que eu era arrogante e insensível. Não posso culpá-las."

"Algumas se queixaram."

Percebi por sua expressão que foram muitas, e não apenas algumas. Não tinha dúvida de que elas haviam escrito ao governador para se queixarem.

"E quem transfere essas chamadas para você?", perguntei calmamente, com o máximo de controle, pois temia sair correndo pelos corredores como uma louca, gritando com todo mundo, assim que saísse da sala.

"Doutora Scarpetta, parecia compreensível que no momento você não quisesse falar sobre certas coisas com pessoas que sofreram traumas", ele tentou me explicar. "O sofrimento delas poderia despertar lembranças... para mim, faz sentido. A maioria dos parentes quer um consolo, uma palavra amiga, um conselho médico. Quando não estou aqui, Jill ou Bennett cuidam de tudo", ele disse, referindo-se aos dois médicos-residentes. "O único problema, quando nenhum de nós está disponível, é que Dan ou Amy precisam atender os chamados."

Dan Chong e Amy Forbes eram estudantes de medicina, estavam ali para um estágio, para observar e aprender. Nunca, em hipótese alguma, deveriam ter atendido aos parentes das vítimas.

"Ah, não", falei, fechando os olhos, assustada com o pesadelo.

"Em geral, tarde da noite. Maldito serviço vinte e quatro horas", ele reclamou.

"Quem transfere os telefonemas para você?", perguntei outra vez, com mais firmeza.

Ele suspirou. Fielding estava desolado e tenso como eu nunca o vira.

"Diga logo", insisti.

"Rose", ele contou.

15

Rose fechava o casaco e envolvia o pescoço com uma echarpe de seda comprida quando entrei em sua sala, faltando um pouco para as seis. Trabalhara até mais tarde, como de costume. Às vezes eu precisava obrigá-la a ir para casa no final do expediente, e, embora isso sempre me impressionasse e comovesse, naquele momento me constrangia.

"Vou acompanhá-la até o carro", me ofereci.

"Ora", ela disse. "Você não precisa fazer isso."

Seu rosto revelava tensão, e os dedos repentinamente se ocuparam com a luva de couro. Ela percebera que eu queria dizer algo e preferia não ouvir. Desconfiei que sabia exatamente o que era. Pouco falamos enquanto percorríamos o corredor que dava na entrada, pisando silenciosamente no piso acarpetado. O constrangimento era palpável.

Sentia meu coração pesado. Não sabia se era raiva ou desespero, e comecei a pensar num monte de coisas. O que mais Rose ocultara de mim, e havia quanto tempo aquilo ocorria? Seria sua lealdade fanática uma forma de possessividade que me escapara? Ela achava que eu lhe pertencia?

"Suponho que Lucy não tenha ligado", falei quando chegamos ao saguão vazio, revestido de mármore.

"Não", Rose respondeu. "Tentei o departamento dela também, várias vezes."

"Ela recebeu as flores?"

"Claro que sim."

O guarda noturno acenou para nós.

"Está frio lá fora! Vai sair sem casaco?", ele me perguntou.

"Pode deixar, assim está bom", respondi com um sorriso, e em seguida disse a Rose: "Temos certeza de que Lucy as recebeu?".

Ela parecia confusa.

"As flores", falei. "Tem certeza de que ela as recebeu?"

"Claro que sim", minha secretária repetiu. "O supervisor dela disse que ela entrou e viu as flores, leu o cartão e ficou ouvindo as brincadeiras do pessoal, que queria saber quem as enviara."

"Então você não sabe se ela as levou para casa?"

Rose olhou para mim enquanto saía do prédio e se dirigia ao estacionamento vazio e escuro. Aparentava cansaço e tristeza, não sei se os olhos marejavam por causa do frio ou de mim.

"Não sei", ela respondeu.

"Minhas tropas dispersas", comentei.

Ela levantou a gola do casaco até a altura da orelha e a fechou no queixo.

"A que ponto chegamos", falei. "Quando Carrie Grethen assassinou Benton, ela levou todos nós consigo. Não é mesmo, Rose?"

"Claro, isso teve conseqüências horríveis. Não sabia o que poderia fazer por você, mas tentei ajudar."

Ela me olhou de esguelha, sem diminuir o passo, encolhida por causa do frio.

"Tentei e continuo tentando, na medida do possível", ela prosseguiu.

"Todos dispersos", murmurei. "Lucy está magoada comigo, quando fica assim sempre age do mesmo jeito. Afasta-se. Marino deixou de ser detetive. E agora descubro que você anda transferindo meus telefonemas para Jack sem me consultar, Rose. Familiares das vítimas não conseguiram falar comigo. Por que você fez uma coisa dessas?"

Chegamos ao Honda Accord azul. As chaves tilintaram quando ela as apanhou na bolsa.

"Gozado", ela disse. "Pensei que você fosse me perguntar sobre a agenda. Você está dando muitas aulas no instituto, mais do que nunca, e ao preparar a agenda do próximo mês percebi que não vai dar conta de tantos compromissos. Eu deveria ter notado antes e dado um jeito."

"No momento, esta é a última das minhas preocupações", respondi, tentando não soar hostil. "Por que fez isso comigo?", falei, e não me referia aos compromissos. "Você impediu que eu atendesse aos telefonemas. Isso me machucou, como pessoa e como profissional."

Rose destrancou a porta e deu partida no carro, ligando o aquecimento para esquentar o veículo antes de iniciar a solitária jornada até sua casa.

"Estou fazendo o que você me mandou fazer, doutora Scarpetta", ela respondeu finalmente, soltando fumaça pela boca.

"*Nunca* ordenei que você fizesse uma coisa dessas, e *jamais* o farei", eu disse, sem acreditar no que estava escutando. "E você sabe disso muito bem. Conhece meus sentimentos a respeito da necessidade de dar atenção às famílias."

Claro que ela sabia. Eu havia demitido dois médicos-legistas nos últimos cinco anos por se mostrarem arredios ou indiferentes ao sofrimento das pessoas.

"Não concordo com isso", Rose disse, adotando novamente seu tom maternal.

"E quando foi que eu supostamente falei para você agir assim?"

"Você não falou, mandou um e-mail. No final de agosto."

"Nunca mandei e-mail nenhum sobre essa questão para você. Guardou uma cópia?"

"Não", ela disse, vexada. "Normalmente não guardo os e-mails. Não tenho motivos para tanto. Já chega eu ser forçada a usar a internet."

"E o que dizia essa mensagem atribuída a mim?"

"*Preciso que redirecione o máximo possível de ligações*

das famílias das vítimas. Estou sofrendo muito no momento. Sei que você vai entender. Algo no gênero."

"E você não questionou isso?"

Ela abaixou a cabeça.

"Claro que sim", respondeu. "Mandei um e-mail na mesma hora, perguntando a respeito. Deixei clara minha preocupação, mas sua resposta foi me mandar fazer o que havia ordenado, sem questionar nada."

"Nunca recebi um e-mail seu sobre isso", falei.

"Nem sei o que dizer", ela retrucou, prendendo o cinto de segurança. "Será possível que você não se lembre? Eu me esqueço dos e-mails rapidamente. Acho que não disse algo e depois descubro que disse."

"Não seria possível, no meu caso."

"Parece então que alguém está se passando por você."

"Está? Houve outras mensagens?"

"Algumas", ela respondeu. "Uma aqui, outra ali. Agradecimentos pelo meu apoio. E, vamos ver..."

Ela tentou se lembrar. As luzes do estacionamento davam ao carro uma tonalidade verde-escura, e não azul. Seu rosto estava na sombra, eu não conseguia distinguir sua fisionomia. Ela tamborilava no volante com os dedos enluvados, enquanto eu a observava. Esfriara muito.

"Agora me lembrei", ela disse subitamente. "O secretário Wagner queria marcar uma reunião, e você me pediu para avisá-lo de que estava muito ocupada."

"Como é?", gritei.

"Foi na semana passada", ela acrescentou.

"Por e-mail de novo?"

"Muitas vezes, é o único jeito de entrar em contato com as pessoas atualmente. O assistente dele mandou um e-mail para mim, eu mandei outro para você, que havia ido depor no tribunal. Você respondeu também por e-mail, de noite. De casa, suponho."

"Isso é loucura", falei. Minha mente analisava possibilidades, sem sucesso.

Todos no departamento tinham meu endereço eletrônico. Mas ninguém sabia minha senha, e obviamente ninguém podia entrar no sistema sem ela. Rose pensava na mesma coisa.

"Não sei como isso foi acontecer", ela disse, e depois, mais agitada: "Espere um pouco. A Ruth instalou o AOL em todos os computadores".

Ruth Wilson era a analista de sistemas.

"Claro. E ela precisava da minha senha para fazer isso", completei o pensamento. "Mas, Rose, ela jamais seria capaz de uma atitude dessas."

"Nunca na vida", Rose concordou. "Mas ela deve ter anotado as senhas em algum lugar. Seria impossível lembrar de todas."

"Suponho que sim."

"Por que você não entra no carro? Assim vai morrer de frio", ela disse.

"Vá para casa, descanse um pouco", respondi. "Vou fazer o mesmo."

"Aposto que não", ela provocou. "Você vai voltar direto para sua sala e tentar desvendar esse mistério."

Rose tinha razão. Retornei ao prédio enquanto ela se afastava, pensando que fora loucura sair sem casaco. Sentia o corpo rígido, entorpecido. O guarda noturno balançou a cabeça.

"Doutora Scarpetta, precisa pôr um agasalho."

"Tem razão", concordei.

Passei o cartão magnético na fechadura e o primeiro par de portas de vidro se abriu. Depois destranquei o acesso para minha ala do prédio. Fazia silêncio absoluto lá dentro, e quando entrei na sala de Ruth parei por um momento, observando os micros e as impressoras e um mapa na parede que mostrava se a comunicação com outras unidades estava desimpedida.

O piso atrás da mesa dela era uma confusão de cabos grossos, e havia folhas impressas com linhas de programas incompreensíveis para mim empilhadas por todos os lados. Examinei as estantes lotadas. Aproximei-me dos arquivos e tentei abrir uma gaveta. Mas estavam todas trancadas.

Sorte sua, Ruth, pensei.

Voltei a minha sala e telefonei para a casa dela.

"Alô?", Ruth atendeu.

Voz cansada. Um bebê chorava ao fundo e o marido dizia algo a respeito da frigideira.

"Lamento incomodá-la em sua casa", falei.

"Doutora Scarpetta?" Ela parecia muito surpresa. "Não incomoda em nada. Frank, você pode levá-la para o quarto?"

"Preciso saber uma coisa apenas", falei. "Você guarda as senhas para o AOL em algum lugar específico?"

"Algum problema?", ela indagou imediatamente.

"Pelo jeito, alguém sabe minha senha e está entrando no AOL como se fosse eu." Não tentei minimizar o caso. "Quero saber como alguém pode ter conseguido minha senha. Isso é possível?"

"Minha nossa", ela disse. "Tem certeza?"

"Sim."

"Obviamente, ninguém sabe sua senha, certo?", ela perguntou.

Refleti a respeito por um momento. Nem Lucy sabia minha senha. Bem, não precisava.

"Fora você", falei, "mais ninguém."

"Você sabe que eu jamais a revelaria!", Ruth disse.

"Claro. Acredito em você", reagi. E acreditava mesmo.

No mínimo, Ruth jamais se arriscaria a perder o emprego, fazendo algo do gênero.

"Mantenho os endereços de senhas de todos os funcionários num arquivo que não pode ser acessado por ninguém", ela informou.

"E quanto a versões impressas?"

"Numa pasta do arquivo, que é trancado à chave."

"Sempre?"

Ela hesitou, depois disse: "Bem, nem *sempre*. Eu tranco tudo no final do expediente, mas o arquivo não fica trancado durante o dia, a não ser que eu tenha de sair. Mas passo a maior parte do tempo em minha sala. Só saio para tomar café e almoçar na copa."

"Qual é o nome do arquivo?", perguntei, sentindo que a tempestade de paranóia crescia em nuvens escuras.

"*E-mail*", ela respondeu, sabendo como eu ia reagir. "Doutora Scarpetta, tenho milhares de arquivos com códigos de programas, atualizações, revisões, correções, novidades. Se não usasse nomes adequados, jamais encontraria o que procuro."

"Compreendo", falei. "Enfrento o mesmo problema."

"Posso mudar sua senha amanhã de manhã."

"Boa idéia. Ruth, não a guarde onde alguém possa encontrá-la. Principalmente no arquivo citado."

"Espero que eu não esteja encrencada", ela disse, assustada, enquanto o bebê continuava a chorar.

"Você não, mas alguém está", falei. "E você pode me ajudar a descobrir quem."

Não precisei de muita capacidade dedutiva para pensar imediatamente em Ruffin. Ele era esperto. Obviamente, não simpatizava comigo. Em geral, Ruth mantinha a porta fechada, para poder se concentrar. Suponho que seria fácil para Ruffin entrar na sala dela e fechar a porta, enquanto Ruth estivesse na copa, almoçando.

"Esta conversa é absolutamente confidencial", falei a Ruth. "Não pode mencioná-la nem a amigos ou familiares."

"Você tem a minha palavra de honra."

"Qual é a senha de Chuck?"

"R-O-O-S-T-R. Eu me lembro bem, pois ele ficou irritado quando a informei. Como se fosse o galo do terreiro,* ela disse. "Sua identificação é C-H-U-C-K-D-M-L", ou seja, Chuck, Departamento de Medicina Legal."

"E se eu estiver no sistema e outra pessoa tentar entrar ao mesmo tempo?", perguntei.

"A pessoa que tentar depois será barrada e receberá o aviso de que já existe alguém conectado com aquele lo-

(*) *Rooster*, em inglês, é galo. (N.T.)

gin. E um alerta de erro. Bem, o contrário não é verdadeiro. Vamos dizer que alguém mal-intencionado tenha entrado com seus dados, e que você tente entrar também, em seguida. Você receberá a mensagem de erro, mas não haverá alerta para o outro."

"Então alguém pode tentar entrar com minha identidade quando já estou no sistema, sem que eu saiba."

"Exatamente."

"Chuck tem computador na casa dele?"

"Ele me perguntou certa vez onde conseguir um micro barato, sugeri que procurasse numa loja de usados. Indiquei uma que conheço."

"O nome?"

"Disk Thrift. O dono é amigo meu."

"Você poderia telefonar para a casa desse seu amigo e perguntar se Chuck comprou um micro lá?"

"Posso tentar."

"Vou ficar algum tempo em minha sala", eu disse.

Abri o menu do meu computador e procurei o ícone do AOL. Fiz a conexão sem problema, o que significava que ninguém estava conectado usando minha senha. Senti a tentação de entrar com os dados de Ruffin para ver com quem ele andava se correspondendo e se descobriria mais alguma coisa sobre o que ele pretendia, mas fiquei com medo. Tremi com o pensamento de invadir a caixa postal de outra pessoa.

Chamei Marino pelo pager e, quando ele me telefonou, expliquei-lhe a situação e pedi sua opinião sobre o que deveria fazer.

"Diacho", ele disse de pronto. "Eu faria isso. Cansei de dizer que não confiava naquele merdinha. E sabe o que mais, doutora? Como pode garantir que ele não entrou em seu e-mail e apagou coisas, ou até enviou mensagens para outras pessoas, além da Rose?"

"Você está certo", eu disse, enfurecida com aquela possibilidade. "Depois conto a você o que descobrir."

Ruth ligou de volta alguns minutos depois, e parecia excitada.

"Ele comprou um micro e uma impressora no mês passado", informou. "Gastou uns seiscentos dólares. E o computador tinha modem."

"E nós temos software para acesso ao AOL no departamento."

"Muitas cópias. Se ele não comprou um kit, pode muito bem ter usado nossa conta."

"Creio que temos um problema muito sério. Não diga uma só palavra a respeito, isso é muito importante", insisti.

"Eu nunca fui com a cara do Chuck."

"E também não comente isso com ninguém", alertei.

Desliguei e vesti o casaco, sentindo-me culpada em relação a Rose. Não me surpreenderia se soubesse que ela chorara no caminho de casa. Raramente revelava seus sentimentos. Era estóica, e eu sabia que ficaria abalada se pensasse ter me prejudicado. Segui para meu carro. Queria fazer algo para ela se sentir melhor e precisava de sua ajuda. O e-mail de Chuck ficaria para depois.

Rose se cansara de cuidar de uma casa grande e se mudara para um apartamento perto do West End, quase na Grove Avenue, a poucas quadras de um café chamado Du Jour, onde eu tomava o *brunch* de domingo de vez em quando. Rose residia num prédio antigo, de tijolo vermelho-escuro, à sombra de enormes carvalhos. Era uma parte relativamente segura da cidade, mas eu sempre observava com atenção a área antes de sair do carro. Estacionei ao lado do Honda de Rose e notei um Taurus escuro um pouco adiante.

Vi alguém sentado no veículo, que estava desligado e com as luzes apagadas. Sabia que a maioria dos carros chapa fria da polícia de Richmond eram Taurus, atualmente. Pensei se haveria uma razão para aquele policial estar ali, na escuridão gelada. Poderia estar esperando alguém descer, para sair. Mas as pessoas não costumavam fazer isso com o motor desligado e as luzes apagadas.

Senti que me observavam e peguei o revólver Smith-Wesson sete tiros na bolsa para deixá-lo à mão, no bolso do casaco. Caminhei pela calçada e memorizei o número da placa, quando a vi no pára-choque dianteiro. Segui, sentindo olhos grudados em minhas costas.

O único acesso ao apartamento de Rose, no terceiro andar, era a escada precariamente iluminada por uma lâmpada solitária, na plataforma entre dois lances. Ansiosa, eu parava após subir alguns degraus para me certificar de que ninguém me seguia. Não vi ninguém. Rose pendurara uma guirlanda de Natal natural na porta, e a fragrância despertou lembranças intensas em mim. Ouvi música lá dentro, Handel. Procurei bloco e caneta na bolsa, para anotar o número da placa. Depois toquei a campainha.

"Minha nossa!", Rose disse. "O que a traz aqui? Vamos, entre. Mas que surpresa agradável!"

"Você espiou pelo olho mágico antes de abrir a porta?", perguntei. "Não poderia ao menos perguntar quem era?"

Ela riu. Zombava sempre de minha preocupação com a segurança, praticamente ausente da cabeça da maioria das pessoas, pois elas não levavam uma vida como a minha.

"Você veio aqui checar a segurança?", ela brincou, como de costume.

"Acho bom começar a fazer isso."

A mobília de Rose era aconchegante e reluzente, e, embora seu gosto não fosse conservador, era muito sóbrio e composto. O assoalho era de madeira de lei, do tipo que não se encontra mais. Os pequenos tapetes orientais se destacavam, coloridos contra o fundo escuro. O aquecedor a gás e as velas elétricas aqueciam e iluminavam, refletindo na janela que dava para um pátio gramado onde as pessoas montavam churrasqueiras no verão.

Rose sentou-se numa poltrona, e eu no sofá. Eu estivera em seu apartamento anteriormente em duas oportunidades apenas, e achei estranho não ver sinal algum de seus bichos queridos. O derradeiro galgo adotado fora para a casa da irmã e o gato falecera. Só lhe restava um aquário com lebistes, molinésias e peixinhos dourados a nadar constantemente, pois o edifício não permitia animais maiores.

"Sei que você sente falta dos cachorros", falei, sem mencionar o gato, pois não me dava com eles. "Um dia desses vou arranjar um galgo. Meu problema é que eu ia querer salvar todos eles."

Eu me lembrava dos cachorros dela. Os pobres coitados não deixavam ninguém tocar nas orelhas deles, pois haviam sido espancados por treinadores e sofrido inúmeras outras formas de crueldade nas pistas de corrida. Os olhos de Rose se encheram de lágrimas e ela desviou a vista.

"O frio me dá dor nas juntas", ela comentou, limpando a garganta. "Estavam ficando muito velhos. Foi melhor deixá-los com Laurel. Eu não ia agüentar ver outro bicho morrer na minha frente. Seria ótimo se você pegasse um. Se todas as pessoas decentes fizessem isso..."

Os cães eram mortos às centenas, todos os anos, assim que sua velocidade diminuía. Ajeitei-me no sofá. Muita coisa no mundo me enfurecia.

"Quer que eu faça um chá de ginseng, como o que Simon prepara?", ela disse, citando o cabeleireiro que adorava. "Ou uma bebida? Eu pretendia sair para comprar cookies."

"Não posso ficar muito tempo", falei. "Só dei uma passadinha para ver se estava tudo em ordem."

"Ora, mas é claro que está", ela respondeu, como se não houvesse nada no mundo que justificasse pensar o contrário.

Fiz uma pausa, Rose olhou para mim, esperando que eu explicasse o real motivo de minha visita.

"Falei com Ruth", prossegui. "Estamos seguindo algumas pistas, e suspeitamos..."

"Com certeza as pistas levam a Chuck", ela sentenciou, balançando a cabeça. "Sempre achei que ele não prestava. O sujeito me evita como se eu fosse o demônio, pois sabe que não me engana. Vai nevar no inferno no dia em que ele conseguir me engabelar."

"Ninguém conseguiria enganar você", falei. O *Messias* de Handel começou, e uma profunda tristeza se alojou em meu coração.

Seus olhos perscrutaram minha face. Ela sabia o quanto o último Natal havia sido difícil para mim. Eu o havia passado em Miami, onde poderia evitá-lo ao máximo. Mas não seria possível fugir das luzes e músicas, mesmo que eu voasse para Cuba.

"O que você pretende fazer este ano?", ela perguntou.

"Acho que vou para a Califórnia", respondi. "Se nevasse por aqui seria mais fácil, mas eu não suportaria um céu encoberto. Chuva e tempestades de granizo. Sabe, quando mudei para cá sempre nevava pra valer no inverno, pelo menos algumas vezes."

Revi a neve amontoada nos galhos e soprada contra meu pára-brisa, num mundo todo branco, quando eu voltava do serviço para casa, embora as repartições estivessem em recesso. Para mim, neve e sol tropical funcionavam como antidepressivos.

"Foi muita gentileza de sua parte passar para ver se estava tudo bem", minha secretária falou, levantando-se da poltrona azul-marinho. "Mas você sempre se preocupou demais comigo."

Ela foi até a cozinha e percebi que procurava algo no freezer. Quando retornou à sala, entregou-me uma vasilha Tupperware cujo conteúdo estava congelado.

"Minha sopa de vegetais", explicou. "Exatamente o que você precisa tomar esta noite."

"Você nem imagina quanto", agradeci, emocionada. "Vou para casa esquentá-la agora mesmo."

"Bem, e o que você pretende fazer a respeito de Chuck?", ela indagou com expressão muito séria.

Hesitei. Não queria incomodá-la.

"Rose, ele disse que você é minha espiã."

"E sou mesmo."

"Preciso que seja", prossegui. "Gostaria que você fizesse o possível para descobrir o que ele pretende."

"Aquele filho-da-puta está querendo nos sabotar", Rose, que raramente falava palavrões, disse.

"Precisamos de provas", falei. "Você sabe como funcionam essas coisas, em termos de governo. É mais fácil andar sobre a água do que demitir alguém. Mas ele não vai levar a melhor."

Ela não declarou nada de imediato. Então disse: "Para começar, não podemos subestimá-lo. Ele não é tão esperto quanto pensa, mas é ladino. E tem muito tempo para planejar golpes e se movimentar sem ser notado. O pior é que ele conhece sua rotina direitinho, melhor do que ninguém, melhor até do que eu, pois não a ajudo no necrotério — graças a Deus. E o centro da sua vida é lá. É onde ele pode prejudicá-la seriamente."

Ela tinha razão, embora fosse penoso para mim admitir o poder dele. Chuck poderia trocar etiquetas ou plaquetas de identificação, além de contaminar algum item. Poderia mentir a repórteres que protegeriam sua identidade para sempre. Eu mal conseguia imaginar o estrago que ele poderia causar.

"Tem mais", falei ao me levantar do sofá. "Ele comprou um computador doméstico, tenho quase certeza, e mentiu a esse respeito."

Ela me acompanhou até a porta, e me lembrei do carro estacionado perto do meu.

"Você conhece alguém no seu prédio que tenha um Taurus escuro?", perguntei.

Ela franziu o cenho, perplexa. "Bem, há vários nas imediações. Mas não me lembro de ter visto nenhum dos meus vizinhos guiando um."

"Mora algum policial em seu prédio? Ele talvez tenha vindo num carro assim, uma vez ou outra."

"Se houver, ignoro totalmente. Não se importe demais com seus medos; se você deixar, eles vão tomar conta de sua cabeça. Acredito profundamente que não devemos incentivar nossos temores. Creio que isso atrai as coisas ruins, como se diz popularmente."

“Provavelmente não é nada mesmo, mas tive uma intuição estranha, quando vi um sujeito sentado dentro daquele carro escuro, motor desligado, luzes apagadas”, falei. “Anotei o número da placa.”

“Fez muito bem.” Rose me deu um tapinha nas costas. “E isso não me surpreende nem um pouco.”

16

Meu sapato ecoava na escada quando saí do apartamento de Rose, e mantive a arma à mão enquanto seguia direto para meu carro. O automóvel suspeito sumira. Procurei-o enquanto me aproximava do meu.

O estacionamento era mal iluminado. Árvores desfolhadas farfalhavam, eu me assustava com os sons fantasmagóricos e as sombras que pareciam esconder terríveis ameaças. Tranquei a porta depressa, olhando em volta mais uma vez. Chamei Marino pelo pager assim que arranquei. Ele me ligou de volta na hora, claro, pois fazia a ronda nas ruas, fardado e entediado com a falta do que fazer.

"Pode investigar uma placa?", falei sem rodeios, assim que ele atendeu.

"Informe o número."

Eu disse.

"Estou saindo do apartamento de Rose", falei. "Tive uma intuição estranha quando vi o carro parado ali."

Marino quase sempre levava minhas intuições a sério. Não eram freqüentes nem injustificadas. Sendo médica e advogada, eu tendia a me ater aos fatos, clinicamente, sem dar espaço para reações emocionais e sensações indefinidas.

"Tem mais", anunciei.

"Quer que eu vá encontrá-la?"

"Agradeceria muito."

Ele me esperava no carro, bem na entrada, quando cheguei em casa. Desceu desajeitadamente, pois o cinto atrapalhava e o coldre que nunca usava o apertava muito.

"Droga!", reclamou, soltando o cinto. "Não sei quanto tempo ainda agüentarei isso." Fechou a porta com um pontapé. "Droga de carro idiota."

"Como você chegou primeiro, numa droga de carro?", perguntei.

"Estava por perto. Estou morrendo de dor nas costas."

Ele continuou se queixando enquanto subia os degraus e me esperava abrir a porta da frente. O silêncio me apavorou. A luz do alarme estava verde.

"Isso não é nada bom", Marino disse.

"Liguei o alarme esta manhã, tenho certeza", falei.

"A empregada veio?", ele perguntou, apurando os ouvidos, olhando para todos os lados.

"Ela sempre aciona o alarme", expliquei. "Nunca se esqueceu, que eu saiba. Nunca, em dois anos trabalhando para mim."

"Fique aqui", ele disse.

"Nem pensar", retruquei, pois a última coisa que eu queria na vida era ficar ali sozinha. Ademais, não considerava uma boa idéia duas pessoas armadas e nervosas circulando pela mesma casa, separadas.

Acionei o alarme novamente e o segui de um cômodo a outro, observando enquanto ele abria as portas dos armários e olhava atrás das cortinas. Vasculhamos os dois pisos, e não vi nada anormal até descermos outra vez. Percebi a marca no carpete. Marie passara aspirador na metade, deixando o resto sujo. Além disso, minha empregada deixara de trocar as toalhas de rosto sujas do lavabo em frente por outras, limpas.

"Ela não é descuidada", falei. "Junto com o marido, cuida de filhos pequenos com dedicação, vive com pouco dinheiro e trabalha duro, mais do que qualquer pessoa que conheço."

"Espero que ninguém me chame", Marino se queixou. "Tem café aqui nesta casa?"

Preparei um bule grande de Pilon expresso que Lucy enviara de Miami, e o saco amarelo e vermelho forte me fez sentir outra pontada de dor. Marino e eu levamos as xícaras para o escritório. Entrei no AOL, usando o nome e a senha de Ruffin, e fiquei extremamente aliviada ao perceber que ele não estava na rede.

"A área está livre", anunciei.

Marino puxou uma cadeira e espiou por cima de meu ombro. Ruffin tinha mensagens.

Havia oito e-mails, mas eu não reconhecia o nome dos remetentes.

"O que acontece se você os abrir?", Marino quis saber.

"Eles continuarão na caixa de entrada, se eu os marcar como não lidos", expliquei.

"Ele saberia que alguém os abriu?"

"Não. Mas o remetente talvez soubesse. O remetente pode checar o status de uma mensagem enviada e saber a que horas foi lida."

"Sei", Marino comentou em tom de desprezo. "E daí? Quantas pessoas vão verificar a que horas suas mensagens foram lidas?"

Não respondi e comecei a examinar as mensagens para Chuck. Eu deveria sentir receio de fazer aquilo, mas estava furiosa demais. Quatro e-mails eram da esposa, continham instruções para tarefas domésticas que fizeram Marino cair na gargalhada.

O remetente da quinta mensagem era apenas MAYFLR, e dizia simplesmente "Precisamos conversar".

"Isso é interessante", comentei com Marino. "Vamos verificar as mensagens que ele mandou para a tal *Mayflower*, seja lá quem for."

Fui para as mensagens enviadas e descobri que Chuck enviava mensagens a essa pessoa quase todos os dias, havia duas semanas pelo menos. Rapidamente li os textos, Marino também, e logo se tornou óbvio que o supervisor do necrotério se encontrava com aquela pessoa, e provavelmente tinha um caso com ela.

"Fico pensando em quem seria a figura", Marino disse. "O filho-da-puta ia levar um susto quando eu jogasse isso na cara dele."

"Não vai ser fácil descobrir", falei.

Saí do programa de correio imediatamente, e me sentia como se fugisse de uma casa que eu havia arrombado.

"Vamos tentar as salas de bate-papo", sugeri.

A única razão pela qual eu estava familiarizada com as salas de bate-papo é que esporadicamente colegas meus de várias partes do mundo as usavam para realizar conferências e pedir ajuda em casos particularmente difíceis, ou apresentar informações úteis a todos. Acessei o site, baixei o programa e escolhi a opção de entrar na sala sem que me vissem.

Examinei a lista de salas e escolhi uma chamada *Cara Doutora Kay*. A doutora Kay em pessoa moderava uma animada conversa com sessenta e três pessoas.

"Ai, minha nossa. Quero um cigarro, Marino", falei, sem ocultar a tensão.

Ele tirou um cigarro do maço e puxou uma cadeira, sentando-se a meu lado para acompanhar as conversas.

<Pipeman> Cara Doutora Kay, é verdade que Elvis faleceu no toalete, e que muita gente morre no banheiro? Sou encanador, você pode imaginar o motivo de minha preocupação. Obrigado. Interessado em Illinois.

<Cara Doutora Kay> Caro Interessado em Illinois, é verdade, lamento dizer que Elvis morreu no toalete, e que isso não é incomum, pois as pessoas fazem força demais, e o coração não agüenta. Elvis passou muitos anos comendo mal, tomando pílulas. Infelizmente, isso tudo tinha um preço, e ele faleceu de parada cardíaca no banheiro luxuoso de sua mansão em Graceland. Isso deve servir de lição para todos nós.

<Medstu> Cara Doutora Kay, por que escolheu trabalhar com pacientes mortos, em vez de cuidar dos vivos? Mórbido de Montana.

<Cara Doutora Kay> Caro Mórbido de Montana, não tenho jeito para lidar com doentes e não preciso me preocupar com o que o paciente está sentindo. Descobri, quando cursava medicina, que os pacientes vivos são uma chateação.

"Puta que o pariu", Marino disse.

Eu estava furiosa, mas nada podia fazer a respeito.

"Sabe", Marino comentou, indignado, "eu preferia que as pessoas deixassem o Elvis em paz. Estou cansado de ouvir essa história de que ele morreu no banheiro."

"Fique quieto, Marino", falei. "Por favor, estou tentando raciocinar."

A sessão seguiu em frente, pavorosa. Eu sentia vontade de entrar na conversa e dizer a todos que a Cara Doutora Kay não era eu.

"Dá para saber quem é essa Cara Doutora Kay?", Marino perguntou.

"Se a pessoa for moderadora da sala de bate-papo, é impossível. Ele ou ela pode saber quem são todos os outros, mas a recíproca não vale."

<Julie W> Cara Doutora Kay, como conhece tudo sobre anatomia, você entende mais dos pontos de prazer? Sabe o que é, meu namorado anda devagar na cama, chega a pegar no sono no meio! Quero Ser Sexy

<Cara Doutora Kay> Cara Quero Ser Sexy, ele toma algum medicamento que provoca sonolência? Se a resposta for não, então lingerie sexy seria uma boa idéia. As mulheres não se esforçam mais para fazer com que os homens se sintam importantes e poderosos.

"Já chega!", gritei. "Vou matar esse desgraçado... ou quem quer que seja essa tal de doutora Kay!"

Levantei da cadeira num pulo, frustrada por não saber como agir.

"Ninguém vai ferrar minha credibilidade!"

Cerrei os punhos. Fui correndo para o salão, onde parei de repente e olhei em volta, como se nunca tivesse entrado ali antes.

"Vou dar o troco, entrar no jogo também", falei ao retornar ao escritório.

"Mas o que você vai fazer, se não sabe quem é a doutora Kay número dois?", Marino perguntou.

"Talvez eu não possa fazer nada a respeito do chat, mas ainda resta o e-mail."

"E-mail? Como assim?", Marino perguntou.

"Essa via é de mão dupla. Me aguarde. Bem, que tal checar o veículo suspeito?"

Marino tirou o rádio portátil do cinto e o regulou para o canal de serviço.

"Pode repetir a placa?", ele pediu.

"RGG-7112", falei de memória.

"Da Virgínia?"

"Lamento", falei. "Não deu para ver isso."

"Vamos começar por aqui, de qualquer modo."

Ele passou a placa para a Rede de Informação Criminal da Virgínia, pedindo um dez-vinte e nove. Já passava das dez.

"Dá para me fazer um sanduíche ou algo para comer, antes de eu ir embora?", Marino pediu. "Estou morrendo de fome. O sistema está meio lento esta noite. Odeio essas coisas."

Ele pediu bacon, alface e tomate com molho russo e rodelas grossas de cebola. Levei o bacon ao forno de microondas, em vez de fritá-lo.

"Puxa vida, doutora, por que você tem de fazer isso?", ele reclamou, erguendo uma fatia de bacon crocante, com pouca gordura. "Bacon é melhor se a gente pode mastigar e sentir o gosto, em vez de deixar que escorra inteiro para o papel-toalha."

"Ainda tem muito sabor", falei. "No futuro, fica por sua conta. Mas eu não serei responsável por entupir mais ainda suas artérias, que provavelmente já estão entupidas."

Marino esquentou pão de centeio e passou manteiga e molho para salada russa que ele mesmo preparou, usando base pronta, ketchup e picles picado. Depois montou dois sanduíches com bacon, alface, tomate cheio de sal e as rodelas grossas de cebola crua.

Ele embrulhou as duas obras-primas em papel-alumínio, e logo recebeu o chamado pelo rádio. O carro não era um Ford Taurus, e sim um Ford Contour 1998. Azul-escuro, estava registrado em nome da Avis Leasing Corporation.

"Isso é muito interessante", Marino disse. "Normalmente, os carros para alugar em Richmond têm placas que começam com R, a gente precisa reservar outro tipo antecipadamente, se não quiser a comum. Eles passaram a permitir isso para não ficar na cara que o sujeito é de fora e atrair assaltantes."

Não havia multas pendentes e o veículo não constava na lista de carros roubados.

17

Na manhã seguinte, quarta-feira, às oito horas, encaixei o carro numa vaga justa, em área com parquímetro. Do outro lado da rua, o capitólio da Commonwealth, datado do século XVIII, erguia-se impecável atrás da cerca de ferro fundido e das fontes difusas na neblina.

O dr. Wagner, os outros secretários e o procurador-geral trabalhavam no prédio da Ninth Street. A segurança se tornara tão rígida que eu me sentia uma criminosa quando ia lá. Havia uma mesa logo depois da porta, e um policial do capitólio revistou minha bolsa.

"Se encontrar algo aí dentro me avise", falei, "porque eu não consigo achar nada."

O policial sorridente me parecia muito familiar, era um trintão baixo e rechonchudo. Tinha cabelo castanho que começava a rarear emoldurando um rosto algo infantil que fora formoso antes que os anos e o peso extra começassem a lhe roubar encantos.

Mostrei meus documentos, que ele mal examinou.

"Não precisa", ele disse, simpático. "Não se lembra de mim? Estive no seu departamento algumas vezes, quando ficava aqui perto."

Ele apontou na direção da antiga sede, situada a apenas cinco quadras curtas de distância dali.

"Rick Hodges", ele disse. "Na época em que houve o pânico por causa do urânio, lembra-se?"

"Como não?", respondi. "Um de nossos grandes momentos."

"Wingo e eu costumávamos almoçar juntos às vezes. Eu descia na hora do almoço, quando estava tudo sossegado."

A tristeza cobriu seu rosto. Wingo fora o melhor supervisor do necrotério que já trabalhara comigo. Era extremamente sensível, e morrera de varíola anos antes. Levei a mão ao ombro de Hodges.

"Sinto muita falta dele", falei. "Você nem faz idéia de quanto."

Ele olhou para o lado e se aproximou de mim.

"Você mantém algum contato com a família dele, ainda?", perguntou em voz baixa.

"De vez em quando."

Ele percebeu, pelo modo como falei, que a família de Wingo não queria falar sobre o filho homossexual, nem queria que eu ligasse. Seguramente preferiam que Hodges e os amigos gays não os procurassem. Hodges balançou a cabeça, com sofrimento nos olhos. Tentou sorrir para afastar a tristeza.

"Ele era louco por você, doutora", ele disse. "Faz tempo que espero uma chance de lhe contar isso."

"Muito obrigada", falei, comovida. "Sabe, Rick, isso é muito importante para mim."

Passei pelo detector de metais sem incidentes, e ele me devolveu a bolsa.

"Não suma", ele disse.

"Pode deixar", respondi, fixando a vista em seus olhos azuis juvenis. "Sinto-me mais segura, sabendo que você está aqui."

"Sabe o caminho?"

"Acho que sim", respondi.

"Bem, lembre-se apenas de que o elevador aqui tem vontade própria."

Subi até o sexto andar pela escada de granito gasta. A sala de Sinclair Wagner dava para a Capitol Square. Naquela manhã escura e chuvosa eu mal distinguia a estátua eqüestre de George Washington. A temperatura caíra dez graus durante a noite, a chuva fina machucava como chumbo de espingarda.

A sala de espera da Secretaria de Saúde e Serviço Social exibia uma decoração de bom gosto, em estilo colonial, e bandeiras que não faziam o gênero do dr. Wagner. Sua sala, lotada e desorganizada, indicava que ele era um sujeito que trabalhava duro e ignorava seu poder.

O dr. Wagner nascera e crescera em Charleston, na Carolina do Sul, onde seu primeiro nome, Sinclair, era pronunciado Sinkler. Psiquiatra formado também em Direito, supervisionava setores dedicados ao atendimento da população, como saúde mental, tóxicos, serviço social e saúde pública. Lecionara na faculdade de Medicina da Virgínia, a MCV, antes da nomeação para a Secretaria. Sempre o respeitei imensamente, e sabia que ele me respeitava também.

"Kay." Ele afastou sua poltrona e levantou-se. "Como vai?"

Com um gesto, ele sugeriu que eu sentasse no sofá. Fechou a porta e retornou à mesa, o que não era bom sinal.

"Estou contente com o modo como tudo vai indo no Instituto, e você?"

"Muito", concordei. "Assusta, mas está saindo melhor do que eu imaginava."

Ele pegou o cachimbo e uma bolsa de tabaco que estavam no cinzeiro.

"Ando me perguntando o que houve com você", ele disse. "Parece ter sumido da face da terra."

"Não sei por que você diz isso", falei. "Tenho trabalhado em um número maior de casos, e não menor."

"Claro. Acompanho seu desempenho pelos jornais."

Ele começou a encher o cachimbo de fumo. Não permitiam fumar no prédio, mas Wagner fumava o cachimbo apagado, quando estava constrangido. Sabia que eu não queria conversar sobre o Instituto, nem contar que andava muito ocupada.

"Sei muito bem que você está atarefada", ele prosseguiu, "pois não tem nem tempo para me ver."

"Eu só soube hoje que você tentou marcar uma reunião na semana passada, Sinclair."

Ele me olhou, sugando o cachimbo. O dr. Wagner aparentava mais idade do que os sessenta e poucos anos que tinha, como se guardar os segredos dos pacientes por tantos anos tivesse finalmente começado a exauri-lo. Seus olhos gentis eram uma vantagem, pois faziam com que as pessoas se esquecessem da sua astúcia de advogado.

"Se você não recebeu a mensagem em que pedi para vê-la, Kay", ele acrescentou, "então precisa dar um jeito na sua equipe."

Sua voz baixa e pausada remoía as palavras. Ele sempre escolhia o caminho mais longo para expressar um pensamento.

"Tem razão, mas não é como você imagina."

"Pode falar."

"Alguém está pegando meus e-mails", respondi diretamente. "Pelo jeito, essa pessoa teve acesso ao arquivo onde ficam as senhas e pegou a minha."

"Essa segurança..."

Ergui a mão para interrompê-lo.

"Sinclair, o problema não é a segurança. Estou sendo atacada por alguém de minha própria equipe. Está claro que alguém — ou mais de uma pessoa, talvez — está querendo me causar problemas. Promover minha demissão, creio. Sua assistente mandou um e-mail para a minha, avisando que você precisava falar comigo. Minha secretária passou a mensagem adiante, e eu supostamente respondi que estava *ocupada demais* para uma reunião."

Percebi que o dr. Wagner considerava a história confusa, ou até ridícula.

"Houve outros episódios", prossegui, cada vez mais desconfortável com o som de minha própria voz a contar um caso fantástico. "E-mails pedindo que os telefonemas fossem passados para meu assistente. E, pior de tudo, uma sala de bate-papo na internet."

"Ouvi falar nisso", ele respondeu, sério. "E você está

dizendo que essa história de cara doutora Kay envolve a mesma pessoa que usa sua senha?"

"Não tenho dúvida de que alguém usa minha senha e se faz passar por mim."

Ele permaneceu um tempo em silêncio, com o cachimbo na boca.

"Suspeito que o supervisor do necrotério esteja envolvido", acrescentei.

"Por quê?"

"Comportamento estranho, hostilidade, sumiços súbitos. Ele está descontente e planeja alguma coisa. Tenho pistas."

Silêncio.

"Quando puder provar seu envolvimento", falei, "resolverei o problema.

O dr. Wagner recolocou o cachimbo no cinzeiro. Levantou-se da mesa e se aproximou do lugar onde eu estava sentada. Debruçou-se e olhou para mim intensamente.

"Conheço você há muito tempo, Kay", ele disse com voz solidária, mas firme. "Conheço sua reputação. Você é um orgulho para a comunidade. Também sofreu uma perda horrível, e não faz muito tempo."

"Está tentando bancar o psiquiatra comigo, Sinclair?" Eu não estava brincando.

"Você não é uma máquina."

"Nem sou dada a delírios. O que estou dizendo é real. Cada detalhe do caso que tenho em mãos. Há uma série de atividades insidiosas ocorrendo, e, embora seja verdade que ando desatenta, o que lhe falei não tem nada a ver com isso."

"Como pode ter tanta certeza, Kay, se anda desatenta, como disse? A maioria das pessoas não teria voltado ao trabalho tão depressa, depois de enfrentar uma tragédia como a sua. Quando você voltou a trabalhar?"

"Sinclair, cada um tem seu jeito de lidar com as coisas."

"Vou responder à pergunta para você", ele prosseguiu. "*Dez dias.* E voltou para um ambiente que não considero dos mais animadores. Morte, tragédia."

Não reagi, lutei para me conter. Vivia numa caverna escura, mal me lembrava de ter espalhado as cinzas de Benton no mar, em Hilton Head, lugar de que mais gostávamos. Mal me lembro de ter tirado as coisas dele do apartamento que mantinha lá e, depois, de ter limpado as gavetas e armários de minha casa. Num furor maníaco, eliminei na hora tudo o que um dia precisaria ser dispensado.

Se não fosse pela dra. Anna Zenner, eu não teria sobrevivido. A psiquiatra, embora mais velha, era minha amiga havia muitos anos. Não faço idéia do fim que ela deu nos ternos e gravatas elegantes de Benton, nos sapatos de cromo e nas colônias. Não queria nem saber o que acontecera com o BMW dele. Acima de tudo, eu não agüentaria conhecer o destino das toalhas do banheiro e das roupas de cama.

Anna, sabiamente, conservara todos os itens que importavam. Ela não tocou nos livros, nem nas jóias. Deixou os diplomas e as comendas na parede do escritório dele, onde ninguém os via, pois ele era muito modesto. Não permitiu que eu removesse as fotos espalhadas por todos os cantos, pois disse que seria importante para mim conviver com elas.

"Você precisa conviver com as lembranças", ela repetia sempre com seu sotaque alemão carregado. "Ainda estão presentes, Kay. Não pode fugir delas. Nem tente."

"Numa escala de um a dez, como você classificaria sua depressão, Kay?", a voz do dr. Wagner soou ao longe.

Eu ainda me sentia magoada e incapaz de aceitar que Lucy não tivesse vindo me ver nem uma vez, durante tudo isso. Benton deixara o apartamento da praia para mim, em seu testamento, e Lucy ficou furiosa porque eu o vendi, embora soubesse muito bem que nenhuma de nós duas seria capaz de entrar lá novamente. Quando tentei entregar a ela a jaqueta de couro gasta e adorada que ele usara na faculdade, ela declarou que não a queria, que preferia dá-la para alguém. Eu sabia que ela não fizera isso. Sabia que a escondera em algum lugar.

"Não precisa se envergonhar de admitir isso. Parece que você tem dificuldade até em admitir que é humana", a voz do dr. Wagner voltou, mais forte.

Minha visão clareou.

"Já pensou em tomar um antidepressivo?", o dr. Wagner perguntou. "Um medicamento leve, como Wellbutrin."

Fiz uma pausa antes de responder.

"Para começar, Sinclair", falei, "depressão situacional é normal. Não preciso de uma pílula que faça meu sofrimento sumir num passe de mágica. Acho que sou estóica. Tenho dificuldade para externar minhas emoções, mostrar meus sentimentos mais profundos. Admito, para mim é mais fácil brigar, ficar brava ou trabalhar demais do que sentir dor. Mas eu não vivo num mundo de negações. Tenho suficiente bom senso para saber que a dor não vai passar logo. Mas isso não é fácil quando pessoas em quem confiamos começam a tomar o pouco que conseguimos nesta vida."

"Você mudou de eu para nós", ele observou. "Fico pensando se você tem noção..."

"Não me analise, Sinclair."

"Kay, me deixe falar um pouco sobre a tragédia e a violência que as pessoas intocadas por elas nunca chegam a conhecer", ele insistiu. "Têm vida própria e continuam a fazer estragos, embora sutilmente, causando feridas menos visíveis, à medida que o tempo vai passando."

"Vejo a tragédia diariamente", retruquei.

"E quando se olha no espelho?", ele perguntou.

"Sinclair, já é terrível sofrer uma perda, lidar com todo mundo nos olhando de esguelha, duvidando de nossa capacidade profissional. Mas ser atacada e desrespeitada quando parecemos estar por baixo é o pior de tudo."

Ele me olhou firme. Eu havia passado para a primeira pessoa do plural, meu refúgio seguro, e vi, por seu olhar, que ele percebera.

"A crueldade viceja no que percebe como fraqueza", prosseguí.

Eu sabia muito bem o que era o mal. Podia sentir seu cheiro e ver sua cara, quando entrava em meu meio.

"Alguém se aproveitou do que me aconteceu, reconhecendo a oportunidade tão esperada para acabar comigo", concluí.

"E você não acha essa idéia um tanto quanto paranóica?", ele falou, após uma longa pausa.

"Não."

"Por que alguém faria isso, além de mesquinhez e inveja?", ele indagou.

"Poder. Para roubar meu fogo."

"Analogia interessante", ele disse. "Explique melhor o que quis dizer com isso."

"Uso meu poder para fazer o bem", expliquei. "E quem quer que seja que está tentando me atingir quer se apropriar do meu poder para seu próprio uso egoísta, e não quero o poder nas mãos de pessoas assim."

"Concordo", ele falou, pensativo.

O telefone tocou. Ele se levantou para atender.

"Agora não", disse. "Sei. Mas ele precisa esperar um pouco."

Retornando à cadeira, ele respirou fundo, tirou os óculos e os colocou sobre a mesa de centro.

"Creio que a melhor coisa seria enviar um press-release informando que alguém está se passando por você na internet, fazer todo o possível para esclarecer o assunto", ele sugeriu. "Vamos pôr um fim nisso, mesmo que exija uma ordem judicial."

"Isso me deixaria muito aliviada", falei.

Ele se levantou, e eu também.

"Obrigada, Sinclair. Graças a Deus tenho um escudo protetor como você."

"Vamos torcer para que o novo secretário seja igual", ele comentou, como se eu soubesse do que estava falando.

"Que novo secretário?", perguntei, sentindo a ansiedade voltar, agora intensamente.

Uma expressão estranha passou por seu rosto. Depois, ele ficou irado.

"Enviei diversas mensagens para você, contendo avisos de privado e confidencial. Que droga! Isso está indo longe demais."

"Não recebi nada de você", falei.

Ele apertou os lábios, seu rosto corou. Uma coisa era ler e-mails de alguém, outra bem diferente era interceptar mensagens confidenciais do secretário. Nem Rose tinha acesso a elas.

"Pelo jeito, a Comissão Criminal do governo estadual deseja passar seu departamento da Saúde para a Secretaria de Segurança Pública."

"Meu Deus, Sinclair!"

"Eu sei, eu sei", ele disse, erguendo a mão para me pedir silêncio.

A mesma proposta ignorante fora feita logo depois de minha contratação. A polícia e os laboratórios forenses estavam subordinados à Segurança Pública. Isso significava, entre outras coisas, que se meu departamento ficasse na mesma situação não haveria mais confirmações e checagens. O departamento de polícia, em resumo, poderia me dizer como conduzir os casos.

"Já redigi pareceres a respeito", falei ao dr. Wagner. "Há alguns anos, combati a idéia falando a promotores e chefes de polícia. Cheguei a procurar a ordem dos advogados. Não podemos permitir que isso ocorra."

O dr. Wagner não falou nada.

"Por que agora?", perguntei. "Por que isso veio à baila neste momento? A questão passou mais de dez anos esquecida."

"Creio que o deputado Connors resolveu lutar por ela, pois gente do alto escalão da segurança o pressionou", ele disse. "Quem pode dizer algo com certeza?"

Eu podia. Enquanto voltava para meu escritório, recuperei as energias. Meditei sobre questões pendentes, procurando o que não estava à vista, buscando a verdade. Sabotadores como Chuck Ruffin e Diane Bray não incluíram em suas maquinações o fato de terem servido para me despertar.

Materializava-se em minha mente um cenário completo. Era simples demais. Alguém me queria fora de combate para enfraquecer o departamento, tornando-o presa fácil para a Segurança Pública. Eu ouvira rumores sobre o secretário atual, de quem eu gostava muito. Ia se aposentar. Não seria apenas coincidência se Bray assumisse o lugar dele.

Quando cheguei ao escritório, sorri para Rose e lhe dei um bom-dia animado.

"Ora, pelo jeito você está de bom humor hoje!", ela disse, muito contente.

"É sua sopa de legumes", comentei. "Sei que estará à minha espera. Onde está o Chuck?"

A menção do nome provocou uma careta em Rose.

"Saiu para entregar alguns cérebros para a faculdade de medicina", ela respondeu.

De vez em quando, se os casos eram complicados ou suspeitos do ponto de vista neurológico, eu preservava os cérebros em formalina e os remetia para o laboratório de neuropatologia para estudos aprofundados.

"Avise-me quando ele voltar", pedi. "Precisamos instalar o Luma-Lite na sala dos decompostos."

Ela apoiou o cotovelo na mesa e a mão no queixo. Balançou a cabeça, olhando para mim.

"Odeio ter de lhe dar a notícia", ela disse.

"Ai, meu Deus, o que é agora? Bem quando pensei que teria um dia agradável."

"O instituto está simulando uma cena de crime, e pelo jeito o Luma-Lite deles foi para a manutenção."

"Não me diga."

"Bem, alguém telefonou de lá e Chuck levou nosso Luma-Lite, antes de ir para a faculdade de medicina."

"Vou lá buscá-lo, então."

"A simulação é externa, a uns quinze quilômetros daqui."

"Quem autorizou Chuck a emprestar o equipamento?", perguntei.

"Dê graças a Deus por não ter sido roubado, como aconteceu com tantas coisas por aqui", ela disse.

"Ao que parece, serei forçada a subir e fazer o exame no laboratório de Vander", falei.

Segui para minha sala e me sentei. Tirei os óculos e esfreguei a parte superior do nariz. Decidi que chegara o momento de marcar o encontro entre Bray e Chuck. Entrei no programa de e-mail de Chuck e mandei uma mensagem a Bray.

Chefe Bray,

Tenho algumas informações de que você precisa saber. Por favor, me encontre no shopping center de Beverly Hills às 17h30. Estacione na fileira do fundo, perto da Buckhead's. Se não puder ir lá me encontrar, avise pelo pager. Se não cancelar, estarei lá.

Chuck

Depois mandei uma mensagem a Chuck, fingindo ser Bray, marcando o encontro.

"Pronto", falei, satisfeita, quando o telefone tocou.

"Oi", Marino disse. "Aqui é seu investigador particular. O que você pretende fazer depois do serviço?"

"Trabalhar. Você se lembra de quando eu disse que também ia entrar no jogo? Você vai me levar ao Buckhead's. Não podemos perder um lindo encontro entre duas pessoas próximas e queridas, certo? Por isso, pensei que você poderia me convidar para jantar, e na saída por acaso toparíamos com eles", falei.

18

Marino se encontrou comigo no estacionamento, como combinamos. Entramos na monstruosa picape Dodge Ram cabine dupla dele, pois eu não queria correr o risco de Bray reconhecer meu Mercedes. Estava escuro e fazia frio, mas a chuva cessara. A picape era tão alta que eu quase podia trocar olhares com motoristas de caminhão.

Seguimos pela Patterson Avenue até Parham Road, uma via principal no centro, onde as pessoas iam fazer compras, comer em restaurantes e passear no Regency Mall.

"Devo alertar você de que nem sempre encontramos um pote de ouro no fim do arco-íris", ele disse, jogando uma ponta de cigarro pela janela. "Um ou outro pode não aparecer. Puxa vida, eles podem ter percebido a jogada, sei lá. Mas vale a pena tentar, certo?"

O shopping center de Beverly Hills era na verdade uma galeria de lojinhas com uma loja Ben Franklin Crafts & Frames como âncora. Ninguém esperaria encontrar ali a melhor churrascaria da cidade.

"Não vejo nem sinal deles", Marino disse, olhando para todos os lados. "Mas ainda é cedo."

Ele estacionou um pouco longe do restaurante, entre dois carros, na frente da Ben Franklin, e desligou o motor. Abri a porta.

"Aonde você pensa que vai?", ele protestou.

"Entrar no restaurante."

"E se eles chegarem de repente e a virem?"

"Tenho todo o direito de estar aqui."

"E se ela estiver no bar?", ele disse, assustado. "O que você vai dizer?"

"Oferecerei uma bebida, sairei e chamarei você."

"Caramba, doutora." Marino estava ficando cada vez mais inflexível. "Pensei que a idéia era expor a maldita."

"Relaxe e deixe tudo por minha conta."

"Relaxar? Eu quero quebrar o pescoço daquela vaca", ele disse.

"Precisamos agir com cautela. Se sairmos atirando, podemos levar o primeiro tiro."

"Você está querendo dizer que não vai jogar na cara dela que sabe o que ela anda aprontando? Os e-mails do Chuck e tudo mais?"

Ele ficou furioso, incrédulo. E começou a repetir tudo de novo.

"Afinal de contas, o que estamos fazendo aqui, então?", perguntou depois.

"Marino", falei, tentando acalmá-lo. "Não se precipite. Você é um detetive experiente, e precisa saber como lidar com ela. Ela é formidável. Acho bom você ficar sabendo que eu não pretendo encurralar essa mulher."

Ele ficou quieto.

"Vigie seu carro enquanto eu entro no restaurante. Se a vir antes de mim, mande um alerta pelo meu pager e ligue para o restaurante. Peça para falar comigo, para o caso de eu não pegar a mensagem por algum motivo."

Ele acendeu um cigarro, furioso, antes de abrir a porta para mim.

"Isso não é justo, cacete", ele disse. "Você sabe muito bem o que ela está fazendo. Ainda acho que devemos desmascará-la e mostrar que ela não é tão esperta quanto imagina."

"Você, mais do que qualquer um, sabe como funciona uma investigação", insisti. Começava a temer que ele não fosse capaz de se conter.

"Sabemos que ela controla o Chuck."

"Fale mais baixo", pedi. "Não podemos provar que

ela mandou o e-mail, assim como eu *não* posso provar que não mandei o e-mail atribuído a mim. Aliás, não posso nem provar que não escrevi aquelas coisas no chat."

"Talvez seja melhor eu virar mercenário."

Ele soprou a fumaça em cima do espelho retrovisor.

"Mande um alerta pelo pager e telefone", falei ao descer.

"E se você não for avisada a tempo?"

"Atropele Bray com sua picape", retruquei impaciente, fechando a porta.

Olhei em torno enquanto seguia na direção do restaurante, e não vi Bray. Não tinha idéia de como era seu carro particular, mas desconfiava que ela não o usaria ali, de todo modo. Abri a pesada porta de madeira do Buckhead's e fui recebida por vozes descontraídas, gelo tilintando nos copos e um barman que fazia drinques em meio a malabarismos. Uma cabeça de cervo empalhada explicava o nome do restaurante. As luzes eram suaves, os lambris, de madeira escura. Pilhas de caixotes e estantes de vinho quase batiam no teto.

"Boa noite", a hostess sorriu, algo surpresa. "Sentimos sua falta, mas eu soube pelos jornais que a senhora anda muito ocupada. Em que posso ajudar?"

"Tem uma reserva em nome de Bray?", indaguei. "Não sei bem a hora."

Ela consultou o livro grosso das reservas, percorrendo a lista de nomes com a ponta do lápis. Em seguida, tentou de novo, embaraçada. Afinal de contas, era impossível chegar de surpresa para jantar em um bom restaurante, mesmo durante a semana.

"Não estou encontrando", ela disse com sutileza.

"Humm. Será que está em meu nome?", tentei novamente.

Ela também tentou.

"Puxa vida. Sinto muito, doutora Scarpetta. E a casa está cheia hoje, pois temos um grupo que reservou o salão da frente inteiro."

Vinte para as seis, naquele momento. Sobre as mesas cobertas com toalha xadrez havia lamparinas delicadas, e o restaurante estava completamente vazio, pois pessoas civilizadas não costumavam jantar antes das sete.

"Eu pretendia tomar um drinque com uma amiga", prossegui com a encenação. "Será que você consegue uma mesa, para jantarmos bem cedo? Lá pelas seis?"

"Neste caso, tudo bem, posso providenciar, sem problemas", ela disse, mais animada.

"Então pode marcar", falei, cada vez mais preocupada. E se Bray percebesse que o carro de Chuck não estava no estacionamento e desconfiasse de alguma coisa?

"Confirmado para as seis..."

Levei um susto quando o pager tocou no cinto, e ouvi um telefone ao longe.

"Perfeito", falei à moça.

A cena afrontou minha sensibilidade. Era da minha natureza, reforçada pela formação profissional e pela prática durante muitos anos, sempre dizer a verdade, sem jamais cair na conduta do advogado de porta de xadrez medíocre e falso que eu poderia ter sido se cedesse à manipulação, à hipocrisia e às brechas da lei.

A recepcionista anotou meu nome no livro de reservas enquanto o pager zumbia feito um inseto enorme. Li o alerta dez-quatro no visor e atravessei o bar correndo. Não tinha escolha senão abrir a porta da frente, pois os vidros das janelas eram opacos e eu não via nada através deles. Logo notei o Crown Victoria escuro.

Marino não fez nada, de imediato. Minha ansiedade cresceu quando Bray estacionou e apagou os faróis. Com certeza ela não esperaria muito tempo por Chuck, e eu imaginava sua contrariedade. Sujeitos insignificantes como ele não tinham o direito de deixar Diane Bray, chefe de polícia interina, esperando.

"Vai tomar alguma coisa?", perguntou o rapaz do bar, enquanto enxugava um copo.

Continuei espiando pela fresta da porta, tentando imaginar o que Marino faria em seguida.

"Estou esperando uma pessoa, mas ela talvez não saiba chegar aqui", falei.

"Diga que o restaurante fica ao lado do Michelle's Face Works", ele sugeriu, enquanto Marino descia da picape.

Encontrei-o no estacionamento e caminhamos resolutos até o carro de Bray. Ela não nos notou, pois falava ao celular e anotava algo. Quando Marino bateu no vidro do carro, ela se virou e levou um susto. Depois, fechou a cara. Encerrou a ligação e baixou o vidro da janela.

"Chefe interina Bray? Logo vi que era você", Marino disse, como se fossem velhos amigos.

Ele se debruçou e examinou o carro por dentro. Bray estava obviamente desarvorada, e quase dava para vê-la tentando reorganizar os pensamentos e fingir que não havia nada de anormal em nosso encontro ali.

"Boa noite", falei educadamente. "Mas que agradável coincidência."

"Kay, mas que surpresa", ela disse com voz fraca. "Como vai? Então já descobriu um dos segredos de Richmond."

"A esta altura, já conheço quase todos os segredos de Richmond", falei com ironia. "Há muitos segredos para quem sabe onde procurar."

"Evito carne vermelha o máximo que posso", Bray disse, mudando o rumo da conversa. "Mas o peixe aqui também é muito bom."

"Isso é como ir num puteiro jogar paciência", Marino comentou.

Bray o ignorou e tentou enfrentar meu olhar, sem sucesso. Eu havia aprendido, após anos de enfrentamentos com funcionários ruins, advogados de defesa desonestos e políticos duvidosos, que se olhasse entre os olhos da pessoa ela não perceberia o truque e eu poderia passar o dia no jogo da intimidação.

"Vim jantar aqui", ela disse, como se estivesse apressada e ocupada.

"Só vamos ficar até seu convidado chegar", Marino disse. "Não queremos que você fique aqui sentada sozinha, no escuro. Nem que a assediem lá dentro. A bem da verdade, chefe interina Bray, você não deveria andar por aí sem segurança, pois desde que mudou para cá ficou muito conhecida. Tornou-se uma espécie de celebridade, certo?"

"Não estou esperando ninguém", ela disse, sem disfarçar a irritação na voz.

"Nunca tivemos uma mulher assim no departamento. Alto escalão, atraente, adorada pela mídia", Marino insistiu.

Ela pegou a bolsa e a correspondência no banco do carro, claramente contrariada.

"Bem, se vocês me dão licença", disse, em tom imperativo.

"Não vai ser fácil conseguir uma mesa esta noite", informei quando ela abriu a porta. "A não ser que você tenha feito reserva", acrescentei, sabendo muito bem que ela não fizera isso.

A pose e a confiança de Bray se abalaram apenas o suficiente para revelar a víbora que se ocultava por trás da máscara. Seus olhos se fixaram em mim, mas não revelavam mais nada quando ela desceu do carro e Marino impediu sua passagem. Ela não ia conseguir passar pela fresta sem contorná-lo e se esfregar nele, algo que seu ego enorme jamais permitiria.

Ela estava praticamente prensada contra a porta de seu carro novo e reluzente. Não me escapou o fato de ela estar usando calça de veludo, jaqueta do Departamento de Polícia de Richmond e tênis. Uma mulher vaidosa como ela nunca iria a um restaurante badalado daquele jeito.

"Com licença", ela disse bem alto, para Marino.

"Ah, claro, me desculpe", ele resmungou, dando um passo para o lado.

Escolhi cuidadosamente as palavras seguintes, pois não ia acusá-la de nada. Mas pretendia deixar bem claro que ela não ia se dar bem com seus planos, e que seria derrotada e pagaria caro se insistisse nas armadilhas.

"Você é policial", falei, escolhendo bem as palavras. "Talvez possa nos dar sua opinião a respeito de como alguém conseguiu minha senha para enviar mensagens por e-mail no meu lugar. E depois alguém — provavelmente a mesma pessoa — começou a participar de um chat cretino e medíocre na internet, numa sala chamada *Cara Doutora Kay*."

"Que coisa horrível. Lamento muito, mas não posso ajudá-la. Não sou especialista em computadores", ela falou, abrindo um sorriso.

Seus olhos eram buracos negros, os dentes reluziam feito lâminas de aço sob o foco das lâmpadas de sódio.

"Sugiro que você investigue as pessoas mais próximas, talvez um amigo ressentido que você deixou na mão", ela prosseguiu, fingida. "Não tenho a menor idéia de quem possa ser, mas suponho que seja alguém ligado a você. Eu soube que sua sobrinha é especialista em computadores. Talvez ela possa ajudar."

A menção ao nome de Lucy me enfureceu.

"Ando querendo conversar com ela, aliás", Bray disse como quem não quer nada. "Sabe, estamos implementando o Compstat e precisamos de um especialista em computação."

Compstat, ou estatísticas auxiliadas por computador, era um novo modelo de policiamento inventado pelo Departamento de Polícia de Nova York. Criativo, tecnologicamente avançado, moderno. Precisariam de técnicos para operá-lo, mas sugerir isso a uma pessoa com a capacidade e a experiência de Lucy era um insulto.

"Pode dizer a ela, quando vocês conversarem", Bray falou.

A raiva de Marino se acumulava, parecia que ia explodir a qualquer momento.

"Precisamos marcar algo uma hora dessas, Kay. Você vai adorar saber das minhas experiências em Washington", ela disse, como se eu tivesse passado a vida em povoados, sem jamais conhecer uma cidade grande. "Você não imagina o que as pessoas são capazes de fazer para derrubar você. Principalmente uma mulher contra outra, no trabalho. Eu vi as melhores caírem."

"Disso eu tenho certeza", falei.

Ela trancou a porta do carro e disse: "Para seu governo, não é preciso fazer reserva para ficar no bar. Por isso costumo comer lá mesmo. Eles são famosos pelo filé com queijo, mas recomendo experimentar a lagosta, Kay. E você, capitão Marino, vai adorar os anéis de cebola. Ouvi dizer que são de matar".

Ficamos de olho enquanto ela se afastava.

"Filha-da-puta", Marino disse.

"Vamos embora daqui", falei.

"Vamos, a última coisa que eu quero fazer é comer em um lugar perto de uma peçonhenta como essa. Além disso, nem estou com fome."

"Isso não vai durar."

Subimos na picape e eu afundei numa depressão profunda que me prendia como piche. Queria encontrar alguma vitória, um raio de otimismo no que acabara de acontecer, mas não conseguia. Sentia-me derrotada. Pior, uma idiota.

"Quer um cigarro?", Marino perguntou na cabine escura, ao acender o isqueiro.

"Por que não?", murmurei. "Eu vou parar de novo, em breve."

Ele me deu um cigarro e acendeu outro. Passou-me o isqueiro. E ficou olhando para mim, sabendo como eu me sentia.

"Ainda acho que fizemos uma boa coisa", ele disse. "Aposto que ela está naquele restaurante enchendo a cara de uísque porque nós a pegamos de jeito."

"Nós não a pegamos de jeito", retruquei, apertando os olhos por causa dos faróis dos carros que passavam. "No caso dela, acho que a única arma eficaz é a prevenção. Temos de nos resguardar contra outros danos, não só prevendo o que ela vai fazer, mas também tomando cuidado com tudo o que fizermos."

Abri bem a janela e o ar frio agitou meu cabelo. Soprei a fumaça.

"Nada do Chuck", comentei.

"Ah, ele veio. Só que você não o viu porque ele nos viu primeiro e se arrancou bem depressa."

"Tem certeza?"

"Eu vi a merdinha do Miata dele entrando na rua que vai para o shopping center, e depois, mais ou menos na metade do caminho para o estacionamento, ele deu meia-volta de repente e escapou do Dodge. Isso foi bem na hora em que Bray disse alguma coisa pelo rádio, assim que nos viu do lado de fora de seu carro."

"Chuck é o contato direto dela comigo", falei. "Talvez ela tenha até a chave da minha sala."

"Talvez tenha mesmo", ele disse. "Mas, doutora, pode deixar que do Chuquinho eu cuido."

"É isso que me assusta", falei. "Por favor, não faça nada imprudente, Marino. Ele trabalha para mim, afinal de contas. Não preciso de mais nenhum problema."

"Concordo plenamente. Você não precisa de mais nenhum problema."

Ele me deixou no departamento e esperou até que eu entrasse no carro. Eu o segui até sairmos do estacionamento. Marino seguiu seu rumo e eu, o meu.

19

Os olhos de lua miúda do morto reluziam em minha mente. Olhavam-me daquele canto escuro e profundo onde eu escondia medos, que eram muitos e de um tipo que ninguém mais sentia. O vento fustigava as árvores desfolhadas e as nuvens passavam pelo céu aceleradas. Chegava uma frente fria.

Eu ouvira no noticiário que a temperatura poderia ficar abaixo de zero de noite, o que considerei impossível após semanas de tempo outonal. Tudo parecia desequilibrado e anormal em minha vida. Lucy não era mais Lucy, eu não podia ligar para ela, e ela não me procurava. Marino investigava um homicídio, embora não fosse mais detetive. Benton se fora; para onde quer que eu olhasse à sua procura só encontrava uma moldura vazia. Ainda esperava que seu carro parasse na porta, ou que ele telefonasse e eu pudesse ouvir o som de sua voz, pois ainda era cedo demais para meu coração aceitar o que o cérebro já sabia.

Saí da Downtown Express e peguei o acesso da Cary Street. Quando passei pelo shopping center e pelo restaurante Venice, notei que um carro me seguia. Vinha muito devagar e mantinha-se bem distante do meu, impedindo que eu visse quem estava ao volante. O instinto me mandou reduzir a marcha, e foi o que fiz. O outro carro também. Entrei à direita na Cary Street e ele me acompanhou. Quando peguei à esquerda em Windsor Farms o vi novamente, mantendo a mesma distância.

Eu não queria avançar muito no bairro, pois as ruas

eram escuras e sinuosas, muitas sem saída. Entrei à direita na Dover e teclei o número de Marino enquanto o carro também virava à direita. Meu medo cresceu.

"Marino", falei em voz alta, para ninguém. "Por favor, esteja em casa."

Tocou, tocou, ninguém atendeu. Liguei de novo.

"Marino! Droga, esteja em casa!", gritei para o viva-voz no painel, enquanto o telefone sem fio de Marino tocava sem parar na casa dele.

Ele provavelmente o deixara ao lado da tevê, como de costume. Metade do tempo ele não conseguia encontrá-lo porque o deixava fora da base. Talvez ele ainda não tivesse chegado em casa.

"Alô?", sua voz possante me surpreendeu.

"Sou eu."

"Puta que pariu, cacete. Se eu bater o joelho naquela porra de mesa mais uma vez vou..."

"Marino, preste atenção!"

"... jogar a mesa pela janela e arrebentar tudo a marretadas! Bem no joelho! Nunca vejo essa droga porque ela é de vidro. Adivinhe quem disse que ia ficar linda na minha sala?"

"Acalme-se", falei, observando o outro carro pelo retrovisor.

"Tomei três cervejas, estou morrendo de fome e cansado pra danar. O que foi?", ele perguntou.

"Tem alguém me seguindo."

Entrei na Windsor Way, como quem volta para a Cary Street. Seguia em velocidade normal. Não fiz nada de extraordinário, só não fui no rumo de casa.

"Como assim, alguém seguindo você?", Marino perguntou.

"Isso mesmo, alguém está me seguindo, será que você não entende?", falei, enquanto a ansiedade disparava.

"Então venha para cá imediatamente", ele disse. "Saia desse seu bairro escuro."

"Estou fazendo isso."

"Você consegue ver a placa, ou outro detalhe qualquer?"

"Não. Ele está muito longe de mim. Acho que se mantém distante para evitar que eu veja a placa ou seu rosto."

Retornei para a via expressa, segui na direção de Powhite Parkway, e a pessoa que me seguia aparentemente desistiu e desapareceu. As luzes dos carros e caminhões, em conjunção com os sinais luminosos, me confundiam. Meu coração batia forte. A meia lua surgia e sumia atrás das nuvens como um broche, rajadas de vento atingiam a lateral do carro como zagueiros.

Teclei o número de casa e peguei os recados na secretária eletrônica. Três vezes desligaram, a quarta mensagem foi um tapa na cara.

"Aqui é a chefe Bray", começava. "Foi bom encontrar você na Buckhead's, por acaso. Preciso discutir alguns procedimentos e atitudes. Referentes a cenas dos crimes, indícios e outros aspectos. Gostaria de conversar com você a respeito, Kay."

O som de meu nome saindo de sua boca me enfureceu.

"Podíamos almoçar um dia desses, em breve", prosseguiu a voz gravada. "Que tal um almoço tranqüilo no Commonwealth Club?"

O número de minha casa não constava da lista e eu escolhia a dedo as pessoas que podiam sabê-lo. Minha equipe, Ruffin incluído, podia me procurar em casa.

"Caso você ainda não saiba", a mensagem de Bray dizia, "Al Carson pediu demissão hoje. Você se lembra dele, certo? Supervisor do setor de investigação. Uma pena. O major Inman ficará no lugar dele, por enquanto."

Reduzi a velocidade ao entrar numa cabine de pedágio e coloquei a ficha no orifício. Segui adiante, e um Toyota malcuidado cheio de rapazes passou por mim. Eles me encararam e um dos adolescentes moveu os lábios, dizendo "vá se foder", sem motivo aparente.

Concentrei-me no caminho, pensando no que Wagner havia dito. Alguém pressionava o deputado Connors para apresentar a lei que transferia meu departamento da Secretaria de Saúde e Serviço Social para a de Segurança Pública, onde o departamento de polícia poderia me controlar melhor.

As mulheres não podiam ser sócias do seleto Commonwealth Club, onde homens poderosos de famílias tradicionais fechavam metade dos negócios importantes e tomavam as decisões políticas que afetavam a Virgínia. Segundo os boatos, esses homens, muitos dos quais eu conhecia, reuniam-se na beira da piscina coberta, em geral nus. Eles negociavam e discutiam no vestiário, onde as mulheres não entravam.

Como Bray não podia cruzar a porta rodeada de hera daquele requintado clube do século XVIII a não ser que fosse convidada por um membro, minhas suspeitas a respeito de seus planos ambiciosos praticamente se confirmaram. Bray fazia lobby com membros da Assembléia e empresários influentes. Queria ser secretária de Segurança Pública e conseguir a transferência de meu departamento para sua secretaria. Assim poderia me demitir pessoalmente.

Cheguei à via expressa Midlothian e vi a casa de Marino muito antes de me aproximar dela. Os enfeites luminosos de Natal, vistosos e exagerados, incluíam cerca de trezentas mil lâmpadas que brilhavam no céu feito um parque de diversões. Para chegar lá, bastava seguir o fluxo contínuo de veículos, pois a casa de Marino chegara ao primeiro lugar no Roteiro Natalino de Richmond. As pessoas não podiam deixar de ver aquele espetáculo assombroso.

Luzes de todas as cores piscavam nas árvores como bolinhas de néon. Papais Noéis, renas, homens de neve, soldadinhos de brinquedo brilhavam no jardim. Bonecos de gengibre se davam as mãos. Bengalas listradas montavam sentinela na calçada, e no telhado as luzes desejavam Feliz Natal e Boas Festas. Num trecho do quintal onde as flores raramente cresciam e a grama era amarelada o ano inteiro, Marino formara alegres jardins elétricos. Havia o pólo norte, onde Papai e Mamãe Noel pareciam discutir seus planos. Adiante, um coro de garotos cantava enquanto flamingos empoleirados na chaminé e esquiadores giravam em torno de um abeto.

Uma limusine branca passou, seguida por uma van de igreja, enquanto eu subia a escada da frente apressada, sentindo a radiação luminosa me aprisionando.

"Quando vejo isso tudo, tenho certeza de que você perdeu mesmo o juízo", falei quando Marino abriu a porta e rapidamente se esquivou dos olhares curiosos. "A cada ano fica pior."

"Já estou com três caixas de luz", ele proclamou, orgulhoso.

Ele usava jeans e camisa vermelha para fora da calça, e estava só de meia.

"Pelo menos volto para casa e tenho algo para me alegrar", ele disse. "A pizza já vai chegar. Tenho bourbon, se quiser."

"Que pizza?"

"A que eu pedi. Com tudo o que tenho direito. Por minha conta. O Papa John nem precisa mais perguntar o endereço. É só seguir as luzes e pronto."

"Eu gostaria de tomar um chá descafeinado bem quente", falei, segura de que ele não teria isso em casa.

"Você deve estar brincando", ele retrucou.

Olhei em volta, enquanto passávamos pela sala, a caminho da cozinha minúscula. Claro, ele enfeitara o interior da casa também. A árvore de Natal reluzia, ao lado da lareira. Os presentes, quase todos de mentira, formavam uma pilha alta, e em todas as janelas havia cordões de luzes em forma de pimenta vermelha.

"Bray me telefonou", contei, enchendo a chaleira de água. "Alguém forneceu a ela o número de meu telefone de casa."

"Adivinhe quem foi", ele disse, abrindo a porta da geladeira. Seu bom humor sumiu num átimo.

"E acho que sei por que isso ocorreu."

Pus a chaleira no fogão e acendi o fogo. As luzes piscaram.

"O chefe Carson pediu demissão hoje. Supostamente", falei.

Marino abriu uma cerveja. Se já sabia ou não da novidade, não demonstrou.

"Você sabia que ele tinha saído?", perguntei.

"Eu não sei de mais nada atualmente."

"Pelo jeito o major Inman ocupará a função de supervisor das investigações..."

"Claro, claro", Marino disse, elevando a voz. "E sabe por quê? Porque há dois majores, um de farda e outro nas investigações. Claro que Bray mandou seu escravo fardado assumir o departamento de investigações."

Ele terminou a cerveja em três goles. Amassou a lata com violência e a atirou no lixo. Errou, e ela rolou pelo chão ruidosamente.

"Você tem alguma idéia do que isso significa?", ele disse. "Vou explicar. Isso quer dizer que Bray agora comanda a polícia fardada e o pessoal de investigações. Controla o departamento inteiro, porra, e provavelmente o orçamento todo também. O chefe de polícia é o maior fã dela porque ela o deixa em situação favorável. Eu gostaria muito de saber como essa mulher conseguiu chegar aqui e fazer tudo isso em menos de três meses."

"Está na cara que ela tem bons contatos. Provavelmente de quando ainda não estava na polícia. E não falo apenas do chefe."

"E de quem mais, então?"

"Marino, pode ser qualquer um. Não interessa, a esta altura. Já é tarde demais para fazer diferença. Agora, temos de enfrentá-la. Nosso problema é ela, e não o chefe ou quem quer que tenha mexido os pauzinhos."

Ele abriu outra cerveja, andando de um lado para outro na cozinha, irritado.

"Entendi o que levou Carson à cena do crime", Marino disse. "Ele sabia que isso tudo ia acontecer. Sentiu que a coisa está fedendo e tentou nos alertar a sua moda. Ou foi se despedir. A carreira dele acabou. Fim da linha. Última ocorrência, última cena."

"Ele é um ótimo sujeito", comentei. "Puxa vida, Marino, deve haver alguma coisa que possamos fazer."

O telefone me assustou, ao tocar. O som dos carros na rua em frente criava um ronco contínuo de motores. A caixinha de música de Marino tocava *Jingle bells* de novo.

"Bray quer conversar comigo sobre as tais mudanças que pretende implantar", contei.

"Claro que ela quer", ele disse, enquanto seus pés percorriam o piso de paviflex só de meia. "E aposto que você vai ser obrigada a ir lá, quando ela resolver que deseja almoçar. Ela quer engolir você entre duas fatias de pão de centeio, cheia de mostarda."

Ele pegou o telefone.

"Como é?", gritou para o pobre coitado do outro lado da linha.

"Ora, ora, ora", Marino disse, ouvindo tudo atentamente.

Eu abri um armário e encontrei uma caixa de chá Lipton de saquinho, toda amassada.

"Estou aqui. Por que diabo você não fala logo comigo?", Marino disse ao telefone, indignado.

E continuou ouvindo e andando.

"Ora, essa é boa", ele disse. "Um minuto, vou perguntar a ela."

Ele tapou o fone com a mão e me perguntou, em voz baixa: "Você *tem certeza* de que é a doutora Scarpetta?".

Ele voltou ao telefone. "Ela disse que era, quando checou pela última vez", e passou o aparelho para mim, furioso.

"Pois não?"

"Doutora Scarpetta?" A voz não era familiar.

"Sim."

"Sou Ted Francisco, da unidade do ATF em Miami."

Gelei como se alguém me apontasse uma arma.

"Lucy me informou que o capitão Marino saberia onde encontrá-la em caso de emergência, se não estivesse em sua casa. A senhora pode falar com ela agora?"

"Claro", respondi, assustada.

"Tia Kay?" Era Lucy, na linha.

"Lucy! O que houve? Está tudo bem?", perguntei, preocupada.

"Não sei se já lhe contaram o que andou acontecendo por aqui..."

"Até agora não me disseram nada", reagi rapidamente. Marino interrompeu o que estava fazendo e arregalou os olhos para mim.

"Nosso flagrante. Não deu certo, era meio complicado, muitos problemas. Acabou sendo terrível, péssimo, precisei atirar em duas pessoas. Jo levou um tiro."

"Ai, meu Deus", falei. "Espero que ela esteja bem."

"Não sei", ela respondeu com uma firmeza totalmente anormal. "Eles a internaram no Jackson Memorial com nome falso e eu não posso ligar para lá. Estou no isolamento, sob proteção, pois acham que os outros membros da quadrilha vão tentar nos pegar. Vingança. O cartel. Só sei que ela estava sangrando na cabeça e na perna, quando a ambulância chegou. Inconsciente."

Lucy não demonstrava emoção alguma. Soava como o robô ou computador de inteligência artificial que programara no início da carreira.

"Eu vou...", tentei falar, mas subitamente o agente Francisco estava de novo na linha.

"Sei que a senhora vai saber de tudo pelo noticiário dos jornais e tevês, doutora Scarpetta. Só queria avisá-la. Principalmente dizer que Lucy não foi ferida."

"Talvez não fisicamente", rebati.

"Quero informá-la a respeito do que vai acontecer em seguida."

"O que vai acontecer em seguida", interrompi, "é que eu vou para aí imediatamente. Fretarei um avião, se for preciso."

"Peço que a senhora não faça isso", ele disse. "Deixe-me explicar. Trata-se de um bando extremamente perigoso. Lucy e Jo sabem muitas coisas a respeito deles, conhecem vários membros e o modo como conduzem suas atividades ilegais. Poucas horas depois do tiroteio, nós enviamos o esquadrão antibomba de Miami-Dade para as residências de Lucy e Jo, para as casas que usavam quando agiam disfarçadas. O cão farejador de bombas encontrou explosivos debaixo do carro das duas."

Puxei uma cadeira da cozinha de Marino e me sentei. Sentia fraqueza e minha vista embaçou.

"Está me ouvindo?", ele disse.

"Sim, estou."

"A situação no momento, doutora Scarpetta, é que o pessoal de Miami-Dade assumiu o caso, como era de se esperar. Normalmente, teríamos uma equipe de análise do tiroteio a caminho, além do pessoal de suporte psicológico — agentes que participaram de incidentes similares e foram treinados para ajudar quem está passando pela mesma situação. Contudo, por causa do perigo, vamos enviar Lucy para o norte, para Washington ou para onde for mais seguro."

"Obrigada por cuidar bem dela. Deus o abençoe", falei numa voz que nem parecia a minha.

"Sei como a senhora se sente", o agente Francisco disse. "Já passei por isso. Estive em Waco."

"Obrigada", repeti. "O que a DEA fará com Jo?"

"Vão transferi-la para outro hospital, a milhares de quilômetros daqui, assim que for possível."

"Que tal o MCV?", perguntei.

"Não conheço..."

"A família dela reside em Richmond, como você deve saber. O importante, porém, é que a Faculdade de Medicina da Virgínia tem um hospital excelente. Faço parte do corpo docente e posso garantir", falei. "Se a trouxerem para cá, providenciarei pessoalmente o melhor atendimento para ela."

Ele hesitou, depois disse: "Obrigado. Levaremos a oferta em consideração. Discutirei a opção com o supervisor dela".

Ele desligou, mas continuei olhando para o telefone.

"O que foi?", Marino quis saber.

"O flagrante acabou em confronto. Lucy matou duas pessoas a tiros."

"Foi um tiro bom?", ele me cortou.

"Nenhum tiro é bom!"

"Pô, doutora. Você sabe o que eu quero dizer. Mas tudo depende de como aconteceu. Foi justificado? Duvido que ela tenha atirado em dois agentes por engano!"

"É claro que não. Mas Jo foi atingida. Não sei se ela está bem."

"Merda!", ele exclamou, batendo com os punhos cerrados no balcão com tanta força que os pratos balançaram no escorredor. "Lucy tinha que duelar com alguém, não é? Eles não deviam ter deixado ela participar de uma operação como essa. Eu sabia! Ela andava louca para fuzilar alguém, bancar o caubói e sair assoprando a pistola fumegante para punir todo mundo que ela odeia na vida..."

"Marino, já chega!"

"Você viu como ela se comportou na sua casa, naquela noite", ele insistiu. "Virou uma psicopata, desde que Benton foi assassinado. Nada vai consolá-la, não adiantou ela ter derrubado aquele helicóptero em pleno vôo e enchido a superfície da água com os pedaços de Carrie Grethen e Newton Joyce."

"Pelo amor de Deus, chega!", falei, exausta. "Por favor, Marino, isso não ajuda em nada. Lucy é uma profissional, você sabe que o ATF nunca lhe daria uma missão como essa se ela não estivesse em condições de cumpri-la. Eles conhecem a história dela muito bem. Ela foi avaliada e fez terapia depois do que aconteceu com Benton. Na verdade, o modo como lidou com aquele pesadelo horrível fez com que todos a respeitassem mais ainda, como agente e como ser humano."

Ele abriu uma garrafa de Jack Daniel's em silêncio.

Depois de um tempo, falou: "Bom, você e eu sabemos que ela não lidou tão bem assim com o que aconteceu".

"Lucy sempre foi capaz de separar as coisas."

"Certo. E isso é saudável?"

"Creio que a questão se aplica a nós também."

"Mas eu estou lhe avisando que desta vez ela não vai lidar bem com o que aconteceu, doutora", ele disse, despejando bourbon no copo com vários cubos de gelo. "Ela matou duas pessoas no cumprimento do dever, não faz nem um ano, e agora repetiu a dose. A maioria dos policiais, na vida profissional inteira, nem chega a atirar em ninguém. Por isso estou tentando fazer você entender que o caso será tratado de maneira diferente agora. O alto escalão em Washington vai pensar que tem nas mãos alguém de dedo mole no gatilho, uma pessoa problemática."

Ele me passou a bebida.

"Eu conheci muitos policiais assim", ele disse. "Sempre apresentam motivos justos para os homicídios, alegam legítima defesa e tal. Mas, se a gente analisa bem a situação, começa a achar que subconscientemente eles queriam que desse tudo errado. Contam com isso."

"Lucy não é assim."

"Até parece. Ela está de mal com o mundo desde o dia em que nasceu. Quanto a você, se quer saber, não vai a lugar nenhum esta noite. Vai ficar aqui comigo e com o Papai Noel."

Ele também pegou um copo de bourbon, e nos acomodamos na sala malcuidada, superlotada, onde os abajures tortos combinavam com as lâminas viradas das persianas. No centro ficava a mesinha de vidro de cantos pontudos, aquela cuja aquisição ele atribuía a minha influência. Marino se acomodou na velha poltrona reclinável. Os rasgos no revestimento que imitava couro foram remendados com fita adesiva. Recordo bem a primeira vez em que entrei na casa dele. Assim que me recuperei do susto, percebi que ele se orgulhava de usar tudo até acabar, com exceção da picape, da piscina suspensa e, recentemente, da decoração natalina.

Ele notou que eu olhava desconsolada para a poltrona, aninhada num canto do sofá de veludo verde onde eu costumava sentar. Ele era liso nas partes em que as pessoas sentavam, mas aconchegante.

"Um dia vou comprar uma poltrona nova", ele disse, enquanto puxava a alavanca lateral para erguer o apoio dos pés.

Ele mexia os dedos, dentro da meia, como se sofresse cãibras. Ligou a tevê, e fiquei surpresa quando ele sintonizou no canal vinte e um, de arte e entretenimento.

"Não sabia que você gostava de *Biografias*", comentei.

"Claro que gosto. E também dos programas policiais tipo documentário que eles passam sempre. Você pode achar que andei cheirando cola, mas não chama a atenção o fato de que tudo virou de pernas pro ar desde que a Bray chegou à cidade?"

"Sabia que isso ia chamar a sua atenção, considerando o que ela fez a você."

"É. Mas ela não está fazendo a mesma coisa com você?", ele provocou, tomando um gole da bebida. "Não sou o único aqui que ela está tentando prejudicar."

"Não creio que ela tenha o poder de causar todos os problemas de minha vida atual", rebati.

"Vou repassar a lista para você, doutora, aí veremos. Lembre-se de que estamos falando de um período de três meses, certo? Ela chegou a Richmond. Fui obrigado a usar farda de novo. Um ladrão passa a atormentar seu departamento. Surge um vigarista que acessa seu e-mail e a transforma na doutora maluca.

"Depois aparece um defunto no contêiner e subitamente temos a Interpol na jogada. Agora Lucy mata duas pessoas, o que é conveniente para Bray, por falar nisso. Não se esqueça de que ela está doidinha para conseguir contratar Lucy para a polícia de Richmond, e se o ATF mandar Lucy de volta, ela vai precisar de emprego. Ah, claro, alguém anda seguindo você."

Eu assistia a um jovem e magnífico Liberace tocar piano e cantar ao fundo, enquanto a voz de um amigo dele relembrava o sujeito gentil e generoso que o pianista havia sido.

"Você não está escutando", Marino disse, levantando a voz novamente.

"Estou ouvindo, sim."

Ele se levantou suspirando exageradamente e foi para a cozinha.

"Você soube de alguma coisa pela Interpol?", perguntei, ouvindo o barulho que ele fazia para rasgar uma embalagem de papel e procurar algo na gaveta dos talheres.

"Nada que valha a pena comentar."

O forno de microondas zumbiu.

"Seria melhor se você contasse assim mesmo", falei, aborrecida.

As luzes do palco iluminaram Liberace, que jogava beijos para a platéia, e suas lantejoulas reluziam como fogos de artifício vermelhos e azuis. Marino voltou para a sala com uma tigela de batata frita e outra de uma espécie de patê mole.

"O cara da polícia estadual recebeu uma mensagem de lá pelo computador, faz uma hora, mais ou menos. Só queriam mais informações."

"Isso nos revela alguma coisa", falei, desapontada. "Provavelmente eles não conseguiram nada significativo. Nada sobre a fratura antiga no maxilar, a cúspide extra no molar, as impressões digitais. Nenhum dos elementos combinava com dados de pessoas desaparecidas ou de fugitivos."

"É. Que droga", ele disse de boca cheia, ao passar a tigela para mim.

"Não, obrigada."

"É muito bom. Você precisa primeiro amolecer o cream cheese no microondas e colocar chili. É muito mais saboroso que creme de cebola."

"Isso tenho certeza que sim."

"Sabe, eu sempre gostei dele." Marino apontou o dedo engordurado para a tevê. "Tudo bem ele ser bicha, a gente tem de admitir que ele esbanjava estilo. As pessoas que pagam uma fortuna por discos e ingressos de show não querem ver um idiota parecido com o vizinho, com certeza.

"Voltando à vaca fria", Marino disse de boca cheia, "tiroteios são uma aporrinhação. A gente é investigado como se tivesse cometido um atentado contra o presidente. Depois ainda vem aquela história de terapia e todos se preocupam tanto com a nossa saúde mental que a gente acaba maluco."

Ele se serviu de mais bourbon e comeu mais batatinhas.

"Ela vai passar um tempo na geladeira", ele prosseguiu, usando o jargão policial para licença compulsória. "E os detetives de Miami vão trabalhar no caso como se fosse um homicídio qualquer. É a regra. E tudo vai ser revirado pelo avesso."

Ele olhou para mim e limpou a mão nas calças jeans.

"Eu sei que não vai gostar do que tenho a dizer, mas acho que você é a última pessoa que ela quer ver no momento."

20

Uma das regras para nosso edifício determinava que qualquer evidência — mesmo algo inócuo como um cartão com impressões digitais — deveria ser transportada pelo elevador de serviço, localizado no final de um corredor onde naquele momento duas mulheres da limpeza empurravam seus carrinhos. Seguiam para o laboratório de Neils Vander.

"Bom dia, Merle. Tudo bem com você, Beatrice?", perguntei, sorrindo para elas.

Seus olhos fixaram-se no recipiente coberto com uma toalha e nos lençóis de papel que cobriam a maca que eu empurrava. Elas trabalhavam ali havia tempo suficiente para saber que os itens transportados por mim em sacos fechados e baldes cobertos eram inomináveis, em seu universo.

"Oi", Merle disse.

"Tudo bem", Beatrice falou em seguida.

Apertei o botão do elevador.

"Onde a senhora pretende passar o Natal, doutora Scarpetta? Algum lugar especial?"

Elas perceberam pela minha expressão que eu não fazia a menor questão de conversar sobre planos para o Natal.

"Provavelmente a senhora vai estar muito ocupada no Natal", Merle consertou rapidamente.

As duas faxineiras sentiam-se desconfortáveis pela mesma razão que todos os demais, quando algo as lembrava do que acontecera a Benton.

"Eu sei que nesta época do ano o serviço aumenta", Merle mudou de assunto, incomodada. "Tanta gente dirigindo bêbada por aí. Mais suicídios, brigas de família."

O Natal chegaria em duas semanas. Fielding estaria de plantão no dia. Eu havia perdido a conta de quantas vezes usara pager no Natal.

"As pessoas se queimam com fogos, também."

"Quando acontece algo ruim nesta época do ano", falei quando a porta do elevador se abriu, "as pessoas sentem com mais intensidade. Acho que é isso."

"Deve ser isso."

"Não sei não, vocês se lembram daquele curto-circuito...?"

A porta se fechou e eu segui para o segundo andar, projetado para receber grupos de visitantes, políticos e quem mais se interessasse por nosso trabalho. Todos os laboratórios tinham divisórias de vidro laminado, e no início isso parecia estranho e constrangedor. Muitos cientistas se escondiam atrás das paredes de bloco para trabalhar em paz. A essa altura, ninguém mais se importava. Os técnicos testavam gatilhos, analisavam manchas de sangue, digitais e fibras sem prestar muita atenção a quem estivesse olhando do outro lado. No momento, era eu a empurrar a maca com amostras.

O mundo de Neils Vander se compunha de imensos balcões cobertos com instrumentos de precisão estranhos de diversos tipos, além de imitações para mostrar ao júri. Havia armários de madeira com portas de vidro encostados na parede do fundo, que Vander transformara em câmaras de cola. Usava fio de varal e pregadores para manter suspensos objetos expostos aos vapores de Super Glue liberados por uma chapa quente.

No passado, cientistas e policiais apenas raramente alcançavam o sucesso nas tentativas de recolher impressões digitais de objetos não porosos, como sacos plásticos, fita isolante e couro. Um dia, quase por acaso, descobriram que os vapores de Super Glue aderiam aos detalhes da superfície, a exemplo do que ocorria com o pó usado para recolher digitais normais, produzindo uma imagem esbranquiçada. No canto havia outra câmara de cola chamada Cyvac II, para objetos maiores como escopetas, rifles e pára-choques de automóveis. Ou, em tese, até um corpo inteiro.

As câmaras úmidas recuperavam digitais de superfícies porosas como papel e madeira previamente tratados com Ninhydrin, embora Vander por vezes recorresse ao método mais rápido, o ferro de passar doméstico a vapor, chegando ao ponto de torrar a prova uma ou duas vezes, segundo comentários que ouvi. Espalhadas por ali havia lâmpadas Nederman acopladas a aspiradores capazes de sugar vapores e resíduos de recipientes que contiveram drogas.

Uma outra sala dos domínios de Vander abrigava o sistema conhecido como Sistema de Identificação Automática de Digitais, além de sala escura para edição e recuperação de imagens e sons, digitais ou não. Ele supervisionava também o laboratório fotográfico, onde mais de cento e cinqüenta rolos de filme processado saíam diariamente do equipamento automático. Levei algum tempo para localizar Vander, e finalmente o encontrei no laboratório de marcas e pegadas, onde havia embalagens de pizza ordeiramente empilhadas num canto. Policiais criativos as usavam para transportar moldes de marcas de pneus e pegadas. Na parede do fundo estava apoiada a porta que alguém derrubara a pontapés.

Vander, sentado na frente do computador, comparava pegadas na tela repartida. Deixei a maca do lado de fora.

"É muita gentileza sua fazer isso", falei.

Seus olhos azuis aguados pareciam estar sempre focalizados em outro lugar, e como de costume o avental estava manchado de roxo por causa do Ninhydrin. Uma caneta hidrográfica vazara, manchando um bolso.

"Uma beleza, esse aqui", ele disse, apontando para a tela ao se levantar. "O sujeito compra sapato novo de sola de couro, você sabe que eles escorregam muito no início, certo? Por isso o espertinho pega uma faca e faz cortes transversais. Vai se casar e não quer correr o risco de escorregar na igreja."

Segui-o para fora do laboratório, sem a menor disposição para curiosidades.

"Um dia, ele tem a casa roubada. Levaram sapatos, roupas, um monte de coisas. Dois dias depois uma mulher é estuprada no bairro. A polícia encontrou essas pegadas estranhas na cena do crime. E ocorreram muitos arrombamentos de casas na região."

Entramos no laboratório de luz alternada.

"Pegaram um rapaz. Treze anos." Vander balançou a cabeça, ao acender a luz. "Não entendo mais essa juventude. Quando eu tinha treze anos, a pior coisa que eu fiz foi atirar num passarinho com espingarda de chumbo."

Ele montou o Luma-Lite no tripé.

"Isso para mim é péssimo", falei.

Enquanto eu distribuía as roupas pelo papel branco estendido sob o protetor, ele acionou o Luma-Lite e os ventiladores começaram a zumbir. Um minuto depois Vander acionou a lâmpada, girando o controle de intensidade para a força máxima. Colocou os óculos protetores perto de mim e instalou um filtro óptico azul de 450 nanômetros nas lentes. O Luma-Lite lançou um brilho azulado no chão. A sombra de Vander se movia junto com ele, e os frascos de corantes que estavam próximos brilharam em amarelo-claro, verde blitz e vermelho tinto. Sua poeira era uma constelação de estrelinhas de néon espalhadas pelo laboratório.

"Sabe, alguns idiotas dos departamentos de polícia resolveram comprar seus próprios Luma-Lites e examinar as cenas dos crimes", a voz de Vander soou na escuridão. "Eles espalham vermelho tinto em tudo e colocam a impressão em fundo preto. Portanto, tenho de fotografar a impressão com o Luma-Lite ligado e reverter a foto para branco."

Ele começou com o cesto de lixo de plástico encontrado dentro do contêiner, obtendo instantaneamente digitais parciais e borradas, sobre as quais jogou vermelho tinto. O pó vermelho elétrico fosforesceu no escuro.

"Começamos bem", falei. "Vamos em frente, Neils."

Vander moveu o tripé para mais perto das calças jeans do morto e o forro do bolso direito começou a brilhar, vermelho fosco. Toquei no material com o dedo enluvado e encontrei manchas de cor laranja reluzente.

"Não creio que tenha obtido este tom de vermelho antes", Vander comentou.

Passamos uma hora nas roupas, inclusive cinto e sapatos. Nada mais fluoresceu.

"Temos duas coisas diferentes aqui, definitivamente", Vander disse quando acendi a luz. "Duas coisas diferentes que brilharam naturalmente. Nenhuma mancha de corante, exceto o usado no cesto plástico."

Peguei o telefone e liguei para o necrotério. Fielding atendeu.

"Preciso de todas as coisas que estavam no bolso do cadáver não identificado. Devem estar secando na bandeja."

"Vi dinheiro estrangeiro, prendedor de charuto e isqueiro."

"Isso mesmo."

Acendemos a luz novamente e terminamos de examinar a parte exterior das roupas, encontrando mais cabelo claro esquisito.

"Isso saiu da cabeça dele?", Vander perguntou quando minha pinça penetrou na área sob a luz fria azulada para recolher cuidadosamente os pêlos e guardá-los num envelope.

"O cabelo dele era escuro e grosso", respondi. "Não, isso não pode ser dele."

"Parece pêlo de gato. Uma dessas raças de pêlo longo que não entram mais na minha casa. Angorá? Himalaio?"

"Acho difícil. Poucas pessoas têm gatos dessas raças", falei.

"Minha esposa adora gatos", Vander prosseguiu. "Tinha um chamado Creamsicle. O desgraçado procurava minhas roupas para dormir em cima. Quando eu ia me vestir, elas estavam assim."

"Creio que pode ser pêlo de gato", concedi.

"Muito fino para ser de cachorro, você não acha?"

"Não ser for um Skye terrier ou similar. Pêlos sedosos longos e lisos."

"Amarelo?"

"Bege, talvez", falei. "Poderiam ser do ventre? Estou intrigada."

"O sujeito pode ter sido criador, ou ter trabalhado com animais", Vander sugeriu. "Não existem coelhos de pêlo longo, também?"

"Toc toc." A voz de Fielding imitou a batida na porta.

Ele entrou com uma bandeja na mão. Acendemos as luzes.

"Há coelhos tipo angorá", confirmei. "Aqueles cuja lã é usada para fazer malhas."

"Pelo jeito você andou malhando", Vander disse a Fielding.

"Quer dizer que antes não parecia?", Fielding perguntou.

Vander franziu a testa, como se nunca tivesse notado que Fielding era um fanático por academias de musculação.

"Descobrimos uma espécie de resíduo num dos bolsos", informei a Fielding. "No mesmo bolso em que havia dinheiro."

Fielding retirou a toalha que cobria a bandeja.

"Identifiquei libras e marcos alemães", ele disse. "Mas não conheço essas duas moedinhas cor de cobre."

"Creio que são francos belgas", falei.

"Não tenho a menor idéia da origem dessas notas."

As notas haviam sido separadas uma a uma para a secagem.

"Parece que tem um templo ou um monumento. E o que é um dirrã? Dinheiro árabe?"

"Pedirei a Rose para verificar."

“Por que alguém andaria com quatro moedas diferentes no bolso?”, Fielding indagou.

“Talvez ele tenha entrado e saído de vários países num período muito curto”, arrisquei um palpite. “Só consigo pensar nessa possibilidade. Vamos analisar esses resíduos imediatamente.”

Pusemos os óculos protetores e Vander acendeu as luzes. Os mesmos vermelho fosco e laranja brilhante apareceram em diversas notas. Examinamos os dois lados, e encontramos manchas e marcas borradas em alguns pontos. E parte de uma impressão digital. Mal se conseguia vêla no canto superior esquerdo da nota de cem dirrãs.

“Deus existe”, Fielding disse.

“Bingo”, Vander comemorou. “Agora sim! Vou cuidar disso imediatamente. Vou pedir a um amigo meu do Serviço Secreto para verificar em Morpho, Printrak, Necafis, Win, todos os bancos de dados que houver, quarenta e cinco milhões de digitais.”

Nada deixava Vander mais excitado do que achar um fragmento de impressão digital que pudesse ser espalhado pelo ciberespaço para capturar um criminoso.

“O banco de dados nacional do FBI ainda está operando plenamente?”, Fielding perguntou.

“O Serviço Secreto já tem todas as digitais que o FBI deseja, mas como sempre o birô tem de reinventar a roda. Gastar um dinheirão para montar seu próprio banco de dados usando programas diferentes, de modo a torná-lo incompatível com todos os sistemas existentes. Hoje preciso ir a um jantar.”

Ele focalizou o Luma-Lite na pele malcheirosa e escura esticada sobre a tábua de carne, e instantaneamente dois pontos fluoresceram num tom forte de amarelo. Eram pouco maiores que uma cabeça de prego, paralelos, simétricos, e não saíram quando esfregamos.

“Estou quase certa de que se trata de uma tatuagem”, falei.

"Concordo", Vander disse. "Não consigo pensar em outra coisa. Não ocorreu mais nenhuma reação."

A carne das costas do sujeito estava escura e pegajosa sob a luz fria azulada.

"Vocês notaram como está escura aqui?" Vander delimitou uma área aproximadamente do tamanho da minha mão com o dedo enluvado.

"Eu gostaria de saber que diabo é isso", Fielding disse.

"Não entendo por que é tão escura", Vander ponderou.

"Talvez a tatuagem fosse marrom ou preta", sugeri.

"Bem, vamos pedir a Phil ajuda nisso aí", Vander disse. "Que horas são? Sabe, eu preferia que Edith não tivesse marcado esse jantar para hoje. Preciso ir embora, doutora Scarpetta. Vou deixá-la por sua própria conta. Droga, odeio quando Edith inventa de *comemorar* alguma coisa."

"Não vem com essa, cara", Fielding disse. "Sabemos que você é o maior arroz-de-festa."

"Praticamente não bebo mais. Faz efeito."

"Mas é para fazer efeito mesmo, Neils", falei.

Phil Lapointe não esbanjava bom humor quando entrei no laboratório de manipulação de imagens, que mais parecia um estúdio de produção do que um lugar onde cientistas trabalhavam com pixels, contrastes e efeitos de luz e sombra para dar um rosto ao mal. Lapointe foi um dos primeiros diplomados pelo instituto, era capacitado e dedicado, mas não aprendera ainda a seguir em frente quando um caso empacava.

"Droga", ele disse, passando os dedos pela cabeleira ruiva enquanto mantinha os olhos fixos numa tela de vinte e quatro polegadas.

"Odeio pedir isso a você", falei.

Ele digitava, impaciente, mudando os tons de cinza da imagem congelada de um vídeo de loja de conveniência. A figura de óculos escuros e touca de cabelo não estava em foco, mas o balconista se destacava, pois o sangue esguichava num jato fino de sua cabeça.

"Modifiquei a imagem, quase consegui pegá-lo, mas o perdi", Lapointe se queixou com um suspiro desolado. "Eu fico vendo essa cena miserável até quando sonho."

"Incrível", falei, olhando a imagem. "Veja como ele está calmo. Como se tivesse atirado por falta de coisa melhor para fazer. Como se não significasse absolutamente nada."

"Isso deu pra perceber." Lapointe esticou as costas. "Ele matou o balconista sem motivo nenhum. Não entendo."

"Daqui a alguns anos você vai entender", falei.

"Não quero me tornar cínico, se é isso que você quis dizer."

"Não se trata de ficar cínico. É entender finalmente que não há necessidade de motivo", expliquei.

Ele se concentrou na tela do computador, encantado com a última imagem de Pyle Gant em vida. Eu havia feito a autópsia.

"Vamos ver o que temos aqui", Lapointe disse, removendo a toalha.

Gant, vinte e três anos, tinha um filho de dois meses e fazia hora extra para pagar a prestação do colar que dera à esposa no aniversário dela.

"Isso deve ser do sujeito do contêiner. Você está pensando em tatuagem?"

Gant perdeu o controle da bexiga antes de levar o tiro.

"Doutora Scarpetta?"

Eu sabia disso por causa das calças jeans e do assento da cadeira atrás do balcão, encharcados de urina. Quando olhei pela janela, dois policiais tentavam acalmar a esposa histérica, no estacionamento.

"Doutora Scarpetta?"

Ela gritava e se debatia. Usava aparelho nos dentes.

"Trinta e dois dólares e doze centavos", murmurei.

"Como é?", ele perguntou.

"O dinheiro que havia em caixa", resmunguei.

Lapointe salvou o arquivo e o fechou. Girou a poltrona, abriu uma gaveta para pegar filtros de cores diferentes e as luvas. O telefone tocou, ele atendeu.

"Um momento." Ele passou o aparelho. "É para você."

Era Rose.

"Falei com uma pessoa do departamento de moeda estrangeira da Crestar", ela disse. "O dinheiro que você me deu é do Marrocos. A taxa atual é nove vírgula três dirrãs por dólar. Portanto, dois mil dirrãs valem cerca de duzentos e quinze dólares."

"Obrigada, Rose..."

"E descobri algo que você vai achar interessante", ela continuou. "É proibido entrar ou sair do Marrocos com moeda local."

"Tenho a impressão de que esse sujeito fazia várias coisas proibidas", falei. "Você pode tentar falar com o agente Francisco novamente?"

"Com certeza."

Minha noção a respeito dos procedimentos do ATF dava lugar rapidamente ao medo de rejeição por parte de Lucy. Eu desejava vê-la desesperadamente. Queria fazer o que fosse necessário para que isso acontecesse. Desliguei e tirei a tábua de cortar do recipiente. Lapointe a posicionou sob a luz forte.

"Não estou muito otimista a respeito dessa amostra", ele disse.

"Bem, espero que você não comece a sonhar com isso também", falei. "Tampouco eu estou entusiasmada. Mas vamos tentar, não custa nada."

Os restos da epiderme estavam verde-azulados, como uma pedra ou terra pantanosa. A carne subjacente escurecera mais ainda, endurecendo feito carne-seca. Centralizamos a tábua sob a câmera de alta resolução que transmitia imagens para a tela do computador.

"Péssimo", Lapointe disse. "Muito reflexo."

Ele tentou uma iluminação enviesada, depois passou para preto-e-branco. Experimentou vários filtros na lente da câmera. Azul não adiantou, nem amarelo. No entanto, quando tentou o vermelho, os pontinhos iridescentes surgiram outra vez. Lapointe ampliou a imagem. Eram perfeitamente redondos. Pensei em lua cheia e num lobisomem de olhos amarelos malignos.

"Não vamos conseguir uma imagem direta melhor", ele disse, desapontado. "Vamos tentar melhorá-la digitalmente."

Ele gravou a imagem no disco rígido e começou a processá-la. O programa nos permitia visualizar duzentos tons de cinza que não percebíamos a olho nu.

Lapointe trabalhou com o teclado e o mouse, abrindo e fechando janelas. Usou contraste, brilho e ampliações. Ajustou e encolheu a imagem. Eliminou o fundo. Começamos a ver os poros dos pêlos, depois as marcas deixadas por uma agulha de tatuagem. Do meio das cores surgiu uma série de linhas negras onduladas que indicavam pêlos ou penas. Uma linha escura que parecia traçar pétalas de margarida era uma garra.

"O que você acha?", perguntei a Lapointe.

"Creio que não vamos conseguir uma imagem melhor que essa", ele disse, impaciente.

"Conhecemos algum especialista em tatuagem?"

"Sugiro começar pelo histologista", ele disse.

21

Encontrei George Gara em seu laboratório, pegando o almoço no refrigerador cuja porta exibia um aviso enorme: PROIBIDO PARA ALIMENTOS. Lá dentro havia manchas de nitrato de prata e carmínico, além de reagentes Schiff. Nenhum dos produtos químicos citados era compatível com refeições.

"Não acho que essa seja uma boa idéia", comentei.

"Desculpe", ele gaguejou, fechando a porta da geladeira depois de pôr o almoço em cima da bancada.

"Temos geladeira no refeitório, George", falei. "Você sabe que pode usá-la quando quiser."

Ele não respondeu. Concluí que sua timidez era tamanha que ele não ia ao refeitório por puro retraimento. Senti muita pena dele. Imaginei a vergonha que sentia quando era criança e não conseguia falar sem gaguejar. Talvez isso explicasse as tatuagens que cobriam seu corpo, crescendo feito unha-de-gato. Vai ver as tatuagens faziam com que ele se sentisse especial e másculo. Puxei uma cadeira e sentei.

"George, posso lhe fazer algumas perguntas sobre suas tatuagens?", falei.

Ele enrubesceu.

"Sou fascinada por elas, e preciso de ajuda para resolver um problema."

"Claro", ele disse, ressabiado.

"Você costuma ir sempre ao mesmo tatuador? Um especialista? Ou conhece alguém com muita experiência no assunto?"

"Vou sempre ao mesmo, doutora", ele respondeu. "Não iria a um lugar qualquer."

"Seu tatuador é daqui? Preciso ir a um lugar onde possa fazer perguntas, mas não quero me envolver com gente duvidosa. Você entende o que quero dizer, não é?"

"Pit", ele respondeu imediatamente. "Como em pit bull. Pit é o nome dele mesmo. John Pit. Muito bom. Quer que eu ligue para ele?", perguntou, gaguejando muito.

"Seria muita gentileza sua", respondi.

Gara tirou uma agenda telefônica pequena do bolso de trás e a consultou. Ligou para Pit, explicou quem eu era, e o tatuador me pareceu muito atencioso.

"Pronto." Gara me passou o telefone. "Acho melhor você explicar o caso a ele."

Foi difícil. Precisei repetir tudo. Pit estava em casa, começando a acordar.

"Você acha que temos alguma chance de sucesso?", perguntei.

"Já vi praticamente todos os padrões que existem", ele disse.

"Desculpe, não entendi direito."

"Os padrões são os desenhos que as pessoas pedem para tatuar. As paredes do meu estúdio estão forradas de desenhos. Por isso acho melhor você vir até aqui, em vez de eu ir a seu departamento. Talvez os desenhos dêem alguma pista. Mas não abro às quartas e quintas-feiras. E o fim de semana do pagamento quase me matou. Ainda não me recuperei. Mesmo assim, vou atendê-la, por ser algo muito importante. Você vai trazer a pessoa que tem a tatuagem?"

Ele ainda não havia entendido.

"Não, só a tatuagem", falei. "Mas não a pessoa."

"Espere um pouco", ele disse. "Certo, certo, já entendi. Você tirou de um cara morto."

"Isso o incomoda?"

"Não, tudo bem. Não tem problema."

"A que horas?"

"Assim que você puder vir para cá."

Desliguei e levei um susto ao ver Ruffin na porta, olhando para mim. Tive a impressão de que ele estava ali fazia um tempo, escutando a conversa, pois eu estava de costas para a porta, fazendo anotações. Seu rosto revelava cansaço e os olhos vermelhos davam a impressão de que passara a noite bebendo.

"Sua aparência está péssima, Chuck", falei, sem um pingo de dó.

"Eu acho melhor ir para casa", ele disse. "Devo ter apanhado uma gripe."

"Lamento saber disso. Eu soube que há um vírus terrível se espalhando por aí. Muito contagioso, pela internet. Chama-se *seis-e-meia*. As pessoas correm do serviço para casa e ligam o computador. Caso tenham um computador em casa, claro."

O rosto de Ruffin ficou branco.

"Muito engraçado", Gara disse. "Só não entendi o nome, seis-e-meia."

"É a hora em que metade do mundo entra no AOL", respondi. "Claro que você pode ir para casa, Chuck. Descanse em paz. Vou acompanhá-lo até a porta. Precisamos só passar pela sala dos decompostos e pegar a tatuagem."

Eu havia removido a tatuagem da tábua de cortar para guardá-la num jarro com formalina.

"Ouvi dizer que o inverno vai ser completamente maluco", Ruffin começou a tagarelar. "Estava ouvindo o rádio hoje de manhã enquanto vinha de carro para o serviço, e soube que vai esfriar muito na época do Natal. Depois, teremos calor em fevereiro, como se fosse primavera."

Abri as portas automáticas da sala dos decompostos e entrei. Larry Posner, especialista em vestígios microscópicos, trabalhava com um estudante do instituto nas roupas do morto.

"É sempre um prazer encontrar vocês", saudei-os.

"Devo admitir que você nos brindou com mais um desafio", Posner disse, enquanto raspava a sola do sapato com um estilete e recolhia os resíduos com uma folha branca de papel.

"Ele está ensinando você direito?", perguntei ao rapaz.

"Às vezes", ele respondeu.

"Como vai, Chuck?", Posner disse. "Você não parece muito bem."

"Vou levando." Chuck apegou-se à farsa da doença.

"Lamento muito sobre a polícia de Richmond", Posner disse com um sorriso compreensivo.

Ruffin ficou visivelmente abalado.

"Como assim?", ele disse.

Posner, constrangido, respondeu: "Soube que você não conseguiu entrar na academia de polícia. E só queria dizer para você não desanimar".

Os olhos de Ruffin fixaram-se no telefone.

"Muita gente não sabe", Posner prosseguiu, passando para o outro pé do sapato, "mas fui reprovado duas vezes em química básica na faculdade de medicina."

"Sério mesmo?", Ruffin murmurou.

"Por essa eu não esperava." Carlisle fingiu repugnância e horror. "E me disseram que eu teria os melhores professores do mundo se viesse para cá. Quero meu dinheiro de volta."

"Tenho algo para lhe mostrar, doutora Scarpetta", Posner disse, erguendo a máscara protetora.

Ele deixou o estilete de lado e dobrou a folha de papel como fazem os joalheiros, antes de passar para a calça jeans preta que Carlisle examinava. Estava cuidadosamente estendida em cima da maca forrada com um lençol. A cintura fora virada pelo avesso, até a altura dos quadris, e Carlisle recolhia fios de cabelo com cuidado, usando uma pinça de ponta fina.

"Isso é muito estranho", Posner disse, apontando com o dedo enluvado, sem tocar no material coletado, enquanto seu trainee dobrava a calça mais alguns centímetros para revelar mais cabelo.

"Já recolhemos várias dúzias", Posner me contou. "Quando começamos a dobrar a calça, esperávamos encontrar pêlos pubianos na virilha, mas topamos com esses fios louros. A cada centímetro examinado, surgem mais alguns. Não faz o menor sentido."

"Para mim também não", concordei.

"Poderiam pertencer a um animal, como um gato persa?", Carlisle sugeriu.

Ruffin abriu um armário e tirou o frasco plástico com formalina que continha a tatuagem.

"Ele poderia ter dormido em cima da calça, quando ela estava virada do avesso", Carlisle prosseguiu. "Muitas vezes, se minha calça está muito difícil de tirar, eu a puxo pelo avesso e jogo em cima de uma cadeira. Meu cachorro adora dormir em cima da minha roupa."

"Suponho que você não tenha pensado em pendurar suas roupas no armário, ou guardar na gaveta", Posner brincou.

"Vai ser a lição de casa?"

"Vou pegar uma sacola para guardar o frasco", Ruffin disse, erguendo o braço. "Para o caso de vazar."

"Boa idéia", falei. Depois perguntei a Posner: "Você consegue examinar isso rapidamente?".

"Depende de sua resposta para a questão fatal", ele disse. "Para quando precisa?"

Suspirei.

"Tudo bem, tudo bem."

"A Interpol está tentando identificar o sujeito. Sofro tantas pressões quanto qualquer pessoa, Larry", enfatizei.

"Não precisa explicar. Sei que você só pede urgência quando há um bom motivo. Acho que dei um fora." Ele mudou de assunto. "O que houve com aquele rapaz? Ele agiu como se não soubesse que tinha sido recusado pela academia de polícia. Pô, o prédio inteiro comentou."

"Pra começo de conversa, eu não sabia que ele havia sido recusado", falei. "E, em segundo lugar, não sei por que o prédio inteiro está comentando isso."

Assim que fiz o comentário, pensei em Marino. Ele

disse que ia dar um jeito em Ruffin, talvez tivesse ouvido falar na recusa e espalhado a notícia por maldade.

"Suponho que a responsável pela recusa tenha sido Bray", Posner prosseguiu.

Pouco depois, Ruffin retornou com uma sacola plástica na mão. Deixamos a sala e nos lavamos nos respectivos vestiários. Não me apressei. Deixei que ele esperasse no saguão, sabendo que sua ansiedade crescia a cada minuto transcorrido. Quando finalmente apareci, ele se aproximou e caminhamos em silêncio. Ruffin parou duas vezes para beber água, nervoso.

"Espero que eu não esteja com febre", ele disse.

Parei e o encarei. Ele recuou involuntariamente quando pus a mão em seu rosto.

"Acho que não está", falei.

Acompanhei-o através do saguão, até o estacionamento. Ele estava obviamente apavorado.

"Algum problema?", ele perguntou por fim, limpando a garganta enquanto punha os óculos escuros.

"Por que pergunta?", indaguei com ar inocente.

"Você veio comigo até aqui e tudo mais."

"Para pegar meu carro."

"Lamento ter dito aquelas coisas sobre os problemas na internet", ele disse. "Eu sabia que teria sido melhor ficar de boca fechada, pois você ia ficar brava comigo."

"Por que pensa que estou brava com você?", perguntei, destravando a porta do meu carro.

Ele ficou sem palavras. Abri o porta-malas e guardei a sacola plástica.

"Tem uma lasca na pintura, aqui. Provavelmente foi uma pedra, na estrada. Mas vai enferrujar se..."

"Chuck, preste atenção no que tenho a dizer", falei calmamente. "*Eu já sei.*"

"Como? Não entendo o que você está querendo dizer." Ele se atrapalhava com as palavras.

"Você entendeu direitinho."

Entrei no carro e liguei o motor.

"Entre, Chuck", falei. "Não precisa ficar aí fora, no frio. Lembre-se de que não está se sentindo bem."

Ele hesitou, exalando medo como se fosse um odor, ao dar a volta para sentar no banco do passageiro.

"Lamento que você não tenha ido ao Buckhead's também. Tivemos uma conversa muito interessante com a chefe Bray", falei quando ele fechou a porta.

Seu queixo caiu.

"Fico aliviada por ter finalmente conseguido respostas para tantas perguntas", continuei. "E-mail, internet, rumores sobre minha carreira, vazamento de informações."

Esperei para ver o que ele ia dizer, mas me surpreendi quando ele atacou: "Foi por isso que eu não consegui entrar na academia de polícia, não foi? Você se encontrou com ela a noite passada, e hoje de manhã eu recebo a má notícia. Você me difamou, pediu que ela não me contratasse, depois espalhou a história para me humilhar".

"Seu nome nunca apareceu antes. E eu tenho toda a certeza de que não espalhei nada sobre você em lugar nenhum."

"Isso é lorota." Sua voz tremia, ele poderia começar a chorar a qualquer momento. "Eu passei a vida sonhando que ia ser policial, e você estragou tudo."

"Chuck, quem estragou tudo foi você mesmo."

"Ligue para a chefe e diga alguma coisa. Você pode fazer isso", ele implorou feito criança contrariada. "Por favor."

"Por que você ia encontrar Bray na noite passada?"

"Porque ela me chamou. Não sei o que ela queria. Ela mandou um recado e me disse para ir até o estacionamento do Buckhead's às cinco e meia."

"Claro, e para ela você não apareceu. Calculo que isso possa estar relacionado com as más notícias que você recebeu esta manhã. O que você acha?"

"Creio que sim", ele resmungou.

"Como você se sente? Ainda está passando mal? Preciso ir a Petersburg, e creio que poderia me acompanhar. Assim, terminaríamos nossa conversa."

“Bem, eu...”

“Bem o quê, Chuck?”

“Também quero terminar essa conversa.”

“Comece contando como conheceu a chefe Bray. Considero algo extraordinário que você tenha um relacionamento pessoal tão próximo com a pessoa mais poderosa do departamento de polícia.”

“Então, você pode imaginar como me senti no começo”, ele disse, hipócrita. “A detetive Anderson telefonou há alguns meses, disse que era nova aqui e queria fazer umas perguntas sobre o departamento de medicina legal e os procedimentos que adotávamos. Ela me convidou para almoçar no River City Diner. Acabei me metendo numa encrenca, agora sei que deveria ter lhe contado sobre essa ligação. Deveria ter dito o que estava acontecendo. Mas você passava a maior parte do tempo dando aula, e eu não quis incomodá-la. O doutor Fielding tinha ido a uma audiência. Por isso falei para Anderson que seria um prazer ajudá-la.”

“Bem, está na cara que ela não aprendeu absolutamente nada.”

“Ela havia preparado uma armadilha”, ele disse. “Quando cheguei ao River City Diner, não acreditei. Ela estava num reservado com a chefe Bray. Ela queria saber tudo a respeito do nosso departamento.”

“Quem queria saber?”

“Bray.”

“Entendo. Que imensa surpresa”, falei.

“Eu me senti lisonjeado e nervoso também, pois não compreendia o que estava acontecendo. Depois do almoço ela sugeriu que eu fosse até a central de polícia com ela e Anderson.”

“Por que você não me contou nada disso, na época?”, falei, seguindo na direção da Fifth Street, para pegar a I-95 Sul.”

“Não sei...”, ele deixou a frase morrer no meio.

“Aposto que sabe.”

"Eu fiquei com medo."

"Teria algo a ver com sua vontade de entrar para a polícia?"

"Bom, não dá pra negar", ele disse. "Eu poderia conseguir um contato melhor? Ela conhecia meus planos, nem sei como, e quando entramos na sala ela fechou a porta e mandou que eu sentasse na frente da mesa."

"Anderson estava com vocês?"

"Não, só Bray e eu. Ela disse que minha experiência facilitaria tudo, eu poderia me tornar um especialista da polícia científica. Achei que tinha acertado na loteria."

Enquanto eu me esforçava para manter distância de obstáculos de cimento e motoristas agressivos, Ruffin insistia em sua farsa de bom menino.

"Admito que depois disso comecei a sonhar e perdi o interesse pelo meu emprego. Lamento muito", ele disse. "Mas foi só duas semanas depois que Bray mandou um e-mail dizendo..."

"Como ela conseguiu seu endereço eletrônico?"

"Hã... ela pediu. Então, mandou o e-mail e pediu que eu passasse na casa dela às cinco e meia, pois queria discutir um assunto confidencial comigo. Mas eu não queria ir, doutora Scarpetta. Sabia que essa história não ia acabar bem."

"Como assim?"

"Pensei que ela poderia me assediar ou algo assim."

"E aí? Foi isso que aconteceu?", perguntei.

"Minha nossa, tenho vergonha de falar nisso."

"Vá em frente."

"Ela me ofereceu uma cerveja e puxou uma cadeira para ficar bem perto do sofá onde eu estava sentado. Ela me fez muitas perguntas pessoais, como se estivesse realmente interessada em mim. E depois..."

Uma carreta carregada mudou de pista, vindo para cima de mim. Acelerei para desviar e ultrapassá-la.

"Odeio esses monstros", falei.

"Eu também", Chuck disse, e seu tom submisso me dava náuseas.

"Você estava contando...", falei.

Ele respirou fundo. Subitamente, interessou-se muito pelos caminhões que passavam por nós e pelos homens que espalhavam asfalto na beira da pista. Pelo jeito aquele trecho da I-95 estava em obras desde a Guerra da Secessão.

"Ela não usava farda, entende?", ele retomou o relato, com sinceridade inédita. "Bom, ela estava de conjunto, tipo terninho, mas não usava sutiã. A blusa era meio transparente..."

"Ela tentou seduzi-lo? Tomou alguma iniciativa, além de se vestir daquele jeito?", perguntei.

"Não senhora. Mas era como se esperasse que eu fizesse alguma coisa. Agora sei o motivo. Ela não ia topar, só usar aquilo contra mim. Seria mais um jeito de me controlar. Quando ela me deu outra cerveja, abordou o assunto que a interessava. Disse que era muito importante eu saber a verdade a seu respeito."

"Que seria?"

"Ela disse que você era instável. Todo mundo sabe que você *anda meio distante*, foram as palavras exatas dela, que estava praticamente falida por ser consumidora compulsiva..."

"Consumidora compulsiva?"

"Ela mencionou a casa e o carro."

"Como ela poderia saber coisas a respeito de minha casa?", perguntei, percebendo imediatamente que Ruffin conhecia bem os dois, entre outras coisas.

"Não faço a menor idéia", ele disse. "Mas acho que o pior foi o que ela disse a respeito de seu trabalho. Alegou que você prejudicou vários casos, que os investigadores andavam reclamando muito, com exceção de Marino. Ele a acobertava, por isso ela teria de dar um jeito nele."

"E ela fez isso, sem dúvida", falei, sem demonstrar minhas emoções.

"Puxa vida, eu preciso ir", ele disse. "Eu não queria dizer essas coisas para você!"

"Chuck, você quer uma chance de recomeçar tudo e consertar parte do estrago que causou?"

"Ah, se eu pudesse", ele disse, como se realmente ansiasse por isso.

"Então conte a verdade. Diga tudo. Entre novamente nos eixos para poder ser feliz na vida", encorajei-o.

Eu sabia que o safado entregaria qualquer pessoa, se levasse alguma vantagem.

"Ela disse que um dos motivos para a contratação dela foi que o chefe de polícia, o prefeito e a câmara de vereadores queriam se livrar de você, mas não sabiam como", Ruffin prosseguiu, como se as palavras o ferissem. "Eles não podiam demiti-la, pois você não trabalha para o município. Seria tarefa para o governador. Ela me explicou que funciona como na contratação de um administrador para a prefeitura quando é preciso dispensar um chefe de polícia incompetente. Incrível. Ela parecia tão convincente que me confundiu. Depois ela se levantou da cadeira e sentou do meu lado. Olhou no fundo dos meus olhos. Nunca vou me esquecer.

"Ela disse: 'Chuck, sua chefe vai arruinar sua vida, compreende? Ela vai afundar e arrastar junto todos que estiverem a seu lado, principalmente você'. Eu perguntei, *por que eu?* E ela disse: 'Porque você não significa nada para ela. Pessoas assim podem parecer boas, mas no fundo pensam que são Deus e desprezam os subalternos'. Ela perguntou se eu sabia o que era um subalterno, e falei que não. Ela disse que era um *subordinado*, um mero criado. Isso me deixou furioso."

"Posso imaginar", falei. "Mas nunca tratei você ou outra pessoa como criado, Chuck."

"Eu sei, eu sei!"

Calculei que parte do relato era verdadeiro. Mas ele havia distorcido tudo em seu benefício, com certeza.

"Então comecei a fazer coisas para ela. Pequenas tarefas, no início", ele prosseguiu. "E sempre que eu fazia uma coisa errada, ficava mais fácil fazer outra pior. Como se eu fosse endurecendo por dentro aos poucos, e me convencesse a acreditar que tudo que eu estava fazendo era justificado, e até certo. Talvez assim eu conseguisse dormir melhor de noite. Aí os pedidos dela ficaram absurdos, como o e-mail. E ela passou para Anderson a tarefa de me pedir as coisas. Bray é muito esperta, ninguém vai conseguir pegá-la."

"Quais foram essas coisas?", perguntei.

"Jogar o projétil no ralo da pia, por exemplo. Foi horrível."

"Foi mesmo", concordei, ocultando o desprezo que sentia por ele.

"Essa foi uma das razões para eu acreditar que ela devia estar pensando em algo muito sério para me convocar para um encontro no Buckhead's na noite passada", ele disse. "Ela pediu para eu não contar a ninguém, e não entrar em contato com ela a não ser que houvesse um problema sério. Eu devia ir lá e ponto final.

"Eu já estava morrendo de medo dela, naquela altura", ele enfatizou, e nisso eu obviamente acreditei. "Ela me controlava, entende? Eu estava com o rabo preso e ela usava isso. E me assustava o que ela poderia pedir para eu fazer em seguida."

"Como, por exemplo?"

Ele hesitou. Uma carreta enorme entrou na minha frente, fui obrigada a frear. As motoniveladoras moviam terra na beira da pista, levantando poeira.

"Prejudicar o caso do Homem do Contêiner. Eu sabia que ela pretendia fazer isso. Ela ia me obrigar a adulterar alguma evidência e causar problemas que iam arrasar você. E o que seria melhor para prejudicá-la do que um caso acompanhado pela Interpol, um caso capaz de despertar tanto interesse?"

"E você fez algo que possa comprometer esse caso, Chuck?"

"Não."

"E adulterou ou eliminou provas de outros casos?"

"Fora a bala no ralo, não."

"Você tem noção de que estaria cometendo um crime, caso alterasse ou destruísse alguma evidência? Percebe que Bray pode levá-lo à prisão, e que provavelmente pretende fazer exatamente isso, para tirá-lo do caminho depois de conseguir o que deseja de você?"

"No fundo, eu não acho que ela seja capaz de fazer isso comigo", ele disse.

Ele não era ninguém para Bray. Apenas um iludido incapaz de ter bom senso suficiente para evitar a arapuca armada à sua frente, cego pelo ego e pela ambição.

"Tem certeza disso?", perguntei. "Tem certeza de que Bray não ia fazer você pagar o pato?"

Ele hesitou.

"E você também andou furtando coisas no departamento, certo?", disparei, pois resolvera tratar do caso sem rodeios.

"Está tudo guardado comigo. Ela queria que eu fizesse... alguma coisa para mostrar que você não tinha capacidade para administrar o departamento. Está tudo em casa, numa caixa. Eu pretendia devolver tudo, colocar num canto do prédio onde alguém pudesse encontrá-la e entregar tudo aos donos."

"Por que você permitiu que ela adquirisse tanto poder sobre você?", perguntei. "A ponto de levá-lo a roubar, mentir e adulterar provas?"

"Por favor, não permita que me prendam e mandem para a cadeia", ele disse num tom de voz cuja inflexão de pânico não lhe daria um prêmio como ator. "Tenho mulher e um filho que vai nascer logo. Vou me matar, juro que vou. Conheço um monte de jeitos de fazer isso."

"Nem pense numa coisa dessas", falei. "E nunca mais diga isso."

"Eu vou me matar. Minha vida está arruinada, tudo por minha culpa. Só minha."

"Sua vida só estará arruinada se pensar assim. A escolha é sua."

"A esta altura não faz mais diferença", ele resmungou, e temi que estivesse falando sério.

Ele lambia os lábios constantemente e as palavras saíam emboladas por causa da boca seca.

"Minha mulher não se importa. E meu filho não precisa crescer com o pai na cadeia."

"Não ouse mandar seu corpo para mim", falei com raiva. "Não me faça uma coisa dessas. Não quero entrar no necrotério e encontrar seu cadáver em cima da mesa."

Ele se virou para mim, chocado.

"Amadureça", falei. "Ninguém precisa dar um tiro no ouvido quando se complica, entende? Sabe o que é um suicídio?"

Ele me encarava de olhos arregalados.

"É ter a última palavra. É um grande *que se dane*", falei.

22

O Pit Stop ficava logo depois do salão de beleza da Kate e de uma casa pequena na qual havia uma placa anunciando os serviços de uma vidente. Estacionei ao lado de uma picape preta com uma série de adesivos no pára-choque. Eles me deram uma boa idéia a respeito do sr. Pit.

A porta do ateliê foi aberta instantaneamente. Fui recebida por um homem cujo corpo fora inteiramente tatuado — cada centímetro de pele exposta, inclusive pescoço e cabeça. Os piercings me deram aflição.

Era mais velho do que eu esperava, um cinqüentão esguio de rabo-de-cavalo que parecia ter sido espancado várias vezes. Usava colete de couro e camiseta. A carteira estava acorrentada na calça jeans.

"Você deve ser o Pit", falei, abrindo o porta-malas para tirar a sacola plástica.

"Entre", ele respondeu em tom descontraído, como se nada no mundo pudesse ser considerado estranho ou merecedor de preocupação.

Ele entrou antes de Ruffin e de mim, gritando: "Taxi, sentada, querida!". Depois nos garantiu: "Não se preocupem com ela. É mais suave do que xampu para bebê".

Eu sabia que não ia gostar do interior do ateliê.

"Não sabia que você ia trazer alguém", Pit disse. Notei que em sua língua havia um pedaço de metal pontudo. "Como é seu nome?"

"Chuck."

"É meu assistente", expliquei. "Se tiver um lugar para sentar, ele fica esperando."

Taxi era uma cadela pit bull, um bloco retangular de músculos sobre quatro pernas.

"Tá certo. Ali." Pit apontou para um canto da sala onde vi um televisor e um local para sentar. "Temos um lugar para os clientes esperarem o atendimento. Chuck, fique à vontade. Se precisar de moedas para a máquina de Coca-Cola, é só avisar."

"Obrigado", ele disse, submisso.

Não gostei do modo como Taxi olhou para mim. Jamais confiarei num pit bull, por mais amigável que seu dono o considere. Para mim, o cruzamento de buldogue com terrier criou um Frankenstein canino. E já vi minha cota de gente destroçada, crianças inclusive.

"Muito bem, Taxi, deitada. Quer cosquinha na barriga?", Pit disse com voz meiga.

Taxi deitou, virou de barriga para cima e agitou as patas no ar, enquanto seu dono se agachava para acariciar-lhe o estômago.

"Estão vendo?", ele disse, olhando para Chuck e para mim. "Esses cães não são malvados, só ficam assim por causa dos donos. Não passam de bebezões. Certo, Taxi? Eu a chamo de Taxi porque um motorista de táxi veio aqui há um ano, querendo uma tatuagem. Disse que trocaria um filhote de pit bull por uma tatuagem da morte com o nome da ex-esposa embaixo. E eu topei a troca, não foi, querida? Chega a ser irônico, ela é pit e eu sou Pit também, apesar de não sermos parentes."

O ateliê de Pit situava-se num mundo alheio ao meu, que eu nunca poderia imaginar que existia, e já visitei lugares muito esquisitos em minha carreira. As paredes estavam cobertas de desenhos, de ponta a ponta. Havia milhares de índios, cavalos alados, dragões, peixes, rãs e símbolos religiosos que nada significavam para mim. Em letras rebuscadas, havia por todos os lados expressões como NÃO CONFIE EM NINGUÉM, ESTIVE LÁ, FODA-SE TUDO. Crânios de plásticos sorriam para nós em mesas e estantes, revistas de tatuagem serviam para inspirar os corajosos enquanto eles esperavam a vez de entrar na agulha.

Curiosamente, o que eu teria considerado revoltante havia uma hora de repente ganhara o peso e a força de uma crença. Indivíduos como Pit e provavelmente grande parte de sua clientela eram marginais que desprezavam qualquer iniciativa que eliminasse o direito das pessoas de serem o que desejassem. O morto cuja pele eu estava levando num frasco estava deslocado naquele ambiente. Não havia nada de contracultura ou desafio à ordem em roupas Armani e sapatos de couro de crocodilo.

"Como você começou tudo isso?", perguntei a Pit.

Chuck examinava as imagens nas paredes como se passeasse por um museu de arte. Depositei a sacola em cima do balcão, ao lado da caixa registradora.

"Grafite", Pit respondeu. "Incluí muita coisa da linguagem grafiteira em meu estilo. Algo na linha de Grime, do Primal Urge de San Francisco. Não que eu me ache tão bom quanto ele, longe disso. Mas combinar as imagens coloridas do grafite com as linhas grossas tradicionais da velha guarda é minha marca."

Ele apontou para a foto de uma mulher nua a sorrir timidamente, com os braços provocativos cruzados sobre os seios. Na barriga, havia uma tatuagem do pôr-do-sol por trás de um farol marítimo.

"Veja essa moça aqui", ele disse. "Chegou com o namorado, dizendo que ele queria lhe dar uma tatuagem de presente de aniversário. Começou com uma borboletinha minúscula no quadril, morrendo de medo. Depois disso, passou a voltar semanalmente, querendo mais."

"Por quê?", perguntei.

"Isso vicia."

"A maioria das pessoas faz mais de uma?"

"Quem só faz uma prefere esconder a tatuagem em algum lugar que não fique exposto. Como um coração no traseiro ou no seio. Em outras palavras, é uma tatuagem com significado especial. Ou quem sabe a pessoa fez a tatuagem quando estava bêbada. Isso acontece muito, mas não aqui no meu ateliê. Não toco em que está cheirando a bebida."

"Se alguém tem uma tatuagem nas costas e mais nada no resto do corpo, isso é importante? Pode haver algo mais do que bebedeira ou exibicionismo?"

"Eu diria que sim. As costas de uma pessoa são visíveis, a não ser que ela nunca tire a camisa. Portanto, eu diria que a localização tem alguma importância."

Ele olhou para a sacola em cima do balcão.

"Então, essa tatuagem foi tirada das costas do sujeito", ele disse.

"Sim. Dois pontos amarelos, do tamanho da cabeça de um prego."

Pit meditou sobre o que eu havia dito, com o rosto contorcido, como se sentisse dor.

"Possuem pupilas, como olhos?", perguntou.

"Não", falei. Olhei de relance para Chuck, pensando se ele poderia ouvir nosso diálogo.

Sentado num sofá, ele folheava uma revista.

"Puxa vida", Pit disse. "Essa é dura. Sem pupilas. Não consigo pensar em nada sem pupilas, no caso de animais ou pássaros. Acho que não se trata de uma imagem pronta. Leva mais jeito de algo feito sob encomenda."

Ele abrangeu o ateliê inteiro com um gesto, como se regesse uma orquestra de desenhos chocantes.

"Estamos falando dessas imagens todas", ele disse, "em oposição à criação original de um artista como Grime. Quer dizer, a gente pode olhar para algumas tatuagens e reconhecer um estilo específico. Como no caso de um Van Gogh ou um Picasso. Por exemplo, eu consigo identificar um Jack Rudy ou um Tin Tin em qualquer lugar, é o trabalho em tons de cinza mais perfeito que existe."

Pit me levou para o outro lado do estúdio, onde havia um canto arrumado como se fosse a sala de exame de um consultório médico. Estava equipado com estufa, aparelho de ultra-som para limpeza, Biowrap, ungüento A e

D, espátulas para língua e agulhas esterilizadas em grandes potes de vidro. A máquina de tatuar propriamente dita parecia um equipamento de depilação por eletrólise, e num carrinho ficavam as bisnagas de tintas brilhantes e potinhos para misturá-las. No meio de tudo havia uma maca ginecológica. Suponho que os apoios para as pernas facilitavam o trabalho nos membros inferiores e em outros pontos do corpo sobre os quais eu não queria nem pensar.

Pit abriu uma toalha sobre o balcão. Calçamos as luvas cirúrgicas. Ele ligou a luz de serviço, aproximando-a enquanto eu abria o frasco e sentia imediatamente o odor acre de formalina. Tirei o pedaço de pele de dentro do líquido rosado. Parecia emborrachado, o tecido fora preservado para sempre, e Pit o tirou de minha mão sem pestanejar, examinando-o contra a luz. Virou a amostra de um lado para o outro e a perscrutou com a ajuda de uma lente de aumento.

"Tudo bem", ele disse, "estou vendo as marquinhas. Além disso, há garras segurando um galho. Se você tirar a imagem do fundo, verá as plumas."

"Um pássaro?"

"Sem dúvida, é um pássaro", ele disse. "Coruja, provavelmente. Ela tem olhos saltados, enormes, e creio que já foram maiores. As sombras revelam isso. Aqui, olhe."

Aproximei-me, seu dedo enluvado se movia sobre a pele como se desferisse pinceladas.

"Está vendo?"

"Não."

"É muito sutil. Os olhos têm círculos escuros, como os de um bandido mascarado. Mas são irregulares, desenhos sem qualidade artística. Alguém tentou fazê-los bem menores, e há listras que se irradiam das bordas do pássaro. Não dá para notar, a não ser que você tenha trabalhado com isso antes, pois está tudo muito escuro e em péssimas condições.

"Mas, se você prestar bem atenção, vai ver que é mais escuro e pesado em volta dos olhos, por falta de um nome melhor para eles. Quanto mais eu olho, mais acho que é uma coruja, e tentaram ocultar os pontos amarelos, disfarçando-os como olhos de coruja. Ou algo similar."

Eu começava a distinguir as listras e as penas na imagem escurecida que ele mostrava, e o modo como os olhos amarelos redondos estavam meio encobertos de tinta preta, como se alguém tivesse tentado reduzir seu tamanho.

"O sujeito mandou fazer uma tatuagem com dois pontos amarelos, depois mudou de idéia e pediu outra para encobrir a primeira", Pit disse. "Como a camada superior da pele se perdeu, a maior parte da nova tatuagem — a coruja — sumiu. Acho que na segunda as agulhas não foram tão fundo. Mas no caso dos pontos amarelos, elas penetraram bastante. Muito mais do que o necessário, o que mostra o envolvimento de dois artistas."

Ele estudou a pele mais um pouco.

"Na verdade, é praticamente impossível cobrir totalmente uma tatuagem antiga", ele prosseguiu. "Mas um artista hábil pode trabalhar por cima e em volta dela, de modo que o olho desaparece. Esse é o truque. Criar uma ilusão de óptica, podemos dizer."

"Existe algum modo de saber que desenho continha os olhos amarelos originalmente?"

Pit suspirou, desapontado.

"É uma pena que esteja em péssimo estado", ele murmurou, colocando a pele sobre a toalha, piscando sem parar. "Puxa vida, esses vapores deixam a gente tonto. Como você consegue trabalhar com isso o tempo inteiro?"

"Com extremo cuidado", falei. "Posso usar seu telefone?"

"Fique à vontade."

Fui para trás do balcão, mantendo os olhos fixos em Taxi, que se sentou na cama. Ela me encarou, como se me desafiasse a fazer um movimento que a desagradasse.

"Tudo bem", dirigi-me a ela com voz apaziguadora. "Pit? Posso mandar um recado para o pager de uma pessoa e fornecer seu telefone para contato?"

"Não tem problema. Fique à vontade."

"Você é uma boa menina", falei para Taxi, tentando encorajá-la a se comportar enquanto eu dava a volta no balcão para usar o telefone.

Seus olhos pequenos e inexpressivos lembravam os de um tubarão. A cabeça grossa e triangular parecia com a de uma serpente. Ela se assemelhava a um bicho primitivo que não evoluíra nada desde o início dos tempos, e eu pensei no que estava escrito na caixa que havia dentro do contêiner.

"Poderia ser um lobo?", perguntei a Pit. "Ou um lobisomem?"

Pit suspirou de novo. O cansaço após um fim de semana de trabalho duro era visível em seus olhos.

"Bem, os lobos são muito populares. Sabe como é, instinto grupal, lobo solitário", ele me disse. "É difícil cobrir um lobo com um pássaro, uma coruja ou qualquer outro desenho."

"Alô?", a voz de Marino surgiu na linha.

"Droga, pode ser qualquer coisa." Pit continuava a falar em voz alta. "Coiote, cachorro, gato. Qualquer bicho de pêlo longo e olhos sem pupilas. Devia ser pequeno, para cobrirem com uma coruja. Bem pequeno."

"Quem está falando em pêlos aí?", Marino perguntou, rude.

Expliquei onde eu estava e o motivo de minha ida até lá. Pit continuava pensando alto, apontando para os animais de pêlo nos desenhos das paredes.

"Legal", Marino disse, imediatamente contrariado. "Por que você não aproveita e faz uma tatuagem também, já que está aí?"

"Vou deixar para outro dia."

"Não acredito que você se enfiou num ateliê de tatuagem sozinha. Você tem idéia do tipo de gente que freqüenta lugares como esse? Traficantes, ex-presidiários em liberdade condicional, gangues de motoqueiros."

"Está tudo bem."

"Claro que não está!", Marino explodiu.

Outra coisa o irritava, além de minha visita ao tatuador.

"Algum problema, Marino?"

"Nada, a não ser que você considere uma suspensão sem pagamento um problema."

"Não há motivo nenhum para isso", falei, revoltada, embora já temesse que algo no gênero fosse ocorrer.

"Bray acha que há motivos de sobra. Acho que estraguei o jantar dela ontem à noite. Ela disse que vou ser demitido se aprontar mais alguma. A boa notícia é que estou me divertindo para escolher qual vai ser essa *mais alguma* que vou aprontar."

"Ei, venha ver uma coisa!", Pit gritou do outro lado da sala.

"Vamos dar um jeito nisso", falei a Marino.

"Com certeza."

O olhar de Taxi me acompanhou enquanto eu desligava e dava a volta para ficar longe dela. Examinando os desenhos na parede, senti-me pior ainda. Queria que a tatuagem fosse um lobo, um lobisomem, mesmo pequeno, mas na verdade poderia ser algo completamente diferente. É provável que fosse mesmo. Eu não suportava quando uma questão permanecia em aberto, quando a ciência e o pensamento racional iam até seus limites, sem resultado.

Não me lembrava de um dia ter sentido tanta inquietude e decepção. As paredes pareciam se fechar sobre mim, e as folhas cheias de desenhos saltavam como demônios. Adagas atravessando corações, crânios, túmulos, esqueletos, animais malignos e fantasmas medonhos dançavam a minha volta numa ciranda macabra.

"Por que as pessoas querem tatuar a morte?", minha voz se ergueu, assim como a cabeça de Taxi. "Não basta ter de conviver com ela? Por que alguém quer passar o resto da vida olhando para a morte em seu braço?"

Pit deu de ombros e não parecia se importar nem um pouco por eu questionar sua arte.

"Sabe", ele disse, "se você pensar bem nisso, doutora, nada há a temer exceto o medo. As pessoas querem tatuagens da morte para afugentar o medo da morte. Como aquelas pessoas que sentem pavor de cobra e vão ao serpentário para tocá-las. De certo modo, você também usa a morte diariamente", ele me disse. "Você não acha que sentiria mais medo ainda se não tivesse de conviver com ela?"

Eu não soube como responder.

"Veja bem, você trouxe para cá um pedaço de uma pessoa morta dentro de um vidro, e não sente medo dele", prosseguiu. "Mas se outra pessoa entrasse aqui e visse isso ia gritar de pavor. Ou vomitar. Bom, eu não sou psicólogo." Ele mastigava o chiclete vigorosamente. "Mas há coisas importantes por trás das imagens que alguém escolhe para ter em seu corpo permanentemente. Veja o morto em questão. A coruja diz algo a seu respeito. Sobre o que havia dentro dele. Acima de tudo, mostrava do que ele sentia medo, e que provavelmente está relacionado com o que havia debaixo da coruja."

"Pelo jeito muitos clientes seus sentem medo de mulheres voluptuosas", comentei.

Pit mascava o chiclete como se ele estivesse tentando escapar, e meditou sobre o que eu disse por um momento.

"Não tinha pensado nisso", ele disse. "Mas tem a ver. No fundo, em sua maioria os sujeitos tatuados com mulheres nuas sentem medo das mulheres. No sentido emocional."

Chuck havia ligado a tevê e via o programa de Rosie O'Donnell com volume baixo. Eu já vira milhares de tatuagens em cadáveres, mas nunca pensara nelas como um símbolo do medo. Pit bateu na tampa do frasco com formalina.

"Esse sujeito estava com medo de alguma coisa", ele disse. "E pelo jeito ele tinha toda a razão para se sentir assim."

23

Entrei em casa, e só deu tempo de pendurar o casaco e guardar a valise antes de o telefone tocar. Eram oito e vinte, e pensei logo em Lucy. A única notícia nova que eu ouvira era que Jo seria transferida para o hospital da Faculdade de Medicina da Virgínia, o MCV, durante o final de semana.

Eu estava assustada, quase ressentida. Lucy poderia ter entrado em contato comigo, apesar das regras, dos protocolos e dos conselhos. Ela poderia informar que as duas estavam bem. E me dizer onde estava.

Agarrei o telefone apressada e fiquei tão surpresa quanto inquieta ao ouvir a voz do ex-chefe adjunto Al Carson na linha. Sabia que ele jamais me telefonaria, principalmente para minha casa, se não fosse muito importante. Ou seja, uma notícia muito ruim.

"Eu não deveria fazer isso, mas alguém precisa tomar a iniciativa", ele disse sem rodeios. "Houve um homicídio no Quik Cary. É uma loja de conveniência na Cary, perto da Libbie. Sabe a qual loja me refiro? É um mercadinho de bairro."

Ele falava depressa, visivelmente nervoso. Parecia apavorado.

"Sim, conheço bem", falei. "Fica perto da minha casa."

Peguei a prancheta e comecei a tomar notas num formulário de chamada.

"Suposto latrocínio. Alguém entrou, limpou o caixa e atirou no balconista. Sexo feminino."

Pensei na fita de vídeo a que eu assistira na véspera.

"Quando ocorreu?", perguntei.

"Acreditamos que ela foi alvejada há menos de uma hora. Estou ligando pessoalmente porque seu departamento ainda não sabe."

Fiz uma pausa, sem entender exatamente aonde ele queria chegar. Na verdade, o que ele estava dizendo não podia ser verdade.

"Liguei para Marino também", ele prosseguiu. "Creio que eles não podem fazer mais nada contra mim, a esta altura."

"Como *meu departamento ainda não sabe*?", indaguei.

"A polícia não deve mais avisar o departamento de medicina legal até terminar o exame da cena do crime. Até a polícia científica fazer sua parte, e eles acabaram de chegar lá. Podem demorar horas..."

"De onde saiu essa ordem?", perguntei, embora já desconfiasse.

"Doutora Scarpetta, fui praticamente forçado a pedir dispensa, mas nem seria preciso me pressionar", Carson explicou. "Eu não consigo me adaptar a certas mudanças. Você sabe que meu pessoal sempre se deu muito bem com seu departamento. Mas Bray trouxe muita gente nova. E o que ela fez ao Marino bastaria para obter minha renúncia. Mas o que importa no momento é que tivemos dois assassinatos em lojas de conveniência em um mês. Não quero correr nenhum risco. Se for o mesmo cara, ele vai atacar de novo."

Liguei para Fielding, na casa dele, e contei o que estava acontecendo.

"Quer que eu vá...", ele começou a dizer.

"Não", interrompi. "Estou a caminho. Querem nos ferrar, Jack."

Corri o mais que pude. Bruce Springsteen cantava "Santa Claus is coming to town", e pensei em Bray. Até aquele momento eu nunca odiara alguém de verdade. O ódio funciona como um veneno. Sempre resisti a ele. Odiar significa perder, e no momento era só o que eu podia fazer para manter distância de sua chama.

Ouvi o noticiário ao vivo, transmitido do local do crime.

"... no segundo assassinato em loja de conveniência em três semanas. Chefe Bray, o que pode nos dizer a respeito?"

"Os detalhes são ainda um pouco confusos", sua voz soou dentro do meu carro. "Sabemos que há algumas horas um suspeito entrou no Quik Cary para assaltar a loja e matou a balconista a tiros."

O telefone do carro tocou.

"Onde você está?", Marino perguntou.

"Chegando na Libbie."

"Vou parar no estacionamento da Cary Town. Preciso lhe contar o que está acontecendo, pois ninguém vai lhe dar nem boa-noite quando você chegar lá."

"Isso veremos."

Minutos depois entrei no pequeno shopping center e estacionei na frente da joalheira Schwarzchild, onde Marino aguardava, dentro da picape. Ele entrou em meu carro, usando calça jeans, bota e um casaco de couro puído com zíper quebrado e forro tão ralo quanto sua cabeça. Passara muito perfume, sinal de que andara bebendo cerveja. As brasas faiscaram na noite quando ele jogou a ponta de cigarro pela janela.

"Tudo sob controle", ele proclamou, irônico. "Anderson está no local."

"E Bray."

"Ela está dando uma coletiva para a imprensa na porta da loja", Marino disse, revoltado. "Vamos lá."

Segui para a Cary Street.

"Para começar, doutora, o sujeito matou a moça com um tiro na cabeça, na frente do balcão. Depois, ao que parece, ele pendurou o aviso de FECHADO, trancou a porta e a arrastou para o fundo da loja, tem um pequeno depósito lá, e a espancou violentamente."

"Ele a matou a tiros e depois a espancou?"

"Isso mesmo."

"Como a polícia ficou sabendo?", perguntei.

"O alarme contra ladrão soou às sete e dezesseis", ele respondeu. "Fica acionado na porta dos fundos, mesmo quando a loja está aberta. A polícia chegou e viu o aviso de FECHADO, como já falei. Os policiais deram a volta e viram a porta de trás escancarada. Entraram, a moça estava no chão, e havia sangue por toda parte. Identificada provisoriamente como Kim Luong, sexo feminino, origem asiática, trinta anos."

Bray continuava a dominar o noticiário.

"Consta que há uma testemunha", um repórter disse.

"Somente o relato de um passante que viu um homem de roupa escura na área, no momento em que o crime foi cometido", Bray respondeu. "Ele se escondeu num beco, naquela quadra ali adiante. A pessoa que procurou a polícia não conseguiu vê-lo direito. Esperamos que alguém mais o tenha visto e ligue para nós. Nenhum detalhe é irrelevante. Todos precisamos nos dedicar a proteger nossa comunidade."

"O que ela está fazendo? Resolveu se candidatar?", Marino disse.

"Há um cofre dentro da loja, em algum lugar?", perguntei.

"Nos fundos, onde encontraram o corpo. Não foi aberto, pelo que me disseram."

"Câmera de vídeo?", perguntei.

"Não. Talvez ele tenha aprendido a lição, depois de matar Gant, e passado a escolher lojas que não contam com sistema de vídeo."

"Talvez."

Ele e eu sabíamos que isso era só adivinhação. Marino se arriscava a dar palpites, pois não conseguia abandonar a investigação.

"Carson lhe contou tudo isso?", perguntei.

"Os policiais não foram responsáveis pela minha suspensão", ele respondeu. "Eu já sei também que o *modus operandi* é um pouco diferente. Mas isso não é ciência, doutora. Você sabe muito bem."

Benton costumava dizer a mesma coisa, abrindo um sorriso maroto. Era especialista em perfis psicológicos, profundo conhecedor dos padrões, atitudes e tendências dos criminosos. Mas cada crime tinha sua coreografia especial, pois uma vítima era diferente da outra. As circunstâncias e o estado de espírito mudavam, até o clima era diferente, e o assassino sempre alterava sua rotina. Benton se queixava da representação hollywoodiana do que os cientistas comportamentais podiam fazer. Ele não era vidente e as pessoas violentas não funcionavam como um software.

"Talvez ela tenha irritado o sujeito", Marino prosseguiu. "Ou ele brigou com a mãe antes, como é que a gente vai saber?"

"O que vai acontecer quando amigos como Al Carson não telefonarem mais para você?"

"Esse caso é meu, diacho", ele disse, como se não tivesse me escutado. "Gant era meu caso, e este também é, sob qualquer ângulo que se olhe. Mesmo que não seja o mesmo assassino, ninguém poderia afirmar isso antes de mim, pois sou o único que sabe tudo a respeito do crime anterior."

"Você não pode chegar sempre atirando", falei. "Isso não vai funcionar com Bray. Você precisa dar um jeito de fazer com que ela seja obrigada a aturá-lo, e acho melhor descobrir como nos próximos cinco minutos."

Ele permaneceu em silêncio até eu entrar na Libbie Avenue.

"Você é inteligente, Marino", acrescentei. "Use a cabeça. Isso não tem a ver com disputa de território ou ego. Trata-se do assassinato de uma pessoa."

"Que merda", ele reclamou. "O que deu nas pessoas, afinal?"

O Quik Cary era um mercadinho simples, não tinha vitrine nem ficava dentro de um posto de gasolina. Não era muito iluminado, não se localizava num ponto capaz de atrair fregueses que entravam ou saíam das avenidas mais movimentadas. A não ser nas férias, fechava às seis.

O estacionamento brilhava em azul e vermelho, e no meio de motores que roncavam, policiais e equipes de resgate, Bray dava um espetáculo iluminado pelas luzes da tevê distribuídas à sua volta como uma esquadrilha de sóis minúsculos. Usava uma capa longa de lã vermelha, salto alto, brincos de diamante que faiscavam sempre que virava a linda cabeça. Tudo indicava que acabara de sair de uma festa chique.

Começava a garoar quando peguei minha maleta médica no porta-malas. Bray notou minha presença antes dos jornalistas, e quando seus olhos bateram em Marino, a raiva tingiu seu rosto.

"... só informaremos isso depois que fizermos contato com a família", ela dizia à imprensa.

"Preste atenção", Marino disse, em voz baixa.

Ele caminhou apressado na direção da loja e fez algo que eu nunca o vira fazer antes. Permitiu que a imprensa o assediasse. Chegou ao ponto de pegar o rádio portátil e transmitir ordens nervosas, dando a impressão inconfundível de que comandava tudo e de que sabia todos os segredos.

"Alô, atenção, dois-zero-dois?", sua voz chegava até o meu carro.

"Dez-quatro", foi a resposta.

"Na frente, vou entrar", Marino disse.

"Nos vemos lá."

Pelo menos dez repórteres e câmeras o rodearam instantaneamente. Era incrível a rapidez com que se mexiam.

"Capitão Marino!"

"Capitão Marino!"

"Quanto dinheiro foi roubado?"

Marino não os expulsou. Os olhos de Bray percorreram seu rosto como garras quando as atenções se voltaram para ele, o sujeito em cujo pescoço ela pisava.

"Havia menos de sessenta dólares no caixa, como costuma ocorrer nas lojas de conveniência?"

"O senhor acha importante que as lojas de conveniência contratem guardas de segurança nesta época do ano?"

Marino, barba por fazer, cheio de cerveja, encarou as câmeras e disse: "Se a loja fosse minha, era exatamente isso que eu ia fazer".

Tranquei a porta do carro. Bray vinha na minha direção.

"Então o senhor atribui esses latrocínios à época do Natal?", outro repórter perguntou a Marino.

"Eu os atribuo a um meliante sem a menor consciência, capaz de matar a sangue-frio. E ele vai atacar de novo", Marino respondeu. "Precisamos detê-lo, e é exatamente isso que estamos tentando fazer."

Bray me confrontou quando eu contornava uma viatura policial. Mantinha a capa próxima ao corpo, e foi fria e cortante como o tempo.

"Por que você deixou ele fazer isso?", ela me perguntou.

Parei e a encarei, meu hálito gelado saía em golfadas, como na chaminé de uma locomotiva a vapor que pretendesse atropelá-la.

"*Deixar* não é o termo apropriado, quando se trata de Marino", falei. "Creio que você está descobrindo isso do modo mais difícil."

Uma repórter da revista de fofocas local ergueu a voz acima das outras e disse: "Capitão Marino! Corre que o senhor não é mais detetive. O que o senhor veio fazer aqui?".

"A chefe Bray me nomeou para uma missão especial", Marino disse sorridente ao microfone. "Vou comandar esta investigação."

"Ele está perdido", Bray falou para mim.

"Ele vai cair atirando, prepare-se. Será a maior confusão da sua vida", avisei enquanto me afastava.

24

Marino e eu nos encontramos na entrada da loja. Quando entramos, a primeira pessoa que avistamos foi Anderson. Na frente do balcão, ela despejava o conteúdo da gaveta do caixa num saco de papel pardo, enquanto o técnico da polícia, Al Eggleston, pulverizava a registradora em busca de digitais. Anderson demonstrou surpresa e descontentamento quando nos viu.

"O que você veio fazer aqui?", perguntou, confrontando Marino.

"Vim comprar cerveja. E aí, tudo bem, Eggleston?"

"Vou levando, Pete, vou levando."

"Ainda não liberamos o local para você", Anderson disse, dirigindo-se a mim.

Ignorei-a e tentei avaliar o tamanho do estrago que ela já fizera. Graças a Deus, Eggleston se encarregara das tarefas mais importantes. Notei imediatamente a cadeira virada, atrás do balcão.

"A cadeira estava naquela posição quando a polícia chegou?", perguntei a Eggleston.

"Pelo que sei, sim."

Anderson saiu abruptamente da loja, decerto para procurar Bray.

"Ora, ora", Marino disse. "Lá vai ela fofocar."

"Não brinque."

Na parede, atrás do balcão, havia arcos de sangue, resultado da hemorragia arterial.

"Acho ótimo você estar aqui, Pete, mas está cutucando a onça com vara curta."

A trilha de sangue dava a volta no balcão e seguia pelo corredor mais distante da porta de entrada da loja.

"Marino, venha cá", chamei.

"Ei, Eggleston, veja se encontra o DNA do criminoso por aí. Guarde num jarro para a gente tentar fazer um clone no laboratório", Marino disse enquanto vinha ao meu encontro. "Assim saberemos quem ele é."

"Você é um cientista nato, Pete."

Mostrei os arcos de sangue formados pela subida e descida do ritmo sistólico do coração de Kim Luong, enquanto ela sangrava pela carótida até morrer. O sangue estava próximo do chão e se estendia por uns seis metros de prateleiras lotadas de toalhas de papel, papel higiênico e outros produtos domésticos.

"Minha nossa", Marino disse ao compreender o significado das marcas. "Ele a arrastou enquanto ela esguichava sangue pra tudo quanto é lado?"

"Isso mesmo."

"E quanto tempo ela sobreviveu, sangrando assim?"

"Alguns minutos", falei. "Dez, no máximo."

Ela não deixara outras marcas de sangue, exceto as estreitas e tênues impressões paralelas dos cabelos e dos dedos que passaram pela poça de sangue. Eu o imaginei puxando-a pelos pés, enquanto os braços se abriam como asas contra o vento e o cabelo ficava para trás como plumas.

"Ele a pegou pelos tornozelos", falei. "Ela tinha cabelos longos."

Anderson entrou novamente na loja e nos observava. Eu odiava quando tinha de medir minhas palavras na presença da polícia. Mas acontecia. No decorrer dos anos eu havia trabalhado com policiais terrivelmente indiscretos. Não me restava escolha senão tratá-los como inimigos do sigilo.

"Com certeza ela não morreu na hora", Marino acrescentou.

"Um ferimento na carótida não imobiliza a pessoa imediatamente", expliquei. "Alguém pode ter a garganta cortada e conseguir telefonar para a emergência. Ela não deveria ter sofrido paralisia imediata, mas parece que isso ocorreu."

Os jatos sistólicos tornavam-se mais baixos e fracos à medida que avançávamos pelo corredor. Notei que os pingos pequenos de sangue estavam secos, mas as poças maiores ainda coagulavam. Seguimos listras e manchas, passando pelas geladeiras cheias de cerveja, até atravessar a porta que dava para o depósito onde o técnico em cenas de crime Gary Ham trabalhava de joelhos. Outro policial tirava fotos, de costas para mim, bloqueando a vista.

Quando dei a volta levei um susto. A calça jeans e a calcinha de Kim Luong tinham sido abaixadas até o joelho e um termômetro clínico fora introduzido em seu reto. Ham ergueu a vista e parou, como alguém surpreendido roubando. Trabalhávamos juntos havia anos.

"O que você pensa que está fazendo?", perguntei num tom duro que jamais usara com ele.

"Tirando e temperatura, doutora."

"Você recolheu amostras antes de inserir o termômetro? Para o caso de ela ter sido sodomizada?", indaguei no mesmo tom irado, enquanto Marino passava por mim para ver o corpo.

Ham hesitou. "Não senhora."

"Pisou na bola", Marino disse a ele.

Ham tinha trinta e tantos anos, era um homem alto, bem-apessoado, de cabelos pretos e olhos castanhos enormes emoldurados por cílios longos. Não era raro que alguma experiência iludisse alguém, levando o sujeito a acreditar que poderia fazer o serviço dos cientistas forenses e legistas. Mas Ham sempre respeitara os limites. Sempre demonstrara respeito profissional.

"E como devo interpretar a presença de qualquer ferimento, depois da introdução de um objeto rígido em um dos orifícios da vítima?", perguntei a ele.

Ham engoliu em seco.

"Se houver uma contusão retal, poderei testemunhar no processo que ela não foi provocada pelo termômetro?

E, a não ser que você possa garantir a esterilização de seu equipamento, qualquer DNA recuperado será questionado também."

O rosto de Ham ficou vermelho.

"Você faz idéia de quantos elementos introduziu na cena do crime, policial Ham?", perguntei.

"Tomei bastante cuidado."

"Por favor, afaste-se imediatamente."

Irritada, abri a maleta e apanhei as luvas, esticando a mão para calçá-las com um único movimento preciso. Passei a lanterna a Marino e estudei o local antes de prosseguir. O depósito era mal iluminado; centenas de embalagens de refrigerante e cerveja, até uma distância de seis metros, exibiam manchas de sangue. A poucos centímetros do corpo havia um absorvente interno e toalhas de papel. A parte inferior das caixas estava ensopada de sangue. Até ali, nada indicava interesse do assassino por nenhum item do lugar, com exceção da vítima.

Agachei-me para examinar o corpo, atenta a todas as nuances e texturas da carne e do sangue, a cada golpe da arte diabólica do homicida. Não toquei em nada inicialmente.

"Puxa vida, ele realmente moeu a coitada de pancada, né?", disse o policial que tirava fotos.

Parecia até que um animal selvagem a havia arrastado, moribunda, para dentro de sua cova, onde a destroçara. O suéter e o sutiã haviam sido arrancados, as meias, removidas e jogadas num canto. Ela era uma mulher corpulenta, com quadris e seios fartos. O único meio de ter uma idéia de sua aparência era a carteira de motorista que me mostraram. Kim Luong era bonita, tinha sorriso tímido e cabelos pretos compridos e sedosos.

"Ela estava de calcinha quando foi encontrada?", perguntei a Ham.

"Sim, senhora."

"E quanto aos sapatos e às meias?"

"Sem eles. Exatamente como a senhora está vendo agora. Não tocamos neles."

Eu não precisava pegar os sapatos e as meias para ver que estavam encharcados de sangue.

"Por que ele tirou os sapatos e as meias, mas não tirou a calcinha?", um dos policiais perguntou.

"É. Por que alguém faria uma coisa esquisita como essa?"

Olhei para ela. Havia sangue seco na sola do pé também.

"Preciso examiná-la com luz adequada, quando chegarmos ao necrotério", falei.

O ferimento a bala na frente do pescoço era facilmente visível. Era um ferimento de entrada, e bastou eu virar um pouco a cabeça para ver o furo e o ângulo de saída do projétil. Aquela bala perfurara sua artéria carótida.

"Você recuperou o projétil?", perguntei a Ham.

"Tiramos uma bala da parede, atrás do balcão", ele disse, incapaz de me encarar. "Não encontramos a cápsula, se é que existe uma."

Não haveria cápsula se o assassino estivesse usando um revólver. As pistolas ejetam os cartuchos vazios, talvez a única coisa útil que eram capazes de fazer, quando usadas violentamente.

"Em que lugar da parede?", perguntei.

"Se a gente ficar de frente para o balcão, um pouco à esquerda do local onde a cadeira se encontrava, caso ela estivesse sentada no caixa."

"O ferimento de saída também está na esquerda", falei. "Se eles estavam frente a frente quando ela levou o tiro, talvez tenhamos um assassino canhoto."

O rosto de Kim Luong fora profundamente lacerado e esmagado. A pele rachara e saíra por conta dos golpes desferidos por um ou mais instrumentos que deixavam marcas redondas ou lineares. Dava a impressão de que o assassino também usara os punhos. Quando apalpei seu rosto em busca de fraturas, os ossos triturados rangeram sob meus dedos. Os dentes estavam quebrados e virados para dentro da boca.

"Ilumine ali", pedi a Marino.

Ele apontou a lanterna para onde eu queria e eu virei com muito cuidado a cabeça dela para a direita e para a esquerda, apalpando o couro cabeludo debaixo do cabelo. Depois, examinei as laterais e a nuca. Ela estava coberta de marcas de murros, além dos ferimentos lineares e redondos. Vi ainda escoriações estriadas aqui e ali.

"Ela estava exatamente assim", perguntei a Ham, pois precisava ter certeza absoluta, "quando a encontraram? A única coisa que você fez foi abaixar a calça para medir a temperatura?"

"Sim, doutora. Só abri o zíper e desci a calça", ele confirmou. "O suéter e o sutiã estavam assim, exatamente." Ele apontou para as peças. "Rasgados de alto a baixo."

"E ele fez isso com as mãos nuas", Marino comentou, agachado a meu lado. "Sujeito forte, doutora. Ela estava praticamente morta quando ele a arrastou para cá, certo?"

"Ainda não. Notei resposta dos tecidos aos golpes. Contusões."

"Certo, mas em termos concretos ele estava espancando um defunto", Marino disse. "Quer dizer, ela não tinha condições de sentar e discutir com ele, isso está claro. Não lutou nem resistiu. Basta olhar em volta para comprovar. Nada foi derrubado ou revirado. Não há pegadas cheias de sangue pelo local."

"Ele a conhecia", ouvi a voz de Anderson atrás de mim. "Só podia ser alguém que ela conhecia. Caso contrário, ele provavelmente daria um tiro nela, pegaria o dinheiro e fugiria correndo."

Marino continuava agachado a meu lado, apoiando os cotovelos nos joelhos enormes, com a lanterna acesa numa das mãos. Ele ergueu os olhos para Anderson, como se ela exibisse a inteligência de uma banana.

"Não sabia que, além de tudo, você era especialista

em perfis psicológicos", ele disse. "Você fez um curso, por acaso?"

"Marino, por favor, ilumine aqui", falei. "Não consigo ver direito."

O facho iluminou uma área ensangüentada do corpo que eu não havia notado inicialmente, uma vez que estava concentrada nos ferimentos. A região inteira, com a carne exposta, estava lambuzada de sangue, como se alguém a tivesse pintado com os dedos. E havia cabelos, os mesmos cabelos longos e louros, grudados no sangue dela.

Apontei o local para Marino. Ele se abaixou mais.

"Sem comentários", alertei, pois percebi sua reação e sabia o que estava mostrando a ele.

"A chefe está chegando", Eggleston anunciou ao entrar cautelosamente.

O depósito estava lotado, sem ventilação. Parecia que uma tempestade de sangue se abatera sobre o lugar.

"Vamos passar os fios nisso tudo", Ham me disse.

"Encontramos uma cápsula deflagrada", Eggleston informou a Marino, animado.

"Pode descansar um pouco, Marino. Eu seguro a lanterna para ela." Ham tentava compensar o estrago imperdoável.

"Creio que é óbvio que ela estava deitada aqui, imóvel, quando ele a espancou", falei, pois não acreditava que os fios fossem necessários no caso.

"Os fios nos darão certeza", ele garantiu.

Falávamos de uma tradicional técnica francesa, segundo a qual uma ponta do fio era presa à mancha de sangue e a outra, à origem do sangue, geometricamente determinada por computador. Esse procedimento era repetido inúmeras vezes, resultando num modelo de fios tridimensional que mostrava quantos golpes haviam sido desferidos e onde a vítima se situava quando isso ocorreu.

"Tem muita gente aqui dentro", reclamei em voz alta.

O suor cobria o rosto de Marino. Eu podia sentir o

calor de seu corpo e seu hálito, pois trabalhávamos muito próximos.

"Informe isso à Interpol imediatamente", falei em voz baixa para que ninguém mais ouvisse.

"Está brincando."

"Speer três oitenta. Já ouviu falar?", Eggleston disse a Marino.

"Claro. Uma merda de alta performance. Gold Dot", Marino respondeu. "Não combina em nada com a cena."

Peguei o termômetro clínico e o posicionei em cima de uma caixa de pratos de papel para obter a temperatura ambiente.

"Posso lhe dizer qual é, doutora", Ham falou. "Vinte e quatro graus centígrados, aqui no depósito. Lugar quente."

Marino movia a lanterna à medida que meus olhos e minhas mãos percorriam o corpo.

"Bandidos comuns não usam munição Speer", ele dizia. "Custa dez ou onze dólares a caixa com vinte. Sem falar que a arma explode na mão da gente, se for uma pistola vagabunda."

"Então a arma provavelmente veio da rua", Anderson disse, subitamente a meu lado. "Drogas."

"Caso encerrado", Marino retrucou. "Obrigado, Anderson. Ei, pessoal, podem ir pra casa."

Eu sentia o cheiro adocicado do sangue de Kim Luong, que coagulava. O soro se separava da hemoglobina, as células se rompiam. Removi o termômetro clínico que Ham inserira na vítima. A temperatura corporal era de trinta e três graus e meio. Olhei para cima. Havia três pessoas no depósito, sem contar Marino e eu. A raiva e a frustração só cresciam dentro de mim.

"Encontramos a bolsa e o casaco dela", Anderson prosseguiu. "Dezesseis dólares na carteira, pelo jeito ele não mexeu lá. Havia um saco de papel perto das coisas, com uma vasilha plástica e um garfo. Tudo indica que ela trouxe comida de casa e a esquentou no forno de microondas."

"Como sabe que ela a esquentou?", Marino perguntou.

Anderson ficou sem resposta.

"Dois mais dois nem sempre dá vinte e dois", ele disse.

O *livor mortis* estava no estágio inicial. A mandíbula estava dura, assim como os músculos pequenos do pescoço e das mãos.

"Ela está rígida demais para quem morreu faz poucas horas", falei.

"E o que pode provocar isso?", Eggleston indagou.

"Essa é uma pergunta que eu sempre me faço."

"Vi um caso em Bon Air certa vez..."

"O que você foi fazer em Bon Air?", perguntou o policial que tirava fotos.

"É uma longa história. Mas o sujeito sofreu um ataque do coração enquanto fazia sexo. A namorada pensou que ele tinha dormido, imagine. Acordou no dia seguinte e o sujeito estava morto. Ela não queria que parecesse que ele havia morrido na cama, então tentou sentá-lo numa cadeira. Mas ele só ficava encostado, duro feito uma tábua de passar roupa."

"Falo sério, doutora. O que provoca o endurecimento?", Ham insistiu.

"Eu também sempre tive curiosidade de saber", a voz de Diane Bray soou na porta.

Ela estava ali, em pé, com os olhos cravados em mim como rebites.

"Quando a pessoa morre, o corpo deixa de produzir trifostato de adenosina. Por isso ele enrijece", respondi sem olhar para ela. "Marino, pode apontar para cá, enquanto eu tiro uma foto?"

Ele se aproximou mais de mim, enfiando as enormes mãos enluvadas por baixo do lado esquerdo do corpo enquanto eu pegava a máquina fotográfica. Registrei o ferimento abaixo da axila esquerda, na parte mais carnuda do seio esquerdo, enquanto calculava a temperatura corporal em relação à externa, bem como a progressão do *livor mortis* e do *rigor mortis*. Ouvi passos e resmungos, além de alguém tossindo. Eu suava atrás da máscara cirúrgica.

"Preciso de mais espaço", falei.

Ninguém se mexeu.

Olhei para Bray e parei o que estava fazendo.

"Preciso de espaço", falei rispidamente. "Mande esse pessoal sair daqui."

Ela mexeu a cabeça para todos, menos para mim. Os policiais puseram as luvas no saco plástico vermelho para lixo contaminado e saíram.

"Você também", Bray ordenou a Anderson.

Marino agia como se Bray não existisse. E ela não tirava os olhos de mim.

"Nunca mais quero encontrar uma cena de crime nessas condições", falei-lhe enquanto trabalhava. "Nem seus policiais, nem técnicos — *ninguém* pode tocar no corpo ou interferir de nenhuma maneira antes de eu ou um dos outros legistas chegar. Ninguém mexe no cadáver, entendeu?"

E olhei para ela.

"Isso está resolvido, certo?", falei.

Ela parecia levar a sério o que eu havia determinado. Coloquei o filme na câmera 35 mm. Meus olhos logo se cansaram, por causa da luz insuficiente. Pedi a lanterna a Marino. Iluminei obliquamente a área próxima ao seio esquerdo, e depois outro trecho, no ombro direito. Bray aproximou-se, roçando em mim para ver o que eu estava olhando. Senti uma sensação estranha ao perceber que seu perfume se mesclava com o odor do sangue coagulado.

"A cena do crime pertence a nós, Kay", ela disse. "Sei que no passado as coisas não funcionavam desse jeito — provavelmente desde que você veio para cá, e mesmo em outros lugares. Era a isso que eu me referia quando mencionei..."

"Isso é uma baita besteira!", Marino disparou a frase rude na cara dela.

"Capitão, não se meta", Bray devolveu, também agressiva.

"Quem não deve se meter é você", ele disse, erguendo a voz.

"Chefe Bray", falei, "de acordo com a legislação da Virgínia, o médico-legista deve assumir a responsabilidade pelo corpo. O corpo está na minha jurisdição."

Terminei de bater as fotos e enfrentei seus olhos frios e claros.

"O corpo não deve ser tocado, movido nem sofrer nenhum tipo de interferência. Está claro?", insisti.

Tirei as luvas e as guardei na sacola vermelha, irritada.

"Você acabou de eliminar provas que possibilitariam fazer justiça a essa mulher, chefe interina Bray."

Fechei a maleta médica e a tranquei.

"Você e o promotor vão se dar muito bem neste caso", Marino acrescentou, furioso, tirando a luva. "É o tipo de caso que é considerado moleza."

Ele apontou o dedo gordo para a morta como se Bray a tivesse assassinado.

"Você permitiu que o assassino se livrasse!", ele gritou para Bray. "Você mesma, com seus joguinhos de poder e essas tetas gordas. Com quem você andou trepando para conseguir seu cargo?"

O rosto de Bray ficou lívido.

"Marino!", segurei-o pelo braço.

"Acho bom você saber de uma coisa."

Marino, descontrolado, livrou o braço que eu segurava e seguiu gritando e ofegando feito um urso ferido.

"A cara arrebentada dessa mulher não tem nada a ver com política nem com declarações para o público, sua vaca filha-da-puta! E se fosse a sua irmã, você ia gostar? Ah, estou perdendo meu tempo." Marino ergueu as mãos sujas de talco. "Você não tem a mínima idéia do que é se preocupar com os outros!"

"Marino, chame a equipe de remoção imediatamente", falei.

"Marino não vai chamar ninguém." O tom de voz de Bray teve o efeito de uma caixa de metal sendo fechada com violência.

"E o que você vai fazer, vai me despedir?", Marino continuou a desafiá-la. "Vamos lá, pode ir em frente. Vou contar a razão a todos os repórteres que encontrar, daqui até o fim do mundo."

"Demissão seria um favor para você", Bray disse. "É melhor você continuar sofrendo, suspenso do serviço sem receber pagamento. Meu caro, isso pode durar muito, mas muito tempo mesmo."

Ela saiu num lampejo vermelho, como uma rainha vingativa que ia ordenar a seu exército que marchasse sobre nós.

"Nada disso!", Marino gritou para ela, a plenos pulmões. "Acho que você não entendeu, querida. Esqueci de dizer que *eu me demito, porra*!"

Ele pegou o rádio e chamou Ham para dizer que a equipe de remoção podia entrar, enquanto minha mente percorria caminhos que não se cruzavam.

"Agora ela viu o que é bom para a tosse, não é, doutora?", Marino disse, mas eu não prestava atenção nele.

O alarme contra roubo soara às sete e dezesseis, agora mal passava das nove e meia. O momento do óbito era ardiloso, as aparências enganavam. Era preciso levar em conta todas as variáveis, mas a temperatura corporal, o *livor mortis*, o *rigor mortis* e a condição do sangue derramado não combinavam com apenas duas horas de morte.

"Este lugar está me sufocando feito um saco plástico, doutora."

"Ela está morta há pelo menos quatro ou cinco horas", falei.

Ele limpou o rosto suado com a manga, exibindo um olhar quase vítreo. Não conseguia parar de se mexer e tamborilava nervosamente no maço de cigarros que levava no bolso da calça jeans.

"Desde uma ou duas da tarde? Está me gozando. O que ele ficou fazendo esse tempo todo aqui?"

Ele não tirava os olhos da porta, para ver quem seria o próximo a entrar.

"Creio que ele fez muita coisa", falei.

"E eu creio que me ferrei de vez", Marino disse.

Ouvi passos e o ruído da maca, já no interior da loja. E também vozes abafadas.

"Duvido que ela tenha escutado seu derradeiro comentário diplomático", comentei. "Talvez seja melhor deixar as coisas como estão."

"Você acha que ele passou um tempão aqui dentro para não sair em plena luz do dia com as roupas sujas de sangue?"

"Duvido que essa tenha sido a única razão", falei. Dois paramédicos de macacão viraram a maca de lado para que passasse pela porta.

"Há muito sangue aqui dentro", alertei. "Passem por ali."

"Nossa!", um deles disse.

Peguei os lençóis descartáveis que estavam dobrados em cima da maca. Marino ajudou a abri-los no chão.

"Vocês dois, ergam o cadáver alguns centímetros, para que possamos esticar o lençol debaixo dela", orientei. "Isso mesmo. Perfeito."

Ela estava de costas. Olhos arregalados saltavam das órbitas arrebentadas. O papel plastificado farfalhou quando a cobri com outro lençol. Depois a erguemos e colocamos dentro de um saco vermelho com zíper, especial para esses casos.

"Está ficando gelado aqui", um dos paramédicos comentou.

Os olhos de Marino percorreram a loja, depois se concentraram na porta e no estacionamento. Luzes azuis e vermelhas ainda piscavam ali, mas ele perdera a concentração. Os repórteres haviam retornado a suas redações e emissoras, e só os técnicos da polícia científica e um policial uniformizado permaneciam no local.

"Pois é", Marino resmungou. "Fui suspenso. Mas você está vendo algum detetive por aqui, para fazer o serviço? Eu devia mandar tudo pro inferno."

Caminhávamos de volta para o carro quando um Volkswagen sedã antigo entrou no estacionamento. O motor foi desligado tão abruptamente que o carro deu um solavanco. A porta do motorista se abriu e uma adolescente de pele clara e cabelo escuro curto quase caiu de dentro de tanta pressa. Ela correu para o corpo que jazia no interior do saco que os paramédicos instalavam na ambulância. Avançou na direção deles como se pretendesse derrubá-los.

"Ei!", Marino gritou, e foi atrás dela.

Ela alcançou a traseira da ambulância quando a porta se fechava. Marino a segurou.

"Por favor, quero vê-la!", ela gritou. "Por favor, me solta. Me larga."

"Não vai dar, moça", Marino disse com voz cordial.

Os paramédicos abriram a porta do veículo e entraram.

"*Por favor, eu só quero vê-la!*"

"Vai ficar tudo bem."

"*Não! Não! Meu Deus, por favor!*" Ela despejava dor como uma cascata despejava água.

Marino a segurava pelas costas, com firmeza. O motor diesel roncou e não ouvi o que mais ele disse à moça. Assim que a ambulância se afastou, ele a soltou. Ela caiu de joelhos. Levou as duas mãos aos ouvidos e ergueu a cabeça para o céu nublado na noite gelada, lamentando e gritando o nome da mulher assassinada.

"KIM! KIM! KIM!"

25

Marino preferiu ficar com Eggleston e Ham, também conhecidos como "Café da Manhã", enquanto os dois passavam os fios numa cena de crime onde isso não era necessário. Voltei para casa. Vi árvores e grama cobertas de gelo, e pensei que a última coisa de que eu precisava no momento era falta de luz, e foi exatamente isso que aconteceu.

Quando entrei no meu bairro, vi todas as casas no escuro, e Rita, a segurança de plantão, dava a impressão de que conduzia uma sessão espírita na guarita.

"Nem precisa dizer", falei.

A chama das velas tremulou do outro lado do vidro, quando ela saiu, ajeitando a jaqueta do uniforme justo.

"Acabou a força lá pelas nove e meia", ela relatou, balançando a cabeça. "Sempre acontece nesta cidade, quando a temperatura cai e se forma gelo."

A vizinhança estava escura como se houvesse blecaute por causa de guerra. O céu nublado ocultava o brilho fraco da lua. Encontrei o acesso de casa com alguma dificuldade e quase caí ao subir os degraus de pedra da entrada, em conseqüência do gelo. Agarrei-me ao corrimão e consegui pegar a chave certa para abrir a porta. O alarme contra roubo continuava acionado, pois ficava ligado a uma bateria. Mas ela durava apenas doze horas, e falta de luz devida ao gelo podia durar dias.

Digitei o código, depois liguei novamente o alarme. Precisava de uma ducha quente. Nem morta eu pretendia ir até a garagem, separada da casa, para pôr as roupas usadas na cena do crime para lavar. A idéia de correr nua pela casa escura e tomar banho sem enxergar nada me enchia de pavor. O silêncio era absoluto, a não ser pelo tamborilar contínuo do granizo.

Peguei todas as velas que tinha e as distribuí estrategicamente pela casa. Procurei lanternas. Acendi a lareira, e o interior de minha casa ficou cheio de trechos escuros com longas sombras lançadas pelas achas de lenha que produziam labaredas delgadas. Pelo menos o telefone continuava funcionando, mas é claro que a secretária eletrônica estava muda.

Eu não conseguia parar quieta. No quarto, criei coragem para tirar a roupa e me lavar com um pano molhado. Vesti um robe, calcei os chinelos e tentei pensar no que poderia fazer para matar o tempo, pois não queria deixar minha mente divagar. Fantasiei que haveria um recado de Lucy, impossível de acessar no momento. Escrevi cartas só para amassar as folhas e jogar tudo no fogo. Observei o papel escurecer nas bordas, pegar fogo, enegrecer. O granizo caía ininterruptamente e esfriava cada vez mais.

A temperatura dentro de casa caiu lentamente, à medida que as horas avançavam madrugada adentro. Tentei dormir, mas não conseguia me aquecer. Minha cabeça não sossegava. Os pensamentos saltavam de Lucy para Benton e para a cena horrível que eu acabara de ver. Vi a mulher se esvaindo em sangue enquanto a arrastavam pelo chão, e olhos miúdos de coruja a me encarar, na carne putrefata. Eu me virava na cama, sem resultado. Lucy não telefonou.

O medo se insinuou em minha mente quando olhei através da janela para as trevas do quintal. Meu hálito embaçava o vidro e quando cochilei o clique-clique do granizo se transformou em barulho de agulhas de tricô, minha mãe tricotando em Miami enquanto meu pai morria, fazendo incontáveis cachecóis para os pobres de algum país gelado. Nem um único carro passou pela rua. Liguei para Rita, na guarita. Ela não atendeu.

Minha vista borrou, tentei dormir novamente às três

da madrugada. Os ramos das árvores estalavam feito disparos de arma de fogo, ao longe um trem se arrastava penosamente em direção ao rio. Seu apito triste pareceu disparar uma cacofonia de guinchos, trancos e roncos que me inquietou ainda mais. Deitada no escuro, enrolada numa manta, vi que a luz voltou quando o sol apontou no horizonte. Marino telefonou alguns minutos depois.

"Quer que eu pegue você aí?", ele perguntou com a voz empastada de sono.

"Me pegar para quê?" Atordoada, fui para a cozinha passar café.

"Trabalhar, claro."

Eu não fazia a menor idéia do que ele estava querendo dizer.

"Você olhou pela janela, doutora?", ele perguntou. "Não vai conseguir sair daí naquele seu nazimóvel nem a pau."

"Já avisei para você não falar assim. Não acho a menor graça."

Fui até a janela e abri a persiana. O mundo parecia feito de açúcar e vidro. O gelo cobrira árvores e arbustos. A grama recebera um carpete branco grosso, rígido. Nos telhados o gelo formava longas estalactites, e eu sabia que meu carro não tinha mesmo a menor condição de sair dali para ir aonde quer que fosse.

"Está bem", falei. "Vou precisar de uma carona."

A picape monstruosa de Marino, com corrente nas rodas, enfrentou as ruas escorregadias de Richmond por uma hora até ele conseguir chegar a meu departamento. Não havia outros veículos no estacionamento. Caminhamos com cautela até a entrada do prédio, quase caindo várias vezes, pois o piso estava como que vitrificado e éramos os primeiros a percorrê-lo. Pendurei o casaco nas costas da cadeira, em minha sala, e seguimos para os vestiários para trocar de roupa.

O pessoal do resgate usara as macas de autópsia móveis, por isso não precisamos tirar o corpo de uma maca comum. Abrimos o zíper no vasto silêncio daquela arena dos mortos e desdobramos os lençóis ensangüentados. Sob a luz forte e difusa do teto, os ferimentos eram ainda mais terríveis. Aproximei a lâmpada fluorescente acoplada à lupa, ajustando seu braço móvel antes de espiar pela lente.

A pele aumentada se tornara um deserto de sangue seco gretado, com ravinas de cortes e feridas abertas. Recolhi fios de cabelo, dezenas deles, uns pêlos louros e finos como os de um bebê. Em geral, tinham de quinze a vinte centímetros de comprimento. Estavam grudados na barriga, nos ombros e nos seios. Não encontrei nenhum no rosto, e guardei os cabelos num envelope de papel para mantê-los secos.

As horas roubavam a manhã como ladrões fugazes, e por mais que eu procurasse explicações para o suéter de lã grossa e o sutiã rasgados, não encontrei outra que não fosse a verdadeira. O assassino fizera aquilo com as mãos nuas.

"Nunca vi nada assim", comentei. "Para fazer isso é preciso possuir uma força descomunal."

"Talvez ele use cocaína, anfetamina ou algo do tipo", Marino disse. "Isso também pode explicar o que ele fez com ela. E esclarecer a questão da munição Gold Dot, se for alguém que mexe com tráfico de drogas."

"Creio que Lucy comentou algo sobre essa munição", eu me lembrei.

"É a sensação do momento no crime organizado", Marino explicou. "A alegria dos traficantes."

"Se ele estava fortemente drogado", raciocinei enquanto guardava as fibras recolhidas em outro envelope, "acho estranho e improvável que tenha pensado em tudo tão metodicamente. Ele pendurou o aviso de FECHADO, trancou a porta, e só saiu pelos fundos, onde o alarme estava acionado, depois de terminar tudo. Pode até ter se lavado."

"Não há nenhum sinal de que ele tenha feito isso", Marino retrucou. "Nada nos ralos, nas pias ou no toalete. Nenhuma toalha de papel com sangue. Nada mesmo. Nem na porta que ele abriu para entrar no depósito. Por isso estou pensando que ele usou alguma coisa — talvez uma peça de roupa, uma toalha de papel, sei lá — para abrir a porta, evitando deixar manchas de sangue ou digitais na maçaneta."

"Não se pode chamar o assassino de confuso. Nada disso confere com o comportamento de uma pessoa sob efeito de drogas."

"Prefiro pensar que ele estava drogado", Marino disse, sombrio. "A alternativa é a pior possível. Quer dizer, parece que foi o Incrível Hulk ou algo similar. Só espero..."

Ele parou, mas eu sabia que ele ia dizer que gostaria de ter Benton por perto para dar uma opinião de especialista. Contudo, acho fácil demais depender dos outros e esquecer que nem todas as teorias requerem um especialista. Cada cena e cada ferimento estampavam as emoções do criminoso, e aquele homicídio fora frenético, sexual, raivoso. Essas características ficaram ainda mais patentes quando notei áreas de contusão grandes e irregulares. Quando as examinei com a lupa, vi marcas pequenas, curvilíneas.

"Mordidas", falei.

Marino se aproximou para ver também.

"O que restou delas. Foram dadas com muita força", acrescentei.

Movimentei a luminária pelo corpo, em busca de outras marcas. Achei duas na lateral da palma da mão direita, uma na sola do pé esquerdo e duas na sola do direito.

"Minha nossa", Marino disse, num tom nervoso que eu raramente ouvia.

Ele passou das mãos mordidas para os pés, arregalando os olhos.

"Com o que estamos lidando, afinal, doutora?", ele indagou.

Todas as marcas de mordidas estavam em lugares golpeados com tanta força que eu só conseguia distinguir os sinais dos dentes e mais nada. As ranhuras necessárias para a modelagem haviam sido erradicadas. As marcas em nada nos ajudariam. O pouco que restava não serviria para comparações.

Recolhi amostras com cotonete, em busca de saliva, e passei a tirar fotografias enquanto tentava imaginar o que mordidas nas palmas e na sola dos pés poderiam significar para quem a matara. Ele a conhecia ou não, afinal? Seriam mãos e pés simbólicos para ele, referências de quem ela era, tanto quanto o rosto?

"Bem, ele não é um completo ignorante no que se refere a pistas", Marino disse.

"Ao que parece, ele sabia que marcas de mordidas podem identificar um criminoso", concordei, usando a mangueira para lavar o corpo.

"Brrr", Marino disse. "Isso sempre me dá frio."

"Ela não sente nada."

"Torço para que a coitada não tenha sentido nada do que fizeram a ela."

"Creio que ela estava morta, ou quase, no momento em que ele começou a espancá-la, graças a Deus", falei.

A autópsia revelou um dado adicional ao horror da cena. O projétil penetrara no pescoço de Kim Luong, cortara a carótida e resvalara na coluna vertebral entre a quinta e a sexta vértebra, paralisando-a instantaneamente. Ela conseguia respirar e falar, mas não se mexer enquanto era arrastada pelo corredor, sujando as prateleiras de sangue, com os braços imóveis estendidos, incapazes de segurar o ferimento no pescoço. Mentalmente, vi o horror em seus olhos. Ouvi seus gemidos quando ela pensou no que ele ia fazer em seguida, enquanto morria.

"Filho-da-mãe!", exclamei.

"Eu realmente acho uma pena que tenham passado a usar injeções letais", Marino disse enfaticamente, revoltado. "Cretinos como esse deveriam ir para a cadeira elétrica. Deveriam ser entupidos de gás até os olhos saltarem das órbitas. Em vez disso, ganham uma soneca tranqüila."

Com movimentos rápidos, passei o bisturi das clavículas ao esterno, descendo até a pelve, na costumeira incisão em Y. Marino parou de falar por um momento.

"Você acha que teria coragem de enfiar a agulha no braço dele, doutora? Acha que conseguiria ligar o gás ou prender as correias da cadeira elétrica e acionar o interruptor?"

Não respondi.

"Penso muito nisso", ele insistiu.

"Eu não pensaria tanto, se fosse você."

"Eu sei que você conseguiria." Ele não pretendia desistir. "E quer saber de mais uma coisa? Acho que você ia até gostar, embora não o admitisse nem para si própria. De vez em quando me dá vontade de matar alguém."

Ergui para ele os olhos, protegidos pela máscara de vidro salpicada de sangue, que também encharcara as mangas de meu traje cirúrgico.

"Essa conversa está me deixando realmente preocupada." E estava mesmo.

"Acho que muita gente se sente assim, mas não admite."

O coração e os pulmões estavam dentro da média.

"Creio que a maioria das pessoas *não* se sente assim."

Marino queria encrenca a qualquer preço, como se a raiva contra o que fora feito com Kim Luong o tornasse tão impotente quanto ela.

"Acho que Lucy se sente assim", ele disse.

Encarei-o, mas me recusava a acreditar que estava ouvindo aquilo.

"Ela só espera a oportunidade. E se ela não se livrar disso, vai acabar virando garçonete."

"Fique quieto, Marino."

"A verdade dói, não é? Pelo menos admita. Pense no miserável que fez isso. Eu gostaria de algemá-lo numa cadeira, amarrar os tornozelos e enfiar o cano da minha pistola na boca dele. Depois perguntaria se ele tinha um bom dentista, pois ia precisar de um."

O baço e os rins estavam nos limites normais.

"Depois eu encostaria o cano no olho, diria para ele dar uma espiada e me contar se estava na hora de limpar o cano por dentro."

No estômago havia restos de frango, arroz e vegetais. Pensei na vasilha plástica e no garfo que foram encontrados no saco de papel, perto da bolsa e do casaco dela.

"Acho que depois eu ia recuar, como se estivesse praticando tiro ao alvo, e o usaria de alvo, para ver se ele gostava..."

"Chega!", gritei.

Ele calou a boca.

"Minha nossa, Marino, o que foi que deu em você?", perguntei, com o bisturi numa das mãos e a pinça na outra.

Ele ficou quieto por algum tempo, no silêncio pesado que caiu sobre nós enquanto eu trabalhava. Tentei mantê-lo ocupado, pedindo que realizasse várias tarefas.

Após algum tempo, ele falou: "A mulher que correu para a ambulância na noite passada era amiga de Kim, trabalha de garçonete no Shoney's, estuda no curso noturno da faculdade de medicina. Elas moravam juntas. A amiga voltou da escola para casa. Não fazia a menor idéia do que tinha acontecido. O telefone tocou e um repórter idiota perguntou: 'Qual foi sua reação quando soube da morte dela?'".

Ele fez uma pausa. Olhei para Marino, que observava o cadáver aberto, com a cavidade torácica vazia e as costelas pálidas brilhantes de sangue vermelho, afastadas da espinha dorsal perfeitamente reta. Liguei a serra Stryker na tomada.

"Segundo a amiga, não há a menor indicação de que ela pudesse conhecer alguém meio esquisito. Ninguém costumava ir à loja incomodá-la ou assustá-la. Houve um alarme falso no início da semana, terça-feira, na mesma porta dos fundos, acontece freqüentemente. As pessoas esquecem que o alarme está ligado", ele completou com olhar distante. "Parece que o sujeito fugiu do inferno, de repente."

Comecei a serrar o crânio cheio de fraturas e afundamentos resultantes dos golpes violentos desferidos com instrumentos que eu não consegui identificar. O pó de osso, morno, flutuava no ar.

26

No início da tarde o gelo nas ruas derretera o suficiente para que outros cientistas forenses diligentes e inapelavelmente atrasados aparecessem para trabalhar. Decidi percorrer os laboratórios, pois estava muito agitada.

Minha primeira parada foi a Seção de Biologia Forense, uma área de mil metros quadrados a que poucas pessoas autorizadas tinham acesso por meio dos cartões eletrônicos que abriam as fechaduras. Ninguém parava para bater papo. As pessoas atravessavam o corredor e olhavam para os cientistas de branco, atrás de paredes de vidro, absortos no trabalho. Mas raramente se aproximavam.

Pressionei o botão do intercomunicador para saber se Jamie Kuhn estava lá.

"Vou procurá-lo", disse uma voz.

No instante em que abriu a porta, Kuhn me entregou um macacão branco de laboratório, luvas e máscara. A contaminação era o pior inimigo do DNA, principalmente numa época em que cada pipeta, micrótomo, luva, refrigerador e até caneta usada para rotulagem poderiam ser questionados em juízo. O grau de precaução em laboratório tornara-se tão extremo quanto os procedimentos de esterilização aplicados às salas de cirurgia.

"Odeio pedir isso a você, Jamie", falei.

"Você sempre diz isso", ele respondeu. "Entre."

Precisávamos atravessar três portas, e em cada uma dela havia macacões limpos, em local com isolamento absoluto, para garantir que a pessoa trocasse o macacão que acabara de vestir por outro. Havia papel adesivo para colar na sola do sapato. O processo era repetido mais duas vezes para garantir que ninguém conduzisse itens contaminantes de uma área a outra.

A área de trabalho dos analistas era uma sala grande, livre, com computadores e balcões pretos, tanques de água, câmaras de isolamento, purificadores de ar e campânulas. Nas plataformas individuais bem organizadas viam-se óleo mineral, autopipetas, tubos de polipropileno e suportes para tubos de ensaio. Os reagentes, substâncias empregadas para provocar reações, eram preparados em lotes grandes, com produtos químicos especiais para biologia molecular. Recebiam números especiais de identificação e eram guardados em pequenos frascos, longe dos produtos químicos de uso genérico.

A contaminação era evitada principalmente graças a procedimentos em série, uso de calor, processos enzimáticos, varreduras, análises redundantes, radiação ultravioleta, radiação ionizante, controles e amostras fornecidos por um voluntário saudável. Se tudo falhasse, o analista simplesmente abandonava determinadas amostras. Talvez tentasse de novo dali a alguns meses. Talvez não.

A reação de polimerase em cadeia, ou PCR, tornara possível obter resultados de DNA em dias, em vez de semanas. E, com STR, ou repetição seqüencial de tipagem curta, era teoricamente possível que Kuhn conseguisse resultados num único dia. Claro, se houvesse tecido celular para o teste. No caso do cabelo louro fino encontrado no cadáver do contêiner, não havia esse tecido.

"Uma pena", falei. "Pois parece que encontramos mais amostras desses fios. Desta vez, grudadas no corpo de uma mulher assassinada na noite passada, no Quik Cary."

"Espere um pouco. Será que entendi direito? O cabelo do homem do contêiner é o mesmo que havia no corpo dela?"

"Tudo indica que sim. Acho que você entende a urgência."

"E sua urgência está a ponto de crescer significativamente", ele disse. "Pois não se trata de pêlo de cachorro, de gato, nem de outro animal. É cabelo humano."

"Não pode ser", falei.

"Mas é, sem a menor sombra de dúvida."

Kuhn era um rapaz esbelto que não se impressionava com quase nada. Não me lembrava da última vez em que vira seus olhos brilharem.

"Fino, desprovido de pigmentação, rudimentar", ele prosseguiu. "Cabelo de bebê. Deduzo que o sujeito tinha um bebê em casa. Mas, dois casos? Talvez seja até o mesmo cabelo que foi encontrado na mulher assassinada, certo?"

"Cabelo de bebê não tem quinze centímetros de comprimento", falei. "E as amostras recolhidas eram assim, longas."

"Talvez os bebês belgas sejam mais cabeludos", ele disse, lacônico.

"Vamos falar primeiro a respeito do homem não identificado do contêiner. O que os cabelos de bebê estavam fazendo no corpo dele?", perguntei. "Mesmo que houvesse um bebê onde ele morava. Mesmo que fosse possível encontrar cabelos longos assim numa criança pequena."

"Nem todos são longos. Alguns são bem curtos. Como os pêlos que a gente corta quando se barbeia."

"Algum fio foi removido com força?", indaguei.

"Não vi raízes com tecido folicular aderido — só as raízes bulbosas que encontramos nos cabelos que caem naturalmente. Queda normal, em outras palavras. Por isso não posso obter o DNA."

"Mas alguns fios foram cortados, ou barbeados?", pensei em voz alta.

"Isso mesmo. Alguns fios foram cortados, outros não. Como naqueles cortes malucos. Você já deve ter visto — curto no alto e comprido nas laterais."

"Nunca vi isso num bebê", respondi.

"E se o sujeito tiver trigêmeos, quíntuplos, sêxtuplos, porque a esposa fez tratamento de fertilidade?", Kuhn sugeriu. "O cabelo seria igual, mas se viesse de crianças diferentes, isso explicaria os diversos tamanhos. O DNA também seria o mesmo, não haveria nada para testar."

Em gêmeos, trigêmeos, sêxtuplos, o DNA é idêntico, apenas as digitais apresentam variação.

"Doutora Scarpetta", Kuhn disse, "de todo modo, só posso garantir que os fios de cabelo são visualmente similares, ou, em outras palavras, que sua morfologia é a mesma."

"Bem, os fios de cabelo que estavam na mulher também são visualmente similares."

"Havia fios curtos, dando a impressão de terem sido cortados?"

"Não", respondi.

"Lamento não poder lhe dizer mais nada", ele falou.

"Jamie, você já me revelou muita coisa, pode acreditar", falei. "Só não sei dizer o que significa."

"Então descubra", ele retrucou, tentando me animar. "Depois escreveremos um ensaio a respeito."

Tentei a seguir o laboratório de análise de vestígios, sem me dar ao trabalho de dizer bom-dia a Larry Posner. Ele examinava algo num microscópio que provavelmente estava mais focado do que seus olhos quando ele ergueu a cabeça para falar comigo.

"Larry", falei, "está tudo uma bagunça dos diabos."

"Sempre esteve."

"E quanto ao cadáver não identificado? Alguma pista?", perguntei. "Acho bom você ficar sabendo, estou totalmente no escuro."

"Fico contente em saber. Pensei que você tinha vindo aqui perguntar a respeito da senhora que se encontra lá embaixo", ele respondeu. "E eu ia responder que não sou Mercúrio. Portanto, não tenho asas nos pés."

"Pode haver alguma relação entre os dois casos. Mesmos fios de cabelo estranhos nos dois corpos. Cabelos humanos, Larry."

Ele passou um bom tempo processando a informação.

"Não consigo entender", confessou finalmente. "E lamento dizer isso, mas não tenho nada dramático para lhe mostrar."

"Mas você descobriu alguma coisa? Qualquer coisa?", perguntei.

"Vamos começar pelas amostras de terra do contêiner. O PLM revelou o de costume", disse, referindo-se ao microscópio de luz polarizada. "Quartzo, areia, diatomáceas, fibras diversas e elementos como ferro e alumínio. Muito lixo. Vidro, restos de tinta, detritos vegetais, pêlos de roedores. Dá para imaginar a variedade de restos que pode haver num navio de carga que transporta contêineres, como esse.

"E diatomáceas por todos os lados. Mas há algo estranho nas algas microscópicas encontradas. Quando examinei as que foram recolhidas no interior do contêiner e as encontradas no corpo e nas roupas, vi que eram diferentes. Uma mistura de diatomáceas de água salgada e de água doce."

"Faz sentido se pensarmos que o navio partiu do rio Scheldt, em Antuérpia, e depois cruzou o oceano", ressaltei.

"Na parte interna das roupas? Vi apenas diatomáceas de água doce. O único jeito de se alojarem ali seria o sujeito lavar roupas, sapatos, meias e até a roupa de baixo num rio, lago ou algo similar. E eu não creio que alguém lave trajes Armani e sapatos de couro de crocodilo num rio ou lago. Ou que nade usando roupas finas como essas.

"Portanto, parece que ele tem diatomáceas de água doce na pele, o que é esquisito. E uma mistura de algas de água salgada e água doce na parte externa das roupas, o que era de se esperar, nas circunstâncias. Sabe como é, ele andou pelas docas, havia diatomáceas de água salgada no ar, elas aderiram às roupas. Mas elas não atingiriam a parte interna."

"E quanto à coluna vertebral?", indaguei.

"Diatomáceas de água doce. Compatíveis com afogamento em água doce, talvez o rio em Antuérpia. E no cabelo do sujeito só havia diatomáceas de água doce. Nenhuma de água salgada misturada ali."

Posner arregalou os olhos e os esfregou, como se estivesse cansado.

"Isso está dando um nó na minha cabeça", ele disse. "Diatomáceas que não fazem sentido, cabelos de bebê esquisitos e a coluna vertebral. Como no Oreo. De um lado, biscoito de chocolate, dentro recheio de baunilha, do outro biscoito de novo. E baunilha por cima de tudo."

"Deixe as analogias de lado, Larry. Já estou muito confusa."

"Então, como você explica isso?"

"Só posso sugerir um cenário."

"Pode falar."

"Ele poderia ter diatomáceas de água doce no cabelo se a cabeça tivesse sido imersa em água doce", falei. "Se ele tivesse sido mergulhado num barril de água doce, de cabeça, por exemplo. Se você fizer isso com alguém, a pessoa não consegue sair, como bebês que caem de cabeça dentro de um tambor de dezoito litros. A altura deles vai até a cintura, e são muito estáveis. É impossível virá-los. Ou ele poderia ter sido afogado num balde normal de água doce, se alguém o segurasse na posição."

"Acho que vou ter pesadelos", Posner disse.

"Não fique por aqui até as ruas congelarem outra vez", alertei.

Marino me deu uma carona para casa. Levei o frasco de formalina comigo, pois não perdera a esperança de que a pele dentro dele tivesse algo a me dizer. Eu a guardaria em minha mesa do escritório e de vez em quando calçaria uma luva para estudá-la contra a luz, feito um arqueólogo tentando ler símbolos rudimentares gravados na pedra.

"Quer entrar?", perguntei a Marino.

"Sabe, meu pager não pára de tocar, mas não consigo descobrir quem é", ele disse, engatando a marcha na picape.

Ele o ergueu e forçou a vista.

"Tente acender a luz do teto", sugeri.

"Provavelmente algum dedo-duro drogado demais para discar direito", ele retrucou. "Como alguma coisa, se você me oferecer. Depois, preciso ir."

Entramos em casa e o pager dele vibrou novamente. Ele o tirou do cinto, exasperado, virando-o para um lado e para o outro até conseguir ler a mensagem.

"Não consegui, de novo! Só vi cinco-três-um. Conhece alguém cujo telefone tenha esses três números?", ele perguntou, irritado.

"O telefone da casa de Rose", respondi.

27

Rose sofrera muito com a morte do marido, e pensei que ela não ia agüentar quando foi obrigada a sacrificar um de seus galgos. Mas ela sempre usou a dignidade do mesmo modo como se vestia, de forma apropriada e com discrição. Porém ao ver no noticiário da tevê naquela manhã que Kim Luong fora assassinada, Rose ficou histérica.

"Se pelo menos... se pelo menos...", ela repetia, chorando sem parar, sentada na cadeira com braços, perto da lareira, em seu apartamento minúsculo.

"Rose, não adianta ficar dizendo isso", Marino falou.

Ela conhecia Kim Luong. Rose costumava fazer compras no Quik Cary e fora ao local na noite anterior, provavelmente no momento em que o assassino estava lá dentro, espancando, mordendo, esfregando a mão no sangue. Graças a Deus ela encontrara a loja fechada e trancada.

Levei as duas canecas de chá de ginseng para a sala. Marino tomava café. Rose tremia inteira, sem parar, com o rosto inchado de tanto chorar e o cabelo grisalho caído sobre a gola do roupão de banho. Ela parecia uma senhora idosa abandonada num asilo.

"A televisão estava desligada, fiquei lendo e só soube de tudo quando vi o noticiário, esta manhã." Ela repetia a mesma história sem parar, de várias maneiras. "Eu não fazia a menor idéia, estava lendo sentada na cama, pensando nos problemas do departamento. Em Chuck, principalmente. Acho que esse rapaz não presta, e eu pensava num modo de mostrar isso a todos."

Coloquei seu chá sobre a mesa.

"Rose", Marino disse. "Podemos falar do Chuck outro dia. Precisamos que você nos conte exatamente o que aconteceu na noite passada..."

"Mas vocês precisam me escutar, primeiro!", ela disse. "Capitão Marino, faça com que a doutora Scarpetta me ouça! Aquele rapaz a odeia! Ele odeia nós três. Estou avisando, precisamos nos livrar dele antes que seja tarde demais, custe o que custar!"

"Vou resolver isso assim que...", comecei a dizer, mas ela balançou a cabeça.

"Ele é muito ruim. Acho que está me seguindo, ou é alguém envolvido com ele", ela afirmou. "Vai ver é o carro que você viu no estacionamento do prédio e aquele que a seguiu. Como você pode saber se não foi o Chuck quem alugou o carro com nome falso, para não usar o dele e ser reconhecido na hora? Como sabe que não era algum cúmplice dele?"

"Ora, ora, ora", Marino a interrompeu, erguendo a mão. "Por que ele ia querer seguir alguém?"

"Drogas", ela respondeu, como se já tivesse chegado a essa conclusão havia muito tempo. "Na segunda-feira passada tivemos um caso de overdose, e por acaso cheguei uma hora e meia mais cedo, pois precisava sair na hora do almoço para ir ao cabeleireiro."

Não acreditei que Rose tivesse chegado mais cedo por acaso. Eu lhe pedira para me ajudar a descobrir quais eram os planos de Ruffin, e obviamente ela se dedicara a isso.

"Você estava trabalhando fora naquele dia", ela me disse. "Não encontramos sua agenda no lugar de costume, procuramos por toda parte, e nada. Na segunda-feira eu já estava obcecada com a idéia de encontrar a agenda, pois sabia que precisaria muito dela. Pensei em dar mais uma espiada no necrotério.

"Fui para lá antes mesmo de tirar o casaco", ela prosseguiu. "Encontrei o Chuck às seis e quarenta e cinco da manhã, sentado na mesa com o contador de pílulas e dúzias de frascos alinhados. Bem, ele reagiu como se eu o tivesse apanhado com a calça abaixada. Perguntei o que fazia ali tão cedo, e ele disse que o dia ia ser muito cheio e que resolvera começar mais cedo para dar conta de tudo."

"Você viu o carro dele no estacionamento?", Marino perguntou.

"Ele deixa o carro na frente", expliquei. "Não dá para ver do prédio."

"Eram as drogas do caso do doutor Fielding", Rose retomou a narrativa, "e por curiosidade consultei o relatório. Bem, a vítima estocava praticamente todas as drogas conhecidas. Tranqüilizantes, antidepressivos, narcóticos. Um incrível total de mil e trezentas pílulas, dá para acreditar?"

"Infelizmente, dá", falei.

As overdoses e os suicídios típicos ocorrem após meses ou anos de uso de remédios controlados. Codeína, Percocet, morfina, metadona, PDC, Valium e fentanil, só para citar alguns. Era insuportavelmente entediante a tarefa de contar tudo para saber quantos deveria haver no frasco e quantos restavam.

"Então ele está furtando as pílulas, em vez de jogá-las no ralo?", Marino perguntou.

"Não posso provar nada", Rose respondeu. "Mas naquela segunda-feira não tinha tanto movimento assim. A overdose era o único caso. Chuck passou a me evitar ao máximo depois daquele dia, e sempre que as drogas acompanhavam um caso, eu me perguntava se elas não iam para seu bolso, em vez de serem jogadas no lixo."

"Vamos instalar um gravador de vídeo num lugar onde ele não poderá vê-lo. Já existem câmeras no local. Se ele estiver fazendo isso, vamos pegá-lo", Marino prometeu.

"Só me faltava essa, agora", falei. "A repercussão sobre isso seria horrível. Poderia ser a gota d'água para nós, principalmente se um repórter investigativo começasse a fazer perguntas e descobrisse minha suposta recusa em atender chamados dos familiares, a sala de bate-papo e até mesmo o subterfúgio de enviar Bray para o encontro no estacionamento."

A paranóia oprimia meu peito. Respirei fundo. Marino me observava.

"Você não está pensando que Bray tem algo a ver com tudo isso, está?", ele perguntou, cético.

"Só no sentido de ter instigado Chuck a seguir no rumo em que está agora. Ele mesmo disse que era cada vez mais fácil fazer coisas erradas."

"Bom, acho que o Chuquinho age por conta própria, no caso das drogas roubadas. É uma tentação irresistível para escória dessa laia. Como os policiais que não resistem a embolsar um maço de dinheiro durante um flagrante de drogas. Veja bem, medicamentos como Lortab, Lorcet e principalmente Percocet custam entre dois e cinco dólares cada pílula, nas ruas. Só fico curioso em saber para onde ele está encaminhando o material."

"Talvez você possa perguntar à esposa se ele costuma sair muito à noite", Rose sugeriu.

"Meu bem", Marino respondeu, "traficantes vendem essas coisas em plena luz do dia."

Rose parecia decepcionada, constrangida até, como se temesse que seu excesso de preocupação tivesse trançado suas linhas de verdade numa tela de conjeturas. Marino se levantou para pegar café.

"Você acredita que ele resolveu segui-la por achar que você suspeita do tráfico de drogas?", ele perguntou a Rose.

"Sabe, também me parece improvável, quando eu digo isso."

"Talvez seja algum cúmplice de Chuck, se formos seguir essa linha de raciocínio. A esta altura, não podemos descartar nenhuma hipótese", Marino acrescentou. "Se Rose sabe, então você também sabe", disse ele para mim. "Chuck também sabe que você sabe, portanto."

"Se existe envolvimento com o tráfico de drogas, que motivo Chuck teria para nos seguir ou mandar alguém fazer isso? Nos atacar? Intimidar?", perguntei.

"Uma coisa posso garantir", Marino respondeu, na cozinha. "Ele se meteu com gente da pesada. Estamos falando de grandes somas. Pensem em quantas pílulas chegam com esses corpos. Os policias apreendem todos os frascos de medicamentos controlados, em casos assim. Pensem na quantidade de remédios que encontramos no armário das pessoas comuns."

Ele voltou à sala e se sentou, soprando a xícara como se fosse possível esfriar o café num segundo.

"E vamos somar a isso as drogas ilegais que as pessoas supostamente tomavam. O que temos?", Marino prosseguiu. "A única razão para o Chuquinho continuar em seu emprego no necrotério é roubar as drogas. Caramba, ele nem precisava do salário, e isso pode explicar seu desempenho ridículo nos últimos meses."

"Dá para conseguir milhares de dólares por semana", falei.

"Doutora, você tem alguma razão para desconfiar que ele possa ter feito contato com outras unidades do seu departamento para convencer outros funcionários a fazer a mesma coisa? Recolher as pílulas e pagar uma comissão na venda?"

"Não faço idéia."

"Há quatro unidades no departamento. Se conseguirem roubar drogas de todas elas, o lucro vai se multiplicar. Estamos falando de grana grossa", Marino enfatizou. "Aquele merdinha é capaz de estar envolvido com o crime organizado, pô. Ser mais uma abelha levando pólen para a colméia. O problema é que ele não faz as compras no Wal-Mart. Acha que é fácil negociar com um sujeito de terno, ou uma mulher esperta. Essa pessoa passa a mercadoria para o próximo do esquema. No final, pode até ser trocada por armas que terminam em Nova York."

Ou Miami, pensei.

"Graças a Deus você nos avisou, Rose", agradeci. "A última coisa que desejo é ver drogas saindo do departamento, para acabar nas mãos de pessoas que vão prejudicar alguém ou mesmo matar."

"Sem falar que os dias do Chuck provavelmente estão contados também", Marino disse. "Gente como ele não costuma durar muito tempo."

Ele se levantou e foi para a ponta do sofá, mais perto de Rose.

"Então, Rose?", ele disse, com muito tato. "O que a leva a pensar que os fatos relatados agora têm algo a ver com o assassinato de Kim Luong?"

Ela respirou fundo e apagou a luz a seu lado, como se lhe incomodasse os olhos. As mãos tremiam tanto que ela derramou um pouco de chá ao pegar a caneca. Rose limpou a mancha em seu colo com um guardanapo.

"Quando eu voltava para casa ontem à noite, resolvi parar lá, comprar biscoitos e outras coisinhas", falou, e sua voz tremeu de novo.

"Você lembra a que horas isso aconteceu, exatamente?", Marino quis saber.

"Não sei ao certo. Mais ou menos dez para as seis, calculo."

"Vamos repassar essa parte para ter certeza", Marino disse, enquanto fazia anotações. "Você parou no Quik Cary por volta das seis da tarde. Estava fechado?"

"Sim. Isso me irritou um pouco, pois a loja só fecha depois das seis. Fiquei com raiva, e isso agora me faz sentir culpada. Ela está lá, morta, e eu contrariada por não poder comprar biscoitos..." E começou a soluçar.

"Você viu algum carro no estacionamento?", Marino perguntou. "Alguma pessoa, ou pessoas?"

"Ninguém", ela disse.

"Pense bem, Rose. Você notou algo de diferente, qualquer coisa?"

"Notei", ela respondeu. "E era aí que eu queria chegar. Vi da Libbie que o mercado estava fechado, com as luzes apagadas. Entrei no estacionamento apenas para manobrar e voltar, quando percebi o aviso de fechado na porta da frente. Peguei a Libbie novamente, e mal havia chegado na loja ABC quando surgiu um carro atrás de mim, com o farol alto aceso."

"Você estava voltando para casa?", perguntei.

"Sim. Mas não estranhei nada até entrar na Grove e o carro entrar também. Vinha colado no meu pára-choque, com farol alto, e praticamente me cegou. Os carros que passavam em sentido contrário piscavam os faróis para avisar que ele estava com o farol alto, caso não tivesse percebido. Mas o sujeito obviamente fazia isso de propósito. Comecei a ficar com medo."

"Você faz idéia do tipo de carro? Conseguiu ver alguma coisa?", Marino perguntou.

"Eu fiquei praticamente cega, depois muito confusa. Pensei logo no carro no estacionamento, na noite de terça-feira, quando você veio aqui", ela falou para mim. "E depois você me disse que tinha sido seguida. Pensei em Chuck e nas drogas e no tipo de gente horrorosa que se mete nisso."

"E você ia sozinha pela Grove", Marino disse para que ela retomasse a narrativa.

"Sim, mas é claro que passei direto pelo meu prédio, tentando escolher um lugar para ir onde pudesse me livrar dele. Nem sei como pensei nisso, mas de repente mudei de pista e fiz o retorno no meio da rua. Depois segui até o final da Grove, em Three Chopt, e entrei à esquerda. Ele continuava a me seguir. A próxima rua à direita era a do Country Clube da Virgínia; virei nela e fui direto para a entrada, onde os manobristas aguardam os visitantes. Nem preciso dizer dizer que o sujeito sumiu."

"Você pensou rápido, parabéns", Marino disse. "Demonstrou muita presença de espírito. Por que não chamou a polícia?"

"Não teria adiantado nada. Eles não iam acreditar em mim, e eu não teria como descrever o carro nem o motorista, de qualquer maneira."

"Pelo menos poderia ter ligado para mim", Marino disse.

"Eu sei."

"E depois, para onde você foi?", perguntei.

"Para casa."

"Rose, você está me deixando apavorada", falei. "E se ele estivesse esperando você chegar, escondido em algum lugar?"

"Eu não poderia passar o resto da noite na rua, e voltei para casa por um caminho diferente."

"Você tem alguma idéia de que horas eram quando ele sumiu?", Marino perguntou.

"Entre seis e seis e meia, aproximadamente. Meu Deus, nem acredito que ela estivesse lá dentro no momento em que parei na loja. E se ele também estivesse? Se pelo menos eu soubesse. Não consigo deixar de pensar que deveria haver algum indício, algo que eu deveria ter notado. Quem sabe desde terça-feira à noite, quando passei lá."

"Rose, você não poderia ter percebido nada, a não ser que fosse uma cigana com bola de cristal", Marino disse.

Ela respirou fundo, ainda trêmula, e apertou mais o roupão contra o corpo.

"Não consigo me esquentar", ela disse. "Kim era uma moça tão boa."

Ela parou de falar de novo e seu rosto se contorceu de dor. As lágrimas encheram-lhe os olhos e escorreram pelo rosto.

"Ela nunca foi grosseira com ninguém, e trabalhava muito. Como alguém tem coragem de fazer uma coisa dessas? Ela queria ser enfermeira, passar a vida ajudando as pessoas. Eu vivia preocupada, pensando no perigo de ela ficar lá sozinha. Ai, meu Deus, me ajude. Isso me veio à cabeça na terça-feira, mas eu não falei nada!"

Sua voz sumiu como se estivesse caindo na escada. Aproximei-me e me ajoelhei a seu lado, para abraçá-la.

"Foi como na época em que Sassy começou a passar mal... estava tão letárgica, e eu pensei que ela tinha comido algo que não deveria..."

"Tudo bem, Rose. Tenha paciência, vai ficar tudo bem", falei.

"E no fim descobriram que ela tinha engolido um caco de vidro... minha querida sangrava por dentro... e eu não fiz nada a respeito."

"Você não sabia. Não temos como saber tudo." Senti uma pontada de dor também.

"Se pelo menos eu a tivesse levado antes ao veterinário... nunca me perdoarei por ter falhado, nunca. A pobre coitada ficou presa numa gaiola, com focinheira e tudo, e um monstro a espancou e quebrou seu focinho... naquela *maldita pista de corrida para cães*! E eu deixei ela sofrer até morrer."

Ela chorava como se sofresse por todos os atos de crueldade e perdas do mundo. Segurei seus punhos cerrados com as duas mãos.

"Rose, preste bem atenção no que vou dizer. Você salvou Sassy de uma existência infernal, como salvou muitos outros. Você não poderia ter feito nada por ela, assim como não poderia ter feito nada quando parou para comprar seus biscoitos. Kim já estava morta. Falecera havia várias horas."

"E quanto a ele?", Rose gritou. "E se ele ainda estivesse dentro da loja, e eu entrasse naquele momento? Estaria morta também, não é? Levaria um tiro e seria jogada fora feito lixo. Quem sabe ele não teria feito coisas horríveis comigo também."

Ela fechou os olhos, exausta. As lágrimas escorriam por seu rosto. A crise passara, e ela relaxou inteiramente. Marino debruçou-se no sofá e tocou-lhe o joelho.

"Você precisa nos ajudar", ele disse. "Precisamos saber por que você achou que estava sendo seguida e acredita que o assassinato esteja ligado a esse fato."

"Por que você não vem para casa comigo?", perguntei.

Seus olhos se abriam à medida que ela recobrava a compostura.

"Aquele carro vindo atrás de mim, bem ali onde ela foi assassinada? Por que ele não começou a me seguir antes?", ela disse. "Uma hora, uma hora e meia até o alarme disparar. Você não acha isso uma coincidência espantosa?"

"Claro que acho", Marino concordou. "Mas já vi inúmeras coincidências espantosas em minha carreira."

"Eu me sinto uma idiota", Rose disse, baixando os olhos para as mãos.

"Estamos todos cansados", falei. "Na minha casa tem bastante lugar..."

"Vamos pegar o Chuquinho por causa das drogas", Marino disse. "Não há nada de idiota nisso."

"Prefiro ficar por aqui mesmo e ir para a cama", Rose disse.

Continuei a analisar o que ela havia dito enquanto descíamos a escada, a caminho do estacionamento.

"Veja bem", Marino disse, destrancando seu carro, "você convive com o Chuck muito mais do que eu. Você o conhece muito melhor, o que é péssimo."

"E você vai me perguntar se era ele, no carro alugado que me seguiu", falei quando ele engatou a ré e recuou para entrar na Randy Travis. "A resposta é não. Ele é furtivo. Mentiroso e ladrão, mas covarde, acima de tudo. Seguir alguém descaradamente exige um bocado de arrogância. Ainda mais com o farol alto aceso. Quem anda fazendo isso é muito seguro de si. Não sente medo de ser apanhado, pois se acha muito esperto."

"Bela definição de psicopata", ele disse. "Agora me sinto pior ainda. Diacho. Não quero nem pensar que o responsável pela morte de Luong anda seguindo você e Rose."

As ruas estavam geladas novamente, e os motoristas de Richmond, a quem faltava juízo, deslizavam e derrapavam por todos os lados. Marino ligara o rádio da polícia e monitorava os acidentes.

"Quando você vai devolver o aparelho?", perguntei.

"Quando eles tentarem tirá-lo de mim", ele respondeu. "Não vou devolver nada."

"A idéia é essa."

"A pior coisa, em todos os casos nos quais trabalhei", ele disse, "é que nunca há só um lance acontecendo. Os policiais tentam relacionar tantos eventos que, no momento em que resolvem o caso, poderiam começar a escrever a biografia da vítima. Metade do tempo, quando descobrimos uma ligação, ela não é importante. Como o marido furioso com a esposa. Ela saiu de casa irada e foi para o shopping center, onde acabou sendo seqüestrada no estacionamento. A briga com o marido não teve nada a ver com a história. Vai ver ela ia às compras de qualquer jeito."

Ele entrou no acesso para minha casa e estacionou a picape. Olhei longamente para ele.

"Marino, o que você vai fazer em relação ao dinheiro?"

"Não se preocupe."

Eu sabia que a situação era preocupante.

"Você pode trabalhar para mim por um tempo, como investigador de campo", falei. "Até essa bobagem de suspensão acabar."

Ele permaneceu em silêncio. Enquanto Bray estivesse no comando, a suspensão continuaria valendo. Suspendê-lo sem pagamento era o modo que Bray encontrara para forçar Marino a se demitir. Se ele fizesse isso, ficaria fora do caminho, como Al Carson.

"Posso contratá-lo de duas maneiras", prossegui. "Por caso, e você ganhará cinqüenta dólares por..."

Ele bufou. "Cinqüenta dólares uma ova!"

"Ou posso contratá-lo em regime de meio período. Mas, depois de um tempo, terei de colocar um anúncio e você precisará concorrer à vaga, como todo mundo."

"Não me faça vomitar."

"Quanto você ganha atualmente?"

"Sessenta e dois mil por ano, fora os benefícios", ele respondeu.

"O máximo que posso fazer é nomeá-lo P-14, como especialista. Trinta horas por semana. Sem benefícios. Trinta e cinco mil por ano."

"Muito engraçado. A maior piada que ouvi nos últimos tempos."

"Também posso arranjar um emprego como instrutor e coordenador de investigações de mortes, no Instituto. Mais trinta e cinco mil. Chegamos a setenta. Sem benefícios. Na verdade, você vai acabar ganhando um pouco mais."

Ele refletiu por um momento, tragando a fumaça do cigarro.

"Não preciso de sua ajuda no momento", ele disse, grosseiro. "E andar por aí metido com legistas e cadáveres não faz parte do meu projeto de vida."

Ele desceu da picape.

"Boa noite", falei.

Ele foi embora furioso, e eu sabia que no fundo não estava bravo comigo. Sentia-se frustrado e revoltado. Seu amor-próprio fora abalado, ele ficara vulnerável na minha frente, e não queria que eu testemunhasse sua insegurança. Mesmo assim, o que ele disse me magoou.

Joguei o casaco em cima de uma poltrona, na entrada, e tirei a luva de couro. Pus para tocar um CD da sinfonia *Eroica* de Beethoven e meus nervos abalados começaram a recuperar seu ritmo, como as cordas que tocavam. Comi uma omelete e fui para a cama com um livro que não li, de tão cansada.

Dormi com a luz acesa e acordei chocada com o som do alarme contra roubo. Apanhei a Glock na gaveta e lutei contra o impulso de desligá-lo. Não suportava aquele barulho todo. Mas não sabia ainda o que provocara seu acionamento. O telefone tocou minutos depois.

"Aqui é a ADT..."

"Certo", falei, erguendo a voz. "Não sei o que disparou o alarme..."

"Consta aqui zona cinco", o homem disse. "Porta dos fundos, da cozinha."

"Não tenho a menor idéia do que foi."

"Então acho melhor chamar a polícia."

"Acho bom, mesmo", falei, e a sirene continuou a tocar em minha casa.

28

Deduzi que uma rajada forte de vento disparara o alarme. Minutos depois eu o desativei para poder escutar quando a polícia chegasse. Esperei, sentada na cama. Não executei a penosa rotina de verificar todos os aposentos da casa, percorrendo quartos, banheiros e tenebrosos vãos apavorantes.

Apurei os ouvidos para o silêncio, extremamente sensível para os sons nele contidos. Ouvi o soprar do vento, o clicar baixinho quando os números do relógio digital mudavam, o aquecedor e minha respiração. Um carro entrou no acesso, e corri para a porta da frente quando um dos policiais bateu com força, usando o cassetete ou um bastão, em vez de tocar a campainha.

"Polícia", proclamou uma voz feminina firme.

Pedi que entrassem. Havia dois policiais, a moça que batera e um senhor. O crachá identificava a jovem como J. F. Butler, e alguma coisa nela me impressionou.

"A área é a da porta da cozinha que dá para fora", informei. "Sou grata por terem vindo tão depressa."

"Qual é seu nome?", R. I. McElwayne, o outro guarda, perguntou.

Ele agia como se não soubesse quem eu era, como se eu fosse uma senhora de meia-idade qualquer, de roupão, residente numa bela casa de um bairro que raramente precisava de polícia.

"Kay Scarpetta."

Ele atenuou um pouco seus modos rígidos, dizendo:

"Eu não sabia se a senhora realmente existia. Ouvi falar muito no seu nome, mas nunca estive no necrotério, nem uma única vez, em onze anos. Ainda bem".

"Claro, na sua época a gente não era obrigada a ver autópsias de demonstração e aprender todos aqueles conceitos científicos", Butler provocou.

McElwayne segurou o riso enquanto seus olhos percorriam minha casa, curiosos.

"Você pode passar por lá e assistir a uma autópsia didática quando quiser", falei.

Butler estava atenta a tudo, seu corpo em alerta. A pressão da atividade não embotara seus sentidos, como ocorrera com seu parceiro, cujo maior interesse no momento era minha casa e minha identidade. Ele provavelmente parara milhares de carros e atendera a milhares de alarmes falsos em sua carreira, por um salário pequeno e reconhecimento ainda menor.

"Seria melhor se déssemos uma olhada por aí", Butler me disse, trancando a porta da frente. "A começar pelos fundos."

"Por favor, façam o que for necessário."

"Por gentileza, espere aqui", ela disse, seguindo para a cozinha. Foi então que entendi, e a intensidade das emoções me surpreendeu de guarda completamente baixa.

Ela se parecia com Lucy. Os olhos, o nariz reto, o jeito de gesticular. Lucy não conseguia mover os lábios sem mexer as mãos, como se regesse a conversa. Parada no vestíbulo, eu escutava os passos deles no assoalho de madeira de lei, as vozes abafadas, o fechar das portas. Levaram um bom tempo, e imaginei que Butler queria garantir que eles não deixariam passar um único espaço grande o suficiente para ocultar um ser humano.

Depois desceram a escada e saíram na noite fria, iluminando com os faroletes potentes janelas e persianas. Isso levou mais quinze minutos, e quando bateram na porta para entrar novamente eles me levaram até a cozinha. McElwayne soprava as mãos geladas, vermelhas. Butler vira algo importante.

"A senhora sabia que há um amassado no batente da porta da cozinha?", ela perguntou.

"Não", respondi, sobressaltada.

Ela destrancou a porta que ficava perto da mesa, ao lado da janela, onde normalmente eu comia quando recebia amigos ou estava sozinha. O vento frio entrou com força quando me aproximei para ver o que ela havia descoberto. Butler apontou a lanterna para uma marca discreta no batente e na virada da madeira, onde parecia que alguém havia tentado forçar a porta.

"Pode estar aí há algum tempo, sem que você tenha notado", ela disse. "Não checamos quando seu alarme disparou na terça-feira, pois foi na área da porta da garagem."

"*Meu* alarme disparou na terça-feira?", repeti, surpresa. "Não sei de nada a esse respeito!"

"Vou para o carro", McElwayne disse ao sair da cozinha, ainda esfregando as mãos. "Já volto."

"Eu estava no turno do dia", ela explicou. "Parece que sua empregada disparou o alarme acidentalmente."

Eu não compreendia como Marie poderia ter disparado o alarme da garagem, a não ser que ele tivesse ido lá por algum motivo, ignorando o alerta sonoro para desligá-lo.

"Ela ficou muito abalada", Butler prosseguiu. "Aparentemente, não conseguiu se lembrar do código. Só fez isso depois que já estávamos aqui."

"A que horas foi a ocorrência?", perguntei.

"Por volta das onze horas."

Marino não poderia ter ouvido o chamado pelo rádio, pois às onze da manhã ele estava no necrotério comigo. Pensei no alarme desligado quando voltei para casa naquela noite, nas toalhas molhadas e na sujeira no tapete. Não entendia por que Marie não havia deixado um bilhete contando o ocorrido.

"Não tínhamos motivos para examinar esta porta",

Butler disse. "Portanto, fica difícil determinar se a marca estava aqui na terça-feira."

"Mesmo que não estivesse", falei, "obviamente alguém tentou arrombar a porta."

"Unidade vinte e três", Butler falou. "Dez-cinco para um detetive do distrito, tentativa de arrombamento."

"Unidade sete-noventa-dois", disseram do outro lado.

"Pode dar o retorno referente à tentativa de arrombamento?", ela disse, fornecendo meu endereço.

"Dez-quatro. Dentro de quinze minutos."

Butler posicionou o rádio em cima da mesa da cozinha e examinou melhor a fechadura. Rajadas de vento gélido espalharam uma pilha de guardanapos de papel pelo chão e fizeram voar algumas páginas do meu jornal.

"Ele vem de Meadow e Cary", ela me disse, como se fosse algo que eu precisava saber. "O distrito fica lá."

Ela fechou a porta.

"Eles não fazem mais parte da divisão de detetives", ela prosseguiu, observando minha reação. "Foram transferidos, agora usam farda, pois estão na área operacional. Creio que já faz um mês", acrescentou. Percebi para onde ela queria conduzir a conversa.

"Isso significa que os detetives de roubos estão agora sob o comando da chefe Bray", falei.

Ela hesitou, depois abriu um sorriso irônico. "E não estamos todos?"

"Quer tomar um café?", perguntei.

"Seria ótimo. Mas não quero incomodar."

Peguei o café no freezer. Butler sentou e começou a preencher o boletim de ocorrência enquanto eu apanhava canecas, creme e açúcar. Os policiais e operadores de rádio trocavam mensagens em código dez no ar. A campainha tocou, e abri para o detetive da divisão de roubos. Não o conhecia. Pelo jeito, eu não conhecia mais ninguém desde que Bray transferira as pessoas das funções que haviam aprendido direito e desempenhavam com competência.

"Esta é a porta em questão?", o detetive perguntou a Butler.

"Positivo. Ei, Johnny, tem uma caneta? Esta não está escrevendo direito."

Uma dor de cabeça se formava em meu cérebro.

"Tem uma que escreva, aí?"

Eu não podia acreditar no que estava acontecendo.

"Data de nascimento, por favor", McElwayne perguntou.

"Pouquíssimas pessoas instalam alarme contra roubo na garagem", Butler disse. "Na minha opinião, os sensores são mais fracos do que numa porta comum. O metal é mais leve, a superfície é muito maior. Se houve uma ventania muito forte..."

"Nunca uma ventania acionou o alarme da garagem", falei.

"Mas, se você for ladrão e perceber que uma casa possui alarme contra roubo", Butler prosseguiu em seu raciocínio, "provavelmente pensará que a porta da garagem não está protegida. E talvez lá dentro haja algo que valha a pena roubar."

"Certo. Vamos ver, doutora." McElwayne seguia preenchendo o boletim de ocorrência. "Temos seu endereço pessoal. Precisamos do endereço do local de trabalho, bem como dos números telefônicos de sua casa e do departamento."

"Não quero ver meus números num comunicado à imprensa. Eles nem constam da lista", aleguei, tentando conter o crescente ressentimento com aquela intrusão, bem-intencionada ou não.

"Doutora Scarpetta, suas digitais constam dos arquivos?", o detetive indagou, com o pincel na mão. O pó magnético escuro sujara meu piso.

"Sim. Para facilitar comparações."

"Foi o que imaginei. Presumo que todos os legistas façam isso, para o caso de tocarem em alguma coisa indevidamente", ele disse, sem intenção de me insultar, embora o tenha feito assim mesmo.

"Você entende o que estou dizendo?" Tentei fazer com que McElwayne olhasse para mim e prestasse atenção. "Não quero nada disso nos jornais. Não quero todos os repórteres da cidade e sabe Deus quem mais telefonando para minha casa. Não quero que saibam meu endereço, número do Seguro Social, data de nascimento, raça, sexo, onde nasci, altura, peso, cor dos olhos e parente mais próximo."

"Aconteceu algo recentemente que você considerou inusitado?", McElwayne continuou a me interrogar, enquanto Butler passava a fita para digitais ao detetive.

"Um automóvel me seguiu na quarta-feira à noite", respondi, relutante.

Senti que todos os olhos se voltavam em minha direção.

"Minha secretária acredita que tenha sido seguida também. Na noite passada."

McElwayne anotou tudo isso. A campainha tocou de novo. Vi Marino no monitor do Aiphone que havia na parede, perto da geladeira.

"E acho bom não sair nada no jornal a respeito", alertei, saindo da cozinha.

"Não, senhora, isso aqui constará no relatório suplementar. Não estará disponível para a imprensa." A voz de Butler me seguiu.

"Por favor, faça alguma coisa", falei a Marino ao abrir a porta. "Alguém tentou arrombar minha casa, e agora minha privacidade irá rapidamente para o espaço."

Marino mascava chiclete furiosamente e me olhava como se eu tivesse cometido um crime.

"Seria melhor se você me avisasse quando alguém tentasse arrombar sua casa. Eu não precisaria ficar sabendo pelo rádio da polícia", ele disse, enquanto seus passos pesados de raiva o conduziam na direção das vozes.

Eu não suportava mais tanta pressão e me retirei para o escritório, onde telefonei para Marie. Uma criança atendeu o telefone, depois o passou para Marie.

"Acabei de descobrir que o alarme disparou quando você estava aqui, na terça-feira", falei.

"Lamento muito, doutora Scarpetta", ela disse, em tom lamurioso. "Eu não sabia como agir. Não fiz nada para disparar o alarme. Estava passando aspirador quando tudo aconteceu. Não me lembrei do código porque fiquei com muito medo."

"Compreendo, Marie", falei. "Também me assusta. E disparou de novo ontem à noite, sei exatamente como você se sentiu. Mas é preciso que você me conte essas coisas, quando ocorrerem."

"A polícia não quis acreditar em mim. Eu tinha certeza. Falei para eles que não tinha ido até a garagem, e..."

"Não precisa se preocupar", falei.

"Eu estava com medo de que a senhora ficasse brava comigo, por causa da polícia... e não quisesse que eu continuasse trabalhando aí... sei que deveria ter contado tudo. Vou contar sempre, prometo."

"Não precisa ficar com medo. A polícia não vai perseguir você aqui, Marie. As coisas não são como em seu país. Mas quero que você tome muito cuidado, quando estiver em minha casa. Mantenha o alarme ligado e não se esqueça de conferir se está funcionando, quando for embora. Você notou alguém, ou algum carro estranho por perto, que chamasse sua atenção?"

"Eu me lembro que chovia e fazia muito frio. Mas não vi ninguém."

"Se vir alguém rondando a casa me avise, está bem?"

29

O boletim de ocorrência e o relatório suplementar chegaram às mãos da imprensa a tempo de pegarem o noticiário das seis da tarde de sábado. Os repórteres começaram a ligar para minha casa e para a de Rose, a fim de fazer perguntas a respeito das suspeitas de que nos seguiam.

Não me restava dúvida alguma de que Bray estava por trás do vazamento de informações. Assim ela se divertiu um pouco naquele fim de semana frio e escuro. Claro, pouco lhe importava que minha secretária de sessenta e quatro anos morasse sozinha num conjunto habitacional que não tinha portão com guarda.

No final da tarde de domingo, apesar do desânimo, eu estava sentada na sala, com a lareira acesa, terminando um artigo muito atrasado para uma publicação acadêmica. O tempo continuava horrível e minha concentração também. Naquela altura Jo já devia estar internada no MCV e Lucy estaria em Washington, pelos meus cálculos. Eu não tinha certeza. Mas de uma coisa eu estava certa. Lucy ficara com raiva, e sempre que isso acontecia ela se afastava de mim. Isso poderia durar meses, ou até um ano.

Eu havia conseguido me conter e não telefonei para minha mãe nem para minha irmã, o que pode parecer frieza de minha parte. Mas eu não agüentaria outra conversa estressante. Finalmente, resolvi ligar, no domingo à noite. Dorothy não estava em casa. Tentei minha mãe, em seguida.

"Não, Dorothy não veio aqui", minha mãe falou. "Ela está em Richmond, e você saberia disso se telefonasse de vez em quando para mim ou para sua irmã. Lucy participou de um tiroteio, e você nem se deu ao trabalho..."

"Dorothy está em Richmond?", perguntei, incrédula.

"O que você esperava? É a filha dela."

"Então Lucy também está em Richmond?" A informação chegou cortando como bisturi.

"Foi por isso que a mãe dela foi para aí. Claro que Lucy está em Richmond."

Eu não deveria ter ficado tão surpresa. Dorothy era narcisista e carente de atenção. Sempre que havia uma tragédia, ela tinha de ocupar o centro do palco. Se isso significasse assumir repentinamente o papel de mãe de uma filha a quem não dava a menor atenção, tudo bem. Dorothy se sacrificaria.

"Ela saiu daqui ontem, e não se preocupou em perguntar se poderia dormir na sua casa, pois você não dá a menor importância para sua família", minha mãe disse.

"Dorothy nunca quis ficar aqui em casa."

Minha irmã adorava bares de hotel. Na minha casa não havia a possibilidade de encontrar homens, pelo menos nenhum que eu estivesse disposta a dividir com ela.

"Onde ela se hospedou?", perguntei. "E Lucy, está com ela?"

"Ninguém quis me dizer. Tudo envolto em muito segredo, embora eu seja a avó e..."

Eu não agüentava mais.

"Mãe, preciso desligar", falei.

Desliguei na cara dela praticamente, e telefonei para a casa do chefe do departamento de ortopedia, dr. Graham Worth.

"Graham, preciso de sua ajuda", falei.

"Não me diga que um paciente meu morreu", ele falou, bem-humorado.

"Graham, você sabe que eu não pediria sua ajuda se não fosse algo muito importante."

O tom brincalhão deu lugar ao silêncio.

"Você tem uma paciente internada com nome falso.

Agente da DEA, ferida num tiroteio em Miami. Você sabe de quem estou falando."

Ele não disse nada.

"Estou a par do tiroteio", ele respondeu. "Saiu no noticiário, sem dúvida."

"Fui eu quem pediu ao supervisor de Jo Sanders que a transferisse para o MCV. Prometi que cuidaria dela pessoalmente, Graham."

"Conto com sua compreensão, Kay", ele disse. "Recebi instruções para não permitir que ninguém a visse, exceto familiares de primeiro grau."

"E mais ninguém?", perguntei, atônita. "Nem mesmo minha sobrinha?"

Ele respondeu, após uma pausa. "Lamento muito dizer isso, mas *principalmente* ela."

"Por quê? Isso é ridículo!"

"Não depende de mim."

Eu nem conseguia imaginar a reação de Lucy, se a impedissem de ver a companheira.

"Ela sofreu uma fratura no fêmur esquerdo, com fragmentação óssea acentuada", ele explicou. "Foi preciso usar uma placa. Está na tração, tomando morfina, Kay. Tem momentos de consciência e desfalece. Só os pais receberam autorização para visitá-la. Não posso nem afirmar que ela esteja entendendo onde está ou o que aconteceu."

"E quanto ao ferimento na cabeça?"

"Apenas uma pancada que cortou o couro cabeludo."

"E Lucy apareceu aí? Poderia estar esperando, do lado de fora do quarto? Talvez acompanhada pela mãe."

"Ela passou por aqui hoje cedo, sozinha", foi a resposta do dr. Worth. "De manhã. Duvido que ainda esteja aqui."

"Pelo menos me dê uma chance de conversar com os pais de Jo."

Ele não respondeu.

"Graham?"

Silêncio.

"Pelo amor de Deus. Elas são companheiras. São amigas."

Silêncio.

"Alô? Está me ouvindo?"

"Estou."

"Puxa vida, Graham, elas se amam. Jo talvez nem saiba que Lucy está viva."

"Jo sabe que sua sobrinha está bem. Mas não quer vê-la", ele disse.

Desliguei o telefone e fiquei olhando para o aparelho. Minha irmã se hospedara num hotel da minha cidade e sabia o paradeiro de Lucy. Pensei nas páginas amarelas e comecei pelo Omni, depois o Jefferson, os mais óbvios. Logo descobri que Dorothy se hospedara no Berkeley, na parte antiga da cidade, o bairro histórico conhecido como Shockhoe Slip.

Ela não atendeu o telefone no apartamento. Em Richmond, não há muitos lugares onde se pode encher a cara no domingo, e saí correndo de casa para pegar o carro. O céu estava muito nublado. Deixei meu carro com o manobrista do Berkeley e percebi assim que entrei que Dorothy não deveria estar por lá. O hotel, pequeno e elegante, tinha um bar escuro, aconchegante, com clientela discreta. O atendente usava paletó branco e se mostrou muito atencioso quando o abordei.

"Procuro minha irmã, pensei que poderia estar aqui", falei, e a descrevi. Ele balançou a cabeça negativamente.

Saí novamente, atravessei a rua de pedras chatas e entrei no Tobacco Company, um antigo galpão fumageiro convertido em restaurante. O elevador de vidro e latão subia e descia no meio de um salão cheio de plantas exuberantes e flores exóticas. Logo na entrada havia um pianobar com pista de dança. Vi Dorothy sentada a uma mesa, acompanhada por cinco homens. Aproximei-me disposta a cumprir minha missão.

As pessoas nas mesas vizinhas interromperam a conversa e fixaram os olhos em mim como se eu fosse um pistoleiro a entrar num saloon de faroeste.

"Com licença", falei educadamente ao homem à esquerda de Dorothy, "você se importa se eu me sentar por um momento?"

Ele se importava, mas cedeu a cadeira e seguiu para o balcão. Os outros companheiros de Dorothy se ajeitaram nos assentos, desconfortáveis.

"Vim buscá-la", falei a Dorothy, que obviamente bebia já havia algum tempo.

"Ei, vejam só quem chegou!", ela gritou, erguendo o uísque com soda num arremedo de brinde. "Minha irmã mais velha. Vou apresentá-la ao pessoal", disse.

"Fique quieta e me escute", falei em voz baixa.

"Minha legendária irmã mais velha."

Dorothy sempre dava vexame quando bebia. Não enrolava a língua nem tropeçava, mas provocava e humilhava os homens com seus comentários ferinos. Sua atitude me envergonhava, assim como seu jeito de se vestir, que por vezes parecia uma paródia do meu.

Naquela noite ela usava um conjunto azul-escuro elegante, como se fosse executiva, mas sob o casaco uma blusa rosa justa oferecia aos companheiros de mesa os contornos dos seios. Dorothy sempre se mostrara obcecada por seus seios pequenos. Fazer os homens grudarem os olhos neles talvez a reconfortasse um pouco.

"Dorothy", falei, debruçando-me até quase encostar no ouvido dela, quando o excesso de Chanel Coco quase me derrubou, "você precisa vir comigo. Precisamos conversar."

"Sabem quem ela é?", ela disse em voz alta, fazendo com que eu me encolhesse toda. "Ela é a chefona do departamento de medicina legal desta maravilhosa comunidade. Dá para acreditar? Minha irmã mais velha é legista."

"Puxa, deve ser muito interessante", disse um dos homens.

"Quer tomar alguma coisa?", um outro ofereceu.

"Então, qual é a verdade no caso Ramsey, afinal? Você acha que foram os pais?"

"Eu gostaria que alguém provasse que os ossos encontrados eram realmente de Amelia Earhart."

"Cadê a garçonete?"

Peguei Dorothy pelo braço e nos levantamos da mesa. Admito uma coisa em relação a minha irmã: ela era orgulhosa demais para fazer uma cena na qual não parecesse inteligente e sedutora. Eu a escoltei para fora, para a desanimadora noite de janelas escuras e neblina.

"Não vou para a sua casa", ela vociferou, agora que ninguém podia ouvi-la. "E larga do meu braço, porra."

Ela tentou ir na direção do hotel, mas eu a forcei a ir para meu carro.

"Você vai comigo, para decidirmos o que fazer em relação a Lucy."

"Já estive com ela no hospital", Dorothy disse.

Eu a empurrei para o banco do passageiro.

"Ela nem tocou no seu nome", minha irmã comentou, sempre muito sensível.

Entrei e tranquei as portas.

"Os pais de Jo são uns amores", ela acrescentou quando arrancamos. "Fiquei atônita quando descobri que não sabiam a verdade a respeito do relacionamento entre Lucy e Jo."

"E o que você fez? Contou tudo a eles, Dorothy?"

"Não fui direta, mas creio que deixei escapar algo, pois jurava que eles sabiam. Sabe, acho estranho esse monte de prédios, estou acostumada com Miami."

Eu queria dar uns tabefes nela.

"Bem, de qualquer modo, conversei com os Sanders por um bom tempo e me dei conta de que são conservadores. Jamais aceitariam que a filha tivesse um relacionamento lésbico."

"Espero que não tenha usado a palavra lésbica."

"Ora, mas é isso mesmo que elas são. Descendentes

das amazonas da ilha de Lesbos, no mar Egeu, ao largo da costa turca. Já notou como as turcas são peludas?"

"Já ouviu falar em Safo?"

"Claro que ouvi falar nele", Dorothy disse.

"*Ela* era lésbica, pois vivia em Lesbos. *Ela* foi uma das maiores poetas líricas da Antigüidade."

"Que nada. Não tem lirismo nenhum naquelas jogadoras de hóquei cheias de piercings que eu conheço. Claro, os Sanders não foram logo dizendo que achavam que Lucy e Jo eram lésbicas. Argumentaram que Jo sofrera um trauma terrível, e que ver Lucy traria as lembranças de volta. Era cedo demais para tanto. Foram muito enfáticos, mas sempre gentis. Quando Lucy chegou, eles também se mostraram muito simpáticos e carinhosos, ao explicar isso a ela."

Passei pelo pedágio.

"Infelizmente, você conhece Lucy. Ela os enfrentou. Disse que não acreditava neles, depois começou a falar alto, agressivamente. Expliquei aos Sanders que os acontecimentos a abalaram muito, que ela passava por um momento difícil. Eles foram muito pacientes e disseram que iam rezar por ela. Logo depois uma enfermeira pediu a Lucy que se retirasse.

"Ela saiu feito louca", minha irmã disse. Olhou bem para mim e completou, "e é claro que vai procurar você, magoada ou não, como sempre faz."

"Como você teve coragem de fazer isso com ela?", perguntei. "Como foi capaz de se colocar entre ela e Jo? Que tipo de pessoa você se tornou, afinal?"

Dorothy levou um susto. Percebi sua animosidade.

"Você sempre sentiu inveja de mim porque não é a mãe dela", ela atacou.

Peguei a saída da Meadow Street em vez de seguir direto para casa.

"Por que não esclarecemos isso de uma vez por todas?", Dorothy disse, encorajada pelo uísque. "Você não passa de uma máquina, de um computador ambulante, um desses equipamentos tecnológicos que ela tanto aprecia.

Todo mundo se pergunta o que há de errado com uma pessoa que prefere passar a vida rodeada de defuntos. De gente morta, congelada, fedorenta. E, na maioria das vezes, indigentes."

Segui pela Downtown Express novamente, de volta ao centro.

"Eu, pelo contrário, acredito em relacionamentos. Dedico meu tempo às atividades criativas, à reflexão e aos relacionamentos. Acredito que nosso corpo é um templo, e que devemos nos orgulhar dele, cuidar dele. Veja seu estado", ela disse, fazendo uma pausa de efeito. "Você bebe, fuma, não faz academia. Não sei como não engordou e ficou flácida. Acho que passar o dia cortando costela e correndo atrás das cenas dos crimes ou no necrotério, em pé, deve ajudar. Mas vamos de uma vez à pior parte."

Ela se debruçou sobre mim, despejando o desagradável bafo de uísque.

"Ponha o cinto de segurança, Dorothy", falei.

"Veja o que você fez com minha filha. Minha única filha. Você nunca teve filhos, pois andava sempre muito ocupada. Por isso roubou a minha", ela fuzilou, com seu hálito de bebida. "Eu nunca, nunca, nunca deveria ter deixado que ela a visitasse. Onde eu estava com a cabeça quando permiti que ela passasse o verão com você?"

Ela levou as duas mãos à cabeça, dramática.

"Você a entupiu de histórias sobre armas, munições, investigações de crimes! Você a transformou numa maníaca por computadores aos dez anos, idade em que as meninas deviam ir a festinhas de aniversário, andar de pônei e fazer amigas!"

Deixei que ela destilasse seu veneno e concentrei a atenção no trânsito.

"Você a obrigou a conviver com um policial brutal, feio e gordo. E vamos encarar os fatos. Seu único relacionamento afetivo com um homem foi com ele. Espero sinceramente que você não tenha dormido com um porco daquele tamanho. E lamento dizer, pois sinto o que aconteceu a Benton, mas ele não passava de um fraco. O sujeito não tinha o menor pulso, era um frouxo.

"Então, era você quem cantava de galo naquele terreiro, dando sempre uma de *doutora-advogada-mandachuva*. Eu já disse isso antes e vou repetir: você não passa de um homem de peito grande. Engana todo mundo porque parece *toda elegante* em seu conjunto Ralph Lauren, com esse carro metido. Você se acha toda sexy por causa do peito, sempre me humilhando, me fazendo pensar que tem alguma coisa de errado comigo, sempre me gozando quando eu comprava um Mark Eden e outras coisas, para compensar. Você se lembra do que a mamãe falou?

"Ela me deu uma foto de um sujeito de mão enorme e peluda e disse: 'É isso que faz o peito das mulheres crescer'."

"Você está bêbada", falei.

"Nós éramos adolescentes, e você zombava de mim!"

"Nunca zombei de você."

"Você fazia eu me sentir estúpida e feia. E tinha cabelo louro e peito e todos os meninos só falavam de você. Ainda por cima, era inteligente. Claro, sempre se achou o máximo, tirava notas melhores em tudo, menos em literatura!"

"Chega, Dorothy."

"Odeio você."

"Não é por aí, Dorothy."

"Mas a mim você não engana, claro que não."

Ela balançou a cabeça de um lado para o outro, apontando o dedo na minha cara.

"Você não me engana. Sempre desconfiei de seu jeito."

Estacionei na frente do hotel Berkeley e ela nem percebeu. Gritava, e as lágrimas escorriam por seu rosto.

"Você é uma sapata enrustida", ela disse, cheia de ressentimento. "*E foi você que fez minha filha virar fanchona!* Ela quase morreu e acha que eu sou horrível!"

"Por que você não entra logo no hotel e vai dormir?"

Ela enxugou as lágrimas e olhou pela janela, surpresa ao ver o hotel, como se fosse uma nave espacial que tivesse pousado silenciosamente.

"Não estou dispensando você no meio da rua, Dorothy. Mas acho que agora não é um bom momento para ficarmos juntas."

Ela fungou, e a raiva esvaneceu como fogos de artifício na noite.

"Vou acompanhá-la até o quarto", falei.

Ela balançou a cabeça, mantendo as mãos imóveis no colo. As lágrimas voltaram a escorrer pelo rosto retorcido.

"Ela não quer falar comigo", ela disse com voz sumida. "No minuto em que saí do elevador, no hospital, parecia que alguém tinha cuspido no prato dela."

Um grupo saía do Tobacco Company. Reconheci os homens que encontrara na mesa de Dorothy. Cambaleavam e riam alto demais.

"Ela sempre quis ser como você, Kay. Você faz idéia do quanto isso dói?", ela berrou. "Também sou gente. Por que ela nunca quis ser como eu?"

Ela avançou de repente, para me abraçar. Começou a chorar no meu pescoço, a soluçar e tremer. Eu queria gostar dela, mas não conseguia. Jamais gostara.

"Eu queria que ela me adorasse também", Dorothy exclamou, embriagada pelo álcool, pela emoção e pela paixão por cenas dramáticas. "Eu quero que ela me admire também! Quero que fale de mim como fala de você! Quero que me ache inteligente e forte, que todos virem a cabeça para me olhar quando entro em algum lugar. Quero que ela pense e diga a meu respeito todas aquelas coisas que ela fala sobre você! Quero que ela peça conselhos *a mim* e sonhe em ser igual a mim."

Engatei a marcha do carro e segui até a entrada do hotel.

"Dorothy", falei, "você é a pessoa mais egoísta que eu já conheci na vida."

30

Quando cheguei em casa, quase às nove horas, sentia arrependimento por não ter levado Dorothy comigo, em vez de deixá-la no hotel. Não me surpreenderia nem um pouco se ela tivesse atravessado a rua imediatamente e retornado ao bar. Talvez restasse algum cara solitário com quem ela pudesse se divertir um pouco.

Ouvi as mensagens e me irritei com as pessoas que telefonavam e desligavam sem deixar recado. Contei sete ligações, e em todas o número de quem chamara não estava disponível no identificador. Os repórteres não gostavam de deixar recado, nem mesmo no departamento, pois isso me dava a opção de não ligar de volta. Ouvi o som da porta de um carro sendo fechada, na frente de casa, e quase pensei que era Dorothy, mas quando olhei pela janela um táxi amarelo se afastava e Lucy estava tocando a campainha.

Ela carregava uma mala pequena e uma mochila, que largou no vestíbulo. Fechou a porta da frente sem me abraçar. Vi que na face esquerda havia uma mancha roxa escura, além de outras menores que começavam a amarelar. Eu vira marcas semelhantes o suficiente para saber que ela levara um soco.

"Eu a odeio", Lucy disse, e me olhava como se a culpa fosse minha. "Quem mandou que ela viesse para cá? Foi você?"

"Você sabe muito bem que eu jamais faria uma coisa dessas", falei. "Entre. Vamos conversar. Temos muito o que esclarecer. Meu Deus, fiquei com medo de nunca mais ver você."

Ela se sentou na frente da lareira e pôs mais um pedaço de lenha. Lucy estava péssima. Olheiras fundas, calça jeans e suéter folgados demais no corpo, o cabelo castanho avermelhado caído na cara. Ela apoiou o pé na minha mesa de centro. Ouvi o velcro quando ela abriu o coldre de tornozelo com a pistola.

"O que tem para beber nesta casa?", perguntou. "Pode ser bourbon, por exemplo. Aquele táxi desgraçado não tinha aquecimento, e a janela não fechava. Estou congelando. Olhe as minhas mãos."

Ela as estendeu. As unhas estavam azuladas. Segurei as duas com força, entre as minhas. Aproximei-me, no sofá, e a abracei. Ela parecia muito magra.

"Onde foram parar seus músculos?", perguntei de brincadeira.

"Não tenho comido bem..." Ela olhava fixamente para o fogo.

"Acabou a comida em Miami?"

Ela não sorriu.

"Por que minha mãe tinha de aparecer aqui? Por que ela não me dá sossego? A vida inteira ela não fez outra coisa senão me sujeitar a todos os seus homens. Só sabia desfilar rodeada de machos babando, enquanto eu não tinha ninguém. Cacete, eles também não tinham ninguém, e nem sabiam disso."

"Você sempre teve a mim."

Ela afastou o cabelo do rosto, sem dar nenhuma demonstração de ter ouvido o que eu disse.

"Sabe o que ela fez no hospital?"

"Como ela sabia onde você estava?" Eu precisava saber a resposta, e Lucy sabia por que eu havia feito essa pergunta.

"Porque ela é minha mãe biológica", ela disse, com voz cantarolada, cheia de sarcasmo. "Isso consta em todos os formulários, quer eu goste ou não. Além disso, ela sabe quem é a Jo. Minha mãe localizou os pais de Jo aqui em Richmond e descobriu tudo, pois é especialista em manipulação, e as pessoas acham que ela é sensacional. Os Sanders contaram qual era o quarto de Jo, e minha mãe apareceu no hospital de repente, hoje de manhã, sem saber sequer que eu estava lá. Entrou bancando a estrela, como sempre, e me viu lá sentada."

Ela cerrou os punhos e abriu a mão seguidamente, até os dedos embranquecerem.

"E depois, adivinhe o que aconteceu?", ela disse. "Minha mãe faz aquela cena da amiga solidária com os Sanders. Vai buscar café e sanduíche para eles, despeja pérolas de filosofia barata. E eles falam tudo, sem parar. Eu fiquei lá sentada, como se não existisse. Minha mãe chega perto depois e diz *Jo não vai receber visitas hoje.*

"Eu pergunto a ela quem ela pensa que é para me dizer aquilo. Ela explica que os Sanders pediram que ela conversasse comigo, pois não queriam ferir meus sentimentos. E eu acabo indo embora. Pelo que sei, minha mãe está lá até agora."

"Não está", falei.

Lucy se levantou e usou um ferro de lareira para ajeitar o fogo. Fagulhas surgiram, como em sinal de protesto.

"Ela foi longe demais. Desta vez, exagerou", minha sobrinha disse.

"Vamos falar de outras coisas. Quero conversar a respeito de você. Conte-me o que aconteceu em Miami."

Ela se sentou no tapete, encostou no sofá e ficou olhando para o fogo. Levantei-me, fui até o bar e servi uma dose de bourbon Booker's para ela.

"Tia Kay, eu preciso falar com ela."

Entreguei a bebida a Lucy e me sentei novamente. Massageei seus ombros e ela começou a relaxar. A voz perdeu o tom agressivo.

"Ela está lá, sem saber que fiquei esperando por ela. Talvez ache que eu não me importo."

"Por que ela pensaria uma coisa dessas, Lucy?"

Ela não respondeu. Parecia hipnotizada pelas chamas e pela fumaça. Apenas bebeu.

"Quando seguíamos para o local do flagrante no meu querido Mercedes V-doze", ela disse com voz distante, "Jo teve um pressentimento ruim, e falou a respeito comigo. Eu disse que era normal ter *pressentimentos ruins* antes de uma operação daquelas. Até zombei dela por causa disso."

Ela fez uma pausa, fitando o fogo, como se visse uma pessoa lá dentro.

"Chegamos ao apartamento que os filhos-da-mãe do Um-Sessenta-Cinco usavam como refúgio", ela disse, retomando o relato, "e Jo entrou primeiro. Havia seis sujeitos lá dentro, em vez de três. Percebi imediatamente que havíamos sido descobertas e sabia o que eles pretendiam fazer conosco. Um deles agarrou Jo e apontou uma arma para a cabeça dela, pois queria que contássemos onde ficava o local em Fisher Island que fora preparado para o flagrante."

Ela respirou profundamente e ficou quieta, como se não conseguisse prosseguir. Tomou um gole de bourbon.

"Minha nossa, o que é isso? Só o cheiro já está me derrubando."

"Sessenta por cento de álcool. Normalmente não ofereço esse tipo de bebida, mas não seria má idéia se você fosse derrubada agora. Ficaria um tempo comigo", falei.

"O ATF e a DEA fizeram tudo direitinho", ela me disse.

"Essas coisas acontecem, Lucy."

"Eu precisava pensar rápido. A única coisa que eu podia fazer era agir como se não desse a mínima importância à possibilidade de estourarem os miolos dela. Eles a mantinham sob a mira de uma arma e eu agi como se estivesse furiosa com ela, uma reação completamente inesperada."

Ela bebeu mais um gole. O bourbon estava fazendo efeito.

"Aproximei-me do marroquino que empunhava a pistola e disse na cara dele para ir em frente, acabar com a raça dela, pois era uma vaca idiota e eu já estava de saco cheio mesmo, ela vivia no meu caminho. Mas que se ele a apagasse naquela hora, só ia se ferrar e prejudicar todo mundo."

Lucy olhava para o fogo com olhos arregalados, sem piscar, como se repassasse a cena mentalmente.

"Falei: *Vocês acham que eu não esperava isso? Eu sabia que iam nos usar e jogar fora. Acham que sou estúpida? Sabem qual é a surpresa? O senhor Tortora conta com a nossa companhia* — nesse momento, consultei o relógio — *às uma e dezesseis em ponto. Pensei que seria legal entretê-lo um pouco antes de vocês aparecerem para fuzilar o cara e levar todas as armas, o dinheiro e a porra da cocaína. O que vai acontecer se a gente não aparecer? Ele vai ficar nervoso, certo?*"

Eu não conseguia tirar os olhos de Lucy. As imagens passavam por mim, vindas de todas as direções. Imaginei-a fazendo aquela cena tão arriscada, eu a vi de uniforme nos locais de incêndio, pilotando helicópteros e programando computadores. Eu a vi quando era uma menina irritante, impossível de controlar, a criança que eu praticamente havia criado. Marino tinha razão. Lucy pensava que precisava provar muitas coisas. Seu primeiro impulso sempre era lutar.

"Duvido que eles tenham acreditado em mim", ela disse. "Por isso, falei com Jo. Nunca vou esquecer seu olhar, com a pistola apontada para sua cabeça. Seus olhos." Ela parou. "Estavam calmos quando olhou para mim, pois..."

Sua voz fraquejou.

"... ela queria que eu soubesse que me amava..." Lucy começou a soluçar. "Ela me ama! Ela queria que eu soubesse, pois acredita que..." Sua voz se elevou e sumiu entre soluços. "Ela achou que ia morrer. Foi aí que comecei a gritar com ela. Chamei-a de vaca estúpida e lhe dei uma bofetada na cara com tanta força que minha mão ficou dormente.

"E ela continuou me olhando como se não tivesse

acontecido nada, enquanto o sangue escorria por seu nariz e pelo canto da boca, um filete vermelho que percorria seu rosto e pingava do queixo. Ela nem chorou. Ela estava fora da jogada, perdera a noção de tudo, esquecera o treinamento e tudo o que deveria fazer. Eu a agarrei. Joguei-a no chão com força, pulei em cima dela gritando, bati nela e gritei mais."

Lucy enxugou as lágrimas e olhou para a frente.

"O pior, tia Kay, é que em parte aquilo tudo foi real. Eu estava furiosa por ela me abandonar, por desistir. Ela ia simplesmente desistir e morrer, porra!"

"Como Benton", falei em voz baixa.

Lucy limpou o rosto na camisa. Aparentemente, nem escutou o que eu disse.

"Eu estou cansada das pessoas me abandonarem e fugirem de mim", ela disse, com a voz entrecortada. "Quando mais preciso, elas desistem!"

"Benton não desistiu, Lucy."

"E eu continuei xingando Jo, gritando e batendo nela, dizendo que eu ia matá-la, montada em cima dela. Eu a agarrei pelos cabelos. Isso fez com que voltasse a si, talvez a tenha incomodado, pois ela começou a reagir. Ela me chamou de piranha cubana e cuspiu sangue na minha cara, passou a desferir socos violentos, e naquela altura os sujeitos estavam rindo, assobiando e pondo a mão no saco..."

Ela respirou fundo novamente e fechou os olhos. Mal conseguia permanecer sentada. Apoiou o corpo nas minhas pernas, e as sombras da lareira fustigavam seu rosto forte, formoso.

"Ela passou a lutar com vontade. Meu joelho apertava tanto as costas dela que não sei como não quebrei alguma costela. Enquanto estávamos brigando, rasguei a blusa dela, isso realmente excitou os caras, e eles não perceberam que eu havia sacado a arma do coldre do tornozelo. Comecei a atirar. Disparei sem parar. Um tiro, dois, três..." Sua voz sumiu de novo.

Abaixei-me para abraçá-la.

"Sabe, eu estava usando aquela calça boca-de-sino, para esconder a Sig. Dizem que disparei onze tiros. Nem me lembro de ter removido o pente vazio e posto um cheio no lugar, para continuar atirando. De repente, o lugar se encheu de agentes e eu arrastei Jo para fora. Ela sangrava muito, na cabeça."

O lábio inferior de Lucy tremia muito, ela se esforçava para prosseguir, apesar de a voz sair com dificuldade. Como se ela não estivesse ali. Como se tivesse voltado à cena e a revivesse.

"Tiros. Tiros. E o sangue dela nas minhas mãos."

Sua voz se dirigia a Deus.

"Eu bati muito nela, bati muito. Ainda sinto seu rosto na palma da minha mão."

Ela olhou para as mãos como se quisesse arrancá-las.

"Senti seu corpo. A maciez da pele. E ela sangrou. Por minha causa, ela sangrou. A pele que eu acariciava e amava, coberta do sangue que fiz correr. Depois armas, armas, fumaça, ouvidos zumbindo, é terrível quando acontece isso. Acabou sem ter começado. E eu sabia que ela estava morta."

Ela baixou a cabeça e começou a chorar baixinho. Acariciei seus cabelos.

"Você salvou a vida dela. E a sua", falei finalmente. "Jo compreende muito bem o que você fez e por que fez, Lucy. Ela tem motivos para amá-la ainda mais."

"Desta vez estou encrencada, tia Kay."

"Você é uma heroína, isso sim."

"Não. Você não entende. Não interessa se eu agi em legítima defesa. Não importa se o ATF vai me dar uma medalha."

Ela se sentou, depois se levantou. Olhou para mim com expressão de derrota e uma outra emoção na face que não reconheci. Talvez fosse dor. Ela não demonstrara seu sofrimento quando Benton morrera. Eu só vira a raiva.

"O projétil retirado de sua perna era um Hornady

Custom Jacketed Hollowpoint. A munição que havia em minha pistola."

Eu não soube o que dizer.

"Quem atirou nela fui eu, tia Kay..."

"Mesmo que tenha sido..."

"E se ela não puder andar nunca mais...? E se sua carreira estiver encerrada na polícia, por minha causa?"

"Ela não vai saltar de um helicóptero tão cedo", falei. "Mas ficará boa."

"E se eu tiver deformado o rosto dela para sempre com os socos que dei?"

"Lucy, preste atenção em mim", falei. "Você salvou a vida dela. Se precisou matar duas pessoas para fazer isso, paciência. Você não tinha escolha. Não era isso que você queria fazer."

"Não era uma ova", Lucy disse. "Por mim, eu tinha matado todos eles."

"Você não fala a sério."

"Acho que não passo de uma mercenária", ela disse, amargurada. "Quer se livrar de assassinos, estupradores, assaltantes, pedófilos, traficantes? Ligue zero-oitocentos-L-U-C-Y."

"Você não vai conseguir trazer Benton de volta matando as pessoas."

Novamente, foi como se ela não tivesse escutado o que eu disse.

"Ele não queria que você se sentisse assim", insisti.

O telefone tocou.

"Ele não a abandonou, Lucy. Não fique com raiva de Benton por ele ter morrido."

No terceiro toque do telefone ela não conseguiu mais se conter. Atendeu, incapaz de ocultar a esperança e o medo. Eu não fui capaz de lhe contar o que o dr. Worth me dissera. Não era o momento.

"Claro, um instante", ela disse. O desapontamento e a mágoa tomaram seu rosto quando me passou o aparelho.

"Pois não", respondi, relutante.

"É a doutora Kay Scarpetta?", perguntou uma voz masculina desconhecida.

"Quem fala?"

"É muito importante que eu confirme sua identidade." O sotaque era norte-americano.

"Se for repórter..."

"Vou lhe dar um número telefônico."

"E eu vou avisando que pretendo desligar se você não disser quem é", falei.

"Por favor, anote o número", ele disse, e o passou antes que eu pudesse recusar.

Reconheci o código internacional da França.

"São três da manhã na França agora", falei, como se ele não soubesse.

"Não importa a hora. Recebemos informações suas e fizemos uma checagem em nosso sistema de computadores."

"De mim, não."

"Sabemos que não foi a senhora quem digitou os dados, doutora Scarpetta."

A voz de barítono era suave, lembrava madeira envernizada.

"Estou no secretariado de Lyon", ele informou. "Telefone para o número que lhe forneci e pelo menos ouça a mensagem que deixamos para ligações fora do expediente."

"Isso não faz sentido..."

"Por favor."

Desliguei e telefonei para o tal número. Uma voz feminina com sotaque francês pesado disse "bom dia", antes de informar os horários de atendimento em francês e em inglês. Teclei o número do ramal que me fora fornecido e a voz masculina retornou.

"*Bon jour?* Isso serve para identificá-lo?", falei. "Pelo que sei, aí pode ser até um restaurante."

"Por favor, mande uma folha de seu papel de carta personalizado pelo fax. Assim que eu a receber, poderemos conversar."

Ele me forneceu outro número. Deixei-o esperando

na linha e mandei um fax do meu papel de carta enquanto Lucy continuava olhando o fogo na lareira, com o cotovelo apoiado no joelho, a mão segurando o queixo, absorta.

"Meu nome é Jay Talley, faço a ligação entre o ATF e a Interpol", ele disse quando voltei ao telefone. "Precisamos que a senhora venha para cá imediatamente. A senhora e o capitão Marino."

"Não entendi", falei. "Você deve ter visto meu relatório. Nada tenho a acrescentar no momento."

"Não pediríamos que a senhora viesse se não fosse muito importante."

"Marino não tem passaporte", falei.

"Ele foi para as Bahamas há três anos."

Eu havia esquecido que Marino levara uma de suas escolhas femininas equivocadas para um cruzeiro marítimo de três dias. O relacionamento não durara muito mais do que isso.

"Não me importa o quanto isso é importante", falei. "Não pretendo pegar um avião e voar para a França sem saber..."

"Aguarde um minuto", ele me interrompeu educadamente, mas com firmeza. "Senador Lord? Está nos ouvindo?"

"Sim."

"Frank?", falei, surpresa "Onde você está? Na França?"

Fiquei pensando quanto tempo fazia que ele estava na linha, escutando tudo.

"Kay, confie em mim. Isso é muito importante." O senador Lord fez o pedido num tom de voz que enfatizou quem ele era. "Vá para lá imediatamente. Nós precisamos da sua ajuda."

"Nós?"

Talley voltou a falar. "Você e Marino precisam estar no terminal privado Millionaire às quatro e trinta da manhã, hora local. Daqui a menos de seis horas, portanto."

"Não posso viajar no momento...", comecei a falar, vendo Lucy na porta do escritório.

"Não se atrase. Sua conexão para Nova York sai às oito e meia", ele disse.

Pensei que o senador Lord havia desligado, mas inesperadamente ouvi sua voz.

"Obrigado, agente Talley", ele disse. "Quero conversar com ela agora."

Percebi que Talley desligava.

"Quero saber como você está, Kay", disse meu amigo senador.

"Não faço a menor idéia."

"Estou preocupado", ele disse. "Saiba que não deixarei que nada aconteça a você. Mas quero saber como está se sentindo."

"A não ser por ter sido convocada para ir à França e pela ameaça de demissão e...", acrescentei, pensando em contar o que acontecera a Lucy, mas ela estava bem ali.

"Vai dar tudo certo", o senador Lord disse.

"Seja lá o que for esse *tudo*", retruquei.

"Confie em mim."

Eu sempre confiara.

"Vão pedir a você que faça coisas difíceis. Isso a assustará."

"Eu não me assusto facilmente, Frank."

31

Marino passou para me pegar às quinze para as quatro. Era uma hora desanimadora, e a madrugada me lembrou dos plantões no hospital, no início da carreira, quando eu era a única disponível para atender os chamados que ninguém mais queria.

"Agora você sabe como é o turno da noite", Marino comentou enquanto percorríamos ruas desertas e geladas.

"Eu já sabia direitinho como era", retruquei.

"Claro, mas a diferença é que nada a obriga a dar plantão. Você pode mandar outras pessoas à cena do crime e ficar em casa, pois está na chefia."

"Sempre abandono Lucy quando ela mais precisa de mim, Marino."

"Fique tranqüila, doutora, Lucy vai entender. Provavelmente já está a caminho de Washington, de qualquer maneira, para se apresentar à comissão de inquérito que vai revisar o caso."

Eu não havia mencionado a presença de Dorothy. Isso serviria apenas para irritá-lo.

"Você faz parte da equipe do MCV. Ou seja, é médica pra valer."

"Obrigada."

"Você não pode ligar para o administrador ou outra pessoa?", ele disse, apertando o acendedor de cigarro. "Não poderia mexer os pauzinhos para Lucy entrar lá?"

"Enquanto Jo não estiver em condições de decidir as coisas, a família tem controle total sobre as visitas."

"Aquele bando de crentes desgraçados. Nazistas de Cristo."

"Houve época em que você era bem preconceituoso, Marino", não pude deixar de comentar. "Lembro que você costumava usar termos como bicha-louca. E outros que nem tenho coragem de repetir."

"Eu sei. Mas não era pra valer."

No terminal aéreo Millionaire a temperatura caíra abaixo de zero, ventava gelado, e fui castigada pelo sopro frio enquanto apanhava a bagagem no porta-malas da picape. Fomos recebidos por dois pilotos que não falaram muita coisa depois de abrir o portão que nos levava à pista, onde um Learjet estava sendo abastecido. Um envelope pardo grosso com meu nome escrito jazia sobre uma das poltronas. Depois que decolamos na noite clara e fria, apaguei as luzes da cabine e dormi até a aterrissagem em Teterboro, Nova Jersey.

Uma Explorer azul-escura avançou em nossa direção assim que descemos a escada metálica. Nevava, e os flocos minúsculos aderiam a meu rosto.

"Polícia", Marino disse quando a Explorer parou, perto do avião.

"Como você sabe?", perguntei.

"Sempre sei", ele disse.

O motorista usava jeans e jaqueta de couro, parecia ter visto de tudo na vida e estar contente em nos buscar. Guardou a bagagem no porta-malas. Marino subiu na frente e eles começaram a trocar notícias e relatar casos, pois o motorista era da polícia de Nova York, onde Marino trabalhara. Cochilei, acompanhando trechos da conversa.

"... Adams, da divisão dos detetives, ligou por volta das onze. Acho que a Interpol o achou primeiro. Eu não sabia que ele tinha vínculos com aqueles caras."

"Entendi." A voz de Marino era baixa e soporífera como bourbon com gelo. "Algum bundão, aposto..."

"Não, gente fina..."

Adormeci e deixei de acompanhar o diálogo. As luzes da cidade tocavam minhas pálpebras e voltei a sentir aquela dor profunda, aquele vazio.

"... aí tomamos um tremendo porre naquela noite, acordei no dia seguinte sem saber onde estava o carro e os cartões de crédito. Foi meu despertador..."

A única vez que eu havia voado num supersônico fora com Benton. Lembrei-me de seu corpo colado ao meu, do calor intenso de meu seio transmitido ao corpo dele quando nos acomodamos nos assentos de couro cinzento e bebemos vinho francês, olhando as tigelas de caviar sem a menor intenção de comer.

Recordei-me do diálogo ríspido que deu lugar a uma noite de amor desesperada em Londres, num apartamento próximo da embaixada norte-americana. Talvez Dorothy tivesse razão. Com freqüência eu me fechava em minha mente, não conseguia me abrir como desejava. Mas ela se enganara a respeito de Benton. Ele nunca fora fraco, e na cama nosso relacionamento nunca fora morno.

"Doutora Scarpetta?"

A voz me trouxe de volta.

"Chegamos", o motorista disse, olhando pelo retrovisor.

Esfreguei o rosto com as duas mãos e bocejei discretamente. Ali o vento era mais forte e a temperatura, mais baixa. No balcão de embarque da Air France fiz o check-in de nós dois, pois não confiava em Marino para cuidar de passagens e passaportes, ou mesmo para localizar o portão de embarque correto sem aprontar alguma. O vôo saía em uma hora e meia, e no instante em que entrei no salão de embarque do Concorde senti novamente cansaço, meus olhos queimavam. Marino estava deslumbrado.

"Olha só isso tudo!", ele murmurou alto demais. "Tem até bar completo. O cara está lá tomando cerveja, e são só sete da manhã."

Marino considerou que não havia nada de mal nisso.

"Quer tomar alguma coisa?", perguntou. "Ou ler um jornal?"

"No momento não estou nem aí para o que anda acontecendo pelo mundo." Eu só queria que ele me deixasse em paz.

Quando retornou, Marino trazia dois pratos com pilhas altas de queijo, biscoito cream cracker e pão doce. Debaixo do braço, a lata de Heineken.

"Imagine só", ele disse, colocando os pratos cheios na mesa em frente. "São quase três horas da tarde na França."

E abriu a cerveja.

"Eles fazem champanhe com suco de laranja aqui. Já ouviu falar nisso? E tenho quase certeza de que vi uma pessoa famosa sentada ali adiante. Ela usa óculos escuros e todos ficam olhando."

Não me interessei.

"O sujeito que está com ela parece ser famoso também, estilo Mel Brooks."

"E a mulher de óculos, é igual a Anne Brancroft?", perguntei.

"Isso mesmo!"

"Então é mesmo o Mel Brooks."

Outros passageiros, usando roupas muito mais caras que as nossas, olhavam para nós dois. Um sujeito lia *Le Monde* e bebericava um expresso.

"Eu a vi na *Primeira noite de um homem*. Você se lembra?", Marino prosseguiu.

Acordada, eu procurava um buraco para me enterrar.

"Ela era minha fantasia preferida. Uau! Eu queria que ela fosse minha professora particular, viesse me dar uma *aula* de noite. Daquelas que obrigam a gente a cruzar as pernas."

"Você pode ver o Concorde daquela janela ali", apontei.

"O pior é que esqueci de trazer a máquina fotográfica."

Ele tomou outro gole de cerveja.

"Talvez consiga uma", falei.

"Você acha que eles têm aquelas máquinas descartáveis aqui?"

"Só francesas."

Ele hesitou por um momento, depois olhou feio para mim.

"Já volto", disse.

Claro, ele largou a passagem e o passaporte no bolso do casaco, que ficou pendurado na poltrona. Quando deram o aviso e chegou a hora de embarcar, recebi uma mensagem urgente no pager, dizendo que não queriam deixá-lo retornar ao salão de embarque. Encontrei-o dando escândalo na porta, o rosto afogueado de raiva, com um guarda de segurança a seu lado.

"Lamento", falei, mostrando a um dos atendentes o passaporte e a passagem de Marino.

"Vamos ver se conseguimos viajar sem outros incidentes", falei em voz baixa quando seguíamos de volta ao salão de embarque e para o avião com os outros passageiros.

"Eu disse a eles que ia pegar a passagem. Bando de filhos-da-mãe. Franceses. Se as pessoas falassem inglês direito, esse tipo de coisa não aconteceria."

Nossos lugares eram juntos. Felizmente, o avião não estava lotado, pude mudar de lugar e ficar mais confortável. Ele considerou isso uma ofensa pessoal e ficou chateado até eu lhe dar metade do meu frango com molho de limão, o pão-de-ló com musse de baunilha e os chocolates. Não faço idéia de quantas cervejas ele tomou, mas foi e voltou muitas vezes pelo corredor estreito, enquanto voávamos a duas vezes a velocidade do som. Chegamos ao aeroporto Charles de Gaulle às seis e vinte da tarde.

Um Mercedes azul-escuro nos aguardava do lado de fora do terminal, e Marino tentou conversar com o motorista, que não lhe deu a menor atenção nem permitiu que ele sentasse a seu lado. Marino fumou, emburrado, soprando a fumaça pela janela, no frio. Observou os prédios de apartamentos cobertos de pichações e os pátios de manobra, até que avistamos a fileira de arranha-céus da parte moderna da cidade. Os gigantescos luminosos do Olimpo corporativo brilhavam na noite, anunciando Hertz, Honda, Technics e Toshiba.

"Puxa vida, isso aqui mais parece Chicago", Marino reclamou. "Estou me sentindo mal."

"É o *jet lag*."

"Já estive na Costa Oeste e não senti nada disso."

"Aqui o *jet lag* é pior", falei.

"Deve ser por causa daquela velocidade toda", ele prosseguiu. "Pense bem. A gente fica olhando por uma janelinha, como se viajasse numa nave espacial, certo? Nem consegue ver o horizonte, caramba. Nenhuma nuvem, o ar é rarefeito demais para respirar, e lá fora provavelmente faz quarenta graus abaixo de zero. Nenhum pássaro, nenhum avião normal, nada."

Um policial ao lado do Citroen azul e branco com listras vermelhas multava um sujeito por excesso de velocidade perto do Banque de France. Ao longo do Boulevard des Capucines vi as vitrines das lojas chiques para os muito ricos, e me lembrei de que não sabia a taxa de câmbio.

"Por isso estou com fome novamente", Marino seguiu com sua explicação científica. "O metabolismo da gente muda, quando viajamos muito rápido. Imagine quantas calorias perdemos assim. Eu não senti mais nada desde que passei pela alfândega. Não estou alto, nem empanturrado."

Não havia muita decoração de Natal, nem mesmo no centro da cidade. Os parisienses haviam pendurado algumas lâmpadas e guirlandas na porta dos bistrôs e lojas, mas não avistei nenhum Papai Noel, exceto pelo inflável do aeroporto que mexia os braços como se fizesse ginástica. A estação ganhou mais destaque, com poinséttias e uma árvore de Natal no saguão de mármore do Grand Hôtel, onde o motorista informou que ficaríamos hospedados.

"Puxa vida", Marino disse, olhando em volta para as colunas altas e os candelabros enormes. "Quanto deve custar um quarto neste hotel?"

O ruído das campainhas dos telefones não parava. A fila na recepção era enorme. Havia bagagem por todos os lados, e me dei conta, desanimada, de que um grupo de turistas acabara de chegar.

"Quer saber de uma coisa, doutora?", Marino disse. "Acho que eu não tenho dinheiro nem para comprar cerveja neste lugar."

"Isso, se você chegar ao bar", respondi. "Pelo jeito, vamos passar a noite aqui, esperando."

Enquanto eu dizia isso, alguém tocou em meu braço. Virei-me e vi um senhor de terno escuro a meu lado, sorridente.

"Madame Scarpetta? Monsieur Marino?" Ele nos tirou da fila. "Lamento, só os vi agora. Meu nome é Ivan. O apartamento de vocês já está pronto. Por favor, me acompanhem."

Não reconheci seu sotaque, mas definitivamente não era francês. Ele nos guiou através do saguão, até os elevadores de latão polido. Entrou e apertou o botão do terceiro andar.

"De onde você é?", perguntei.

"Do mundo. Mas estou em Paris há muitos anos."

Nós o seguimos pelo longo corredor até nossos apartamentos, que eram vizinhos mas não tinham comunicação interna. Vi, atônita, que nossa bagagem já estava lá dentro.

"Se precisarem de alguma coisa, basta chamarem especificamente por mim", Ivan disse. "Talvez seja melhor vocês comerem em nosso café. Reservamos uma mesa, mas podem optar pelo serviço de quarto, é claro."

Ele se retirou rapidamente, antes que pudéssemos lhe dar uma gorjeta. Marino e eu ficamos parados na porta, olhando para dentro dos quartos.

"Isso está me dando nos nervos", ele disse. "Não gosto dessas histórias mal contadas. Como vamos saber quem é esse cara? Vai ver ele nem trabalha aqui no hotel."

"Marino, não vamos falar sobre isso aqui no corredor", falei com calma. Se eu não ficasse um pouco longe dele, ia ter um ataque.

"Quando você vai querer comer?"

"Ligo para seu quarto", falei.

"Sabe, eu estou morrendo de fome."

"Por que você não desce para o café, Marino?", sugeri, rezando para que ele aceitasse. "Daqui a pouco eu vou."

"Nada disso, acho melhor ficarmos juntos, doutora", ele retrucou.

Entrei no quarto e fechei a porta. Surpresa, encontrei a mala desfeita e as roupas cuidadosamente dobradas, dentro das gavetas. Calças, vestidos e conjuntos estavam pendurados no guarda-roupa, e os artigos de toalete, no banheiro. O telefone tocou em seguida. Eu sabia quem era.

"Como é?", falei.

"Eles mexeram nas minhas coisas, espalharam tudo!" Marino gritava como um rádio muito alto. "Para mim, foi a gota d'água. Não gosto que ninguém toque nos meus pertences. O que esses caras pensam que são? Isso é algum costume francês? A gente se hospeda num hotel bacana e os caras fuçam nas malas?"

"Não é um costume francês", falei.

"Então deve ser um costume da Interpol", ele retrucou.

"Nos falamos mais tarde."

Uma cesta de frutas e uma garrafa de vinho enfeitavam a mesa. Descasquei uma laranja de polpa vermelha e me servi de uma taça de merlot. Abri a cortina grossa e espiei pela janela. Pessoas em traje de gala subiam em carros sofisticados. Esculturas douradas do antigo teatro de ópera, do outro lado da rua, exibiam sua nudez ofuscante aos deuses, e as chaminés eram tocos pretos a encimar quilômetros de telhados. Eu me sentia ansiosa, solitária e invadida.

Tomei um banho demorado e pensei em abandonar Marino pelo resto da noite, mas a decência prevaleceu. Ele nunca estivera na Europa, com certeza nunca visitara Paris. Pior de tudo, eu tinha medo de deixá-lo sozinho. Disquei para seu quarto e perguntei se ele queria que nos mandassem uma refeição leve. Marino escolheu pizza, apesar de eu avisar que não era exatamente uma especialidade francesa, e acabou com a cerveja do meu frigobar. Pedi ostras na concha aberta, e mais nada. Deixei pouca iluminação, já vira o suficiente para um dia.

"Andei pensando numa coisa", ele disse depois que a comida chegou. "Não gosto de tocar no assunto, doutora, mas estou com um mau pressentimento. Péssimo. Quer dizer..." — ele mordeu um pedaço de pizza — "... andei pensando que você poderia estar sentindo a mesma coisa. Se também ficou martelando na sua cabeça, sem que a gente saiba de onde vem, feito um disco voador."

Abaixei o garfo. As luzes da cidade brilhavam do outro lado da janela, e mesmo com pouca luz eu via seu medo. Reagi com cautela.

"Não faço a menor idéia do que você está querendo dizer", falei ao estender a mão para pegar o vinho.

"Bem, então aceite que precisamos levar algo em consideração."

Eu não queria saber de nada.

"Bom, primeiro você recebe uma carta, entregue por um senador dos Estados Unidos, que por acaso é presidente do Comitê de Justiça, e portanto tem mais poder em relação às questões ligadas à segurança do que qualquer pessoa que eu conheço. Ou seja, acesso irrestrito aos segredos do Serviço Secreto, ATF, FBI e o que mais houver."

O alarme começou a tocar dentro de mim.

"Você deve admitir que é interessante o senador Lord entregar a carta de Benton a você, e de repente estamos aqui, envolvidos com a Interpol..."

"Vamos parar por aí", eu o cortei assim que senti o estômago contraído e o coração disparado.

"Você precisa me ouvir, doutora", ele respondeu. "Na carta Benton lhe pede que pare de sofrer, que está tudo bem e que ele sabe que você está lidando bem com tudo..."

"Pare!", levantei a voz e atirei o guardanapo na mesa, enquanto sentimentos contraditórios me sufocavam por todos os lados.

"Precisamos encarar isso." Marino se emocionara também. "Como você pode saber... quer dizer, e se a carta não foi escrita há muito tempo? E se foi escrita recentemente..."

"Chega! Como você ousa?", gritei, e as lágrimas escorreram pelo meu rosto.

Afastei a cadeira e me levantei.

"Saia", falei. "Não pretendo escutar suas teorias malucas. O que você pretende? Me fazer passar por aquele inferno todo novamente? Fomentar uma esperança depois que eu me esforcei tanto para aceitar a verdade? Saia do meu quarto."

Marino afastou a cadeira, que tombou quando ele ficou em pé. E pegou o maço de cigarros em cima da mesa.

"E se ele estiver vivo, cacete?" Ele também gritava. "Como você sabe que ele não desapareceu por um tempo, pois havia algo muito grande rolando, envolvendo ATF, FBI, Interpol, até a Nasa, quem sabe?"

Quando peguei a taça de vinho, minha mão tremia tanto que eu mal conseguia segurá-la sem derramar tudo. Minha vida inteira se despedaçou de novo. Marino, em pé no meio do quarto, gesticulava freneticamente, com o cigarro aceso na mão.

"Você não pode afirmar com certeza", ele insistiu. "Tudo o que você viu foi um monte de ossos calcinados num incêndio. E um relógio Breitling igual ao dele. E então?"

"Você é um filho-da-mãe!", gritei. "Seu idiota! Depois de tudo o que passei, você tem o desplante de..."

"Você não foi a única que sofreu. Só porque dormia com ele não quer dizer que era dona dele, cacete."

Dei alguns passos em sua direção e me contive antes de desferir a bofetada em sua cara.

"Meu Deus", murmurei ao ver sua expressão chocada. "Ai, meu Deus."

Pensei em Lucy, quando batera em Jo, e me afastei. Ele virou de costas e ficou fumando, olhando pela janela. O quarto fora tomado pelo sofrimento e pela vergonha. Apoiei a cabeça na parede e fechei os olhos. Eu nunca agredira ninguém na vida, nem chegara perto disso, em se tratando de alguém como ele, de alguém que eu conhecia e de quem gostava.

"Nietzsche tinha razão", murmurei, derrotada. "Escolha com cuidado seu inimigo, pois é com ele que você se tornará mais parecido."

"Lamento", Marino sussurrou.

"Como meu primeiro marido, como a minha irmã idiota, como qualquer egoísta descontrolado que eu já conheci. Fiquei igual a eles."

"Você é diferente."

Com a testa encostada na parede, como se estivesse rezando, dei graças a Deus pela pouca luz. Na penumbra, de costas para ele, eu podia ocultar a angústia.

"Eu não tive intenção de ofendê-la, doutora. Juro que não. Não sei como fui dizer uma coisa dessas."

"Não se preocupe."

"Só estou tentando analisar todos os aspectos, pois há peças que não se encaixam nesse quebra-cabeça."

Marino andou até o cinzeiro e apagou o cigarro.

"Ora, não sei por que eles não podiam trocar informações conosco pelos computadores, ou mesmo por telefone, como sempre fizeram. Você entende isso?"

"Não", admiti, respirando fundo.

"Por isso comecei a remexer minhas lembranças e pensei que talvez Benton... E se houvesse algum problema grave e ele precisasse entrar no programa de proteção a testemunhas por algum tempo? Mudar de identidade e tudo mais? Não sabíamos exatamente o que ele investigava. Nem mesmo você, pois nem sempre ele podia contar tudo, e ele jamais nos exporia, revelando segredos que não deveríamos saber. Tampouco a deixaria preocupada a respeito da segurança dele."

Não respondi.

"Não pretendo mexer com seus sentimentos. Só estou dizendo que devemos levar isso em consideração", ele acrescentou, encabulado.

"Não devemos, não", retruquei, limpando a garganta,

sentindo toda a dor. "Não devemos levar isso em consideração. Ele foi identificado, Marino, por todos os meios possíveis. Carrie Grethen não o matou para que ele pudesse sumir por algum tempo, convenientemente. Você não percebe que isso é impossível? Ele está morto, Marino. Morto."

"Você acompanhou a autópsia? Viu o relatório?" Ele não ia desistir.

Os restos mortais de Benton tinham sido enviados ao chefe do departamento de medicina legal da Filadélfia. Não pedi para ver o relatório.

"Você não viu a autópsia, e se tivesse visto eu ia pensar que você era a pessoa mais repulsiva desse mundo", Marino disse. "Você não viu nada, portanto. Só sabe o que lhe disseram. Não quero ficar martelando isso na sua cabeça, mas é a verdade. E se alguém queria nos fazer acreditar que aqueles restos mortais eram dele, como você poderia saber que não eram, se nunca os viu?"

"Me dá um Scotch", falei.

32

Virei-me para Marino, de costas para a parede, como se não tivesse forças para ficar em pé sozinha.

"Cara, viu quanto custa um uísque aqui?", Marino comentou ao fechar a porta do frigobar.

"Não me interessa."

"Tudo bem, provavelmente a Interpol vai pagar mesmo", ele concluiu.

"E quero um cigarro também", acrescentei.

Ele acendeu um Marlboro para mim. A primeira tragada incendiou meus pulmões. Ele me entregou o uísque num copo com gelo com uma das mãos, e tinha uma cerveja Beck's na outra.

"O que estou tentando dizer", Marino retomou o raciocínio, "é que se a Interpol consegue a emissão eletrônica de passagens aéreas em segredo, hotéis chiques e Concorde, sem que a gente tenha encontrado alguém que os conheça, o que impede que eles montem qualquer farsa que desejarem?"

"Eles não poderiam encenar o assassinato dele por uma psicopata", respondi.

"Claro que poderiam. Talvez tenha sido a chance ideal." Ele soprou fumaça e sorveu cerveja. "O caso, doutora, é que eles podem falsificar qualquer coisa, se a gente pensar bem."

"O exame de DNA identificou..."

Eu não consegui terminar a frase. Imagens que eu sufocava havia muito tempo voltaram à mente.

"Você não pode afirmar que os relatórios eram verdadeiros."

"Chega!"

Mas a cerveja derrubara todos os limites de Marino, e ele não pretendia encerrar o desfile de teorias fantásticas, deduções e possibilidades convenientes. Sua voz seguiu martelando meus ouvidos, e logo começou a soar distante e irreal. Senti arrepios. Um facho de luz penetrou no canto mais escuro e devastado da minha alma. Eu queria desesperadamente acreditar no que ele estava insinuando.

Quando o relógio marcou cinco horas, eu ainda dormia vestida no sofá. Uma dor de cabeça lancinante me atormentava. Na boca sentia o gosto de cigarro e no hálito, o cheiro de álcool. Tomei uma ducha e fiquei um bom tempo olhando para o telefone ao lado da cama. A antecipação do que eu decidira fazer me eletrizava de pânico. Estava muito confusa.

Na Filadélfia era quase meia-noite. Deixei um recado para o dr. Vance Harston, chefe do departamento de medicina legal. Forneci o número do fax de meu quarto e pendurei na porta o aviso de NÃO PERTURBE. Marino me esperava no saguão, e não falei com ele, exceto por um bom-dia quase inaudível.

No térreo, pratos e talheres faziam barulho durante a montagem do bufê, e um sujeito limpava as portas de vidro com escova e pano. Não havia café, era cedo demais, e o único hóspede acordado era uma senhora que pendurara o casaco de mink na cadeira ao lado. Na frente do hotel um Mercedes nos aguardava.

O motorista de cara amarrada que nos atendeu tinha pressa. Esfreguei as têmporas enquanto as motocicletas passavam rapidamente por pistas imaginárias, costurando entre os carros e rugindo nos túneis estreitos. Lembrei-me, deprimida, do acidente que matara a princesa Diana.

Recordo-me de levantar e ouvir a notícia no rádio, e a primeira coisa que pensei foi em nossa tendência a não acreditar que mortes estúpidas e repentinas podem acontecer com nossos deuses. Não há glória ou nobreza em ser morto por um motorista embriagado. A morte é o grande equalizador. Não se importa nem um pouco com quem seja você.

O céu estava azul acinzentado. As calçadas, molhadas após a lavagem, exibiam latas de lixo verdes, ao longo da via. Chacoalhamos nas pedras da Place de la Concorde e acompanhamos o Sena, que praticamente não podíamos ver durante o trajeto, por causa do muro. Um relógio digital na frente da Gare de Lyon nos informou que eram sete e vinte. Lá dentro, as pessoas corriam para o Relais Hachette para comprar o jornal.

Esperei atrás de uma mulher com um poodle, na bilheteria, e um homem bem-vestido de cabelo prateado e traços firmes me pregou um susto enorme. De longe, era parecido com Benton. Não pude evitar, fitava a multidão como se pudesse encontrá-lo. Meu coração disparou, como se não fosse agüentar a pressão por muito tempo.

"Café", falei a Marino.

Sentamo-nos no balcão, no L'Émbarcadère, para tomar expresso em xícaras marrons pequenas.

"O que é isso, afinal?", Marino rugiu. "Eu queria um café comum. Dá para passar o açúcar?", ele disse à mulher que nos atendia.

Ela depositou alguns sachês em cima do balcão.

"Acho que ele prefere um café com creme", falei a ela.

Ela balançou a cabeça. Ele tomou quatro cafés, comeu três baguetes de presunto e fumou três cigarros em menos de vinte minutos.

"Sabe", eu disse quando embarcávamos no TGV, ou *train à grande vitesse*, "eu realmente não quero que você se mate."

"Ei, não se preocupe", ele retrucou, acomodando-se na poltrona de frente para a minha. "Se eu tentasse pegar mais leve, o estresse acabava comigo."

Nosso vagão estava quase vazio; os poucos passageiros estavam entretidos com seus jornais. O silêncio fez com que Marino e eu falássemos em voz muito baixa, e o trem-bala não fez barulho ao partir subitamente. Saímos da estação, e logo as árvores passavam voando contra o céu azul. Eu me sentia afogueada e sedenta. Tentei dormir, apesar do sol que batia nos olhos.

Acordei quando uma inglesa na terceira fila começou a conversar pelo celular. Um senhor idoso do outro lado fazia palavras-cruzadas, e a lapiseira estalava. O deslocamento do ar fez nosso trem balançar quando cruzou com outra composição. Perto de Lyon, o céu tornou-se leitoso, e começou a nevar.

O humor de Marino azedou mais ainda quando ele espiou através da janela. Quando desembarcamos em Lyon Part-Dieu, ele foi grosseiro. E não falou nada durante o trajeto de táxi. Fiquei com raiva ao repassar nosso diálogo da noite anterior.

Chegamos à parte antiga da cidade, onde os rios Rhône e Saône se encontravam. Os prédios de apartamentos e muros antigos nas encostas lembravam Roma. Eu me sentia péssima. Minha alma fora escoriada. Nunca me sentira tão só na vida, era como se eu não existisse, como se fizesse parte do pesadelo de outra pessoa.

"Eu não tenho esperança nenhuma", Marino falou finalmente, a respeito de nada. "Posso até dizer *quem sabe*, mas nunca tenho esperança. Minha mulher me largou faz muito tempo e até agora não encontrei alguém que combine comigo. No momento, estou suspenso e pensando em trabalhar para você. Se fizer isso, você nunca mais vai me respeitar."

"Claro que vou."

"Uma ova. Trabalhar para alguém muda tudo, e você sabe disso."

Ele se mostrava exausto e sombrio, seu rosto e sua postura indicavam a pressão da vida que levava. Havia derramado café na camisa de brim amarrotada, e a calça era ridiculamente folgada. Notei que ele comprava calças cada vez maiores, conforme engordava, como se assim enganasse as pessoas ou a si mesmo.

"Sabe, Marino, não foi muito agradável você dizer que trabalhar para mim seria a pior coisa que poderia lhe acontecer na vida."

"Talvez não fosse a pior coisa. Mas chega perto", ele disse.

33

A sede da Interpol se erguia solitária no Parc de la Tête d'Or. Era uma fortaleza entre espelhos d'água e vidro que não traía sua função. Apostei que os sinais sutis do que ocorria lá dentro passavam despercebidos praticamente por todos que transitavam por ali de carro. O nome da rua ladeada de bananeiras-de-jardim não constava no guia, e quem não tinha noção de para onde ia dificilmente chegaria lá. Inexistia uma placa na porta para anunciar a *Interpol*. A bem da verdade, não havia avisos de nada em lugar nenhum.

Parabólicas para satélite, barricadas de concreto e câmeras bem camufladas sumiam da vista. A cerca de metal pintada de verde, com arame farpado no alto, desaparecia no meio da vegetação. A sede da única instituição policial internacional do mundo emanava silenciosamente sua sabedoria e tranqüilidade, permitindo aos que trabalhavam lá ver o lado de fora enquanto impedia que alguém visse o que acontecia na parte de dentro. Naquela manhã fria e nublada, uma pequena árvore de Natal no telhado saudava ironicamente o período das festas.

Não vi ninguém quando apertei o botão do interfone no portão de entrada para informar nossa chegada. Quando uma voz nos pediu a identificação, demos os nomes e um clique destrancou a fechadura. Marino e eu seguimos pela calçada até um anexo do prédio, onde outro portão foi destrancado. Um segurança de terno e gravata nos recebeu, e parecia forte o bastante para levantar Marino e atirá-lo de volta para Paris. Outro segurança, protegido por vidro à prova de bala, abriu o guichê para pegar nossos passaportes e entregar os crachás.

Nossos pertences passaram por uma esteira, e o guarda que nos recebeu deu instruções gestuais, sem dizer quase nada. Cada um deveria entrar num tubo transparente que ia até o teto. Obedeci, imaginando que seria sugada para algum lugar, e a porta curva de Plexiglas se fechou. Uma nova porta se abriu para eu sair do outro lado. Cada molécula do meu corpo havia sido escaneada.

"Que diabo é isso, *Guerra nas estrelas*?", Marino me disse, depois de ser escaneado também. "Sabe que um negócio desses pode provocar câncer? Ou, se for homem, causar outros problemas?"

"Fique quieto", falei.

Esperamos muito tempo até que um sujeito apareceu no passadiço que conduzia quem passava pela área de segurança até o prédio principal. Ele não correspondia às minhas expectativas. Caminhava com o passo fácil de um jovem atleta, e seu terno cinza-chumbo de lã caía com elegância sobre um corpo ostensivamente malhado. Usava camisa branca engomada com uma gravata Hermès em castanho, verde e azul. Quando apertou nossas mãos com firmeza, notei também um relógio de ouro.

"Jay Talley. Lamento pela demora", ele disse.

Os olhos castanhos eram tão penetrantes que me senti violentada por eles. O modo como me encarava era tão explícito que instantaneamente reconheci o tipo. Homens bonitos demais são parecidos. Percebi que Marino antipatizara com ele na hora.

"Falamos pelo telefone", ele disse, como se eu não fosse me lembrar.

"E desde então eu não dormi mais", falei, incapaz de tirar os olhos dele, por mais que me esforçasse.

"Por favor, venham comigo."

Marino olhou para mim ressabiado e esfregou os dedos, nas costas de Talley, do jeito que sempre fazia ao deduzir, no instante em que via a pessoa, que ela era gay. Talley tinha ombros largos. Nenhuma cintura. Seu perfil exibia o perfeito equilíbrio de um deus romano. Lábios grossos encimavam o queixo largo.

Concentrei-me no enigma de sua idade. Normalmente, postos no exterior são muito disputados, tornando-se verdadeiros prêmios para agentes do alto escalão, com muitos anos de serviço. Contudo, Talley não aparentava nem trinta anos. Ele nos conduziu a um saguão de mármore de pé-direito duplo. No centro banhado de luz havia um mosaico brilhante que representava o mundo. Até os elevadores eram de vidro.

Após passarmos por trancas eletrônicas, sensores e câmeras que monitoravam todos os movimentos que fazíamos, chegamos ao terceiro andar. Eu me sentia dentro de um cristal. Talley parecia reluzir. Senti-me confusa e ressentida, pois ir até lá não fora idéia minha e eu não tinha nenhum controle sobre o que aconteceria.

"Então, o que tem em cima?", Marino perguntou, sempre um exemplo de diplomacia.

"O quarto andar", Talley respondeu, impassível.

"É que não tem número no botão e parece que só dá para subir com chave", Marino prosseguiu, olhando para o teto do elevador. "Eu fiquei imaginando que guardam todos os computadores lá."

"O secretário-geral reside no último andar", Talley informou descontraidamente, como se não houvesse nada de anormal nisso.

"Sério mesmo?"

"Por razões de segurança. Ele e a família residem neste prédio", Talley explicou enquanto passávamos por escritórios de aparência normal, com pessoas comuns trabalhando nas salas. "Vamos falar com ele agora."

"Ótimo. Espero que ele não se importe de me contar que diabo viemos fazer aqui", Marino falou.

Talley abriu outra porta, feita de madeira de lei, e fomos educadamente recebidos por um homem com sotaque britânico, que se apresentou como diretor de comunicações. Ele pediu café e informou ao secretário-geral George Mirot que havíamos chegado. Minutos depois nos conduziu ao gabinete de Mirot, onde deparamos com um sujeito grisalho imponente sentado atrás de uma escrivaninha de couro preto, entre paredes enfeitadas com armas antigas, medalhas e presentes de outros países. Mirot se levantou para nos cumprimentar.

"Fiquem à vontade", ele disse.

Ele nos levou até uma área de estar, na frente da janela panorâmica com vista para o Rhône, enquanto Talley apanhava um arquivo grande tipo sanfona em cima da mesa.

"Sei que tem sido difícil para vocês, e com certeza estão exaustos", ele disse em inglês correto. "Nem tenho como agradecer a gentileza de vocês por terem vindo com tanta urgência."

Seu rosto inescrutável e sua postura marcial nada revelavam, sua presença parecia reduzir a estatura de tudo o que o rodeava. Ele se acomodou numa poltrona e cruzou as pernas. Marino e eu escolhemos o sofá; Talley sentou-se à minha frente, pondo a pasta sanfonada no chão.

"Agente Talley", Mirot disse, "pode começar. Conto com a compreensão de vocês, pois vamos direto ao assunto. Temos pouco tempo", disse, dirigindo-se a nós.

"Primeiro, quero explicar por que o ATF está envolvida em nosso caso de cadáver não identificado", Talley disse a Marino e a mim. "Vocês estão familiarizados com o HIDTA. Por causa de sua sobrinha Lucy, creio."

"Isso não tem nada a ver com ela", argumentei, inquieta.

"Como provavelmente já sabem, o HIDTA é uma força-tarefa que tem por objetivo encontrar fugitivos que praticaram crimes violentos", ele disse, em vez de comentar minha afirmação. "FBI, DEA, polícia local e, claro, o ATF unem as forças em casos urgentes, especialmente difíceis e prioritários."

Ele puxou a cadeira e se sentou ao meu lado.

"Há cerca de um ano", ele prosseguiu, "formamos uma equipe para investigar homicídios em Paris, acreditando que eram cometidos pela mesma pessoa."

"Eu não soube de assassinatos em série em Paris", falei.

"Na França controlamos a imprensa melhor do que vocês", observou o secretário-geral. "Compreenda, doutora Scarpetta, os assassinatos foram noticiados, mas com poucos detalhes, sem sensacionalismo. Os parisienses sabem que um assassino anda à solta, as mulheres foram alertadas para não abrirem a porta para desconhecidos, e assim por diante. Mas pára por aí. Acreditamos que não ajuda em nada divulgar os detalhes escabrosos, os ossos esmigalhados, as roupas rasgadas, as marcas de mordidas e os ataques sexuais."

"De onde surgiu o nome Loup-Garou?", indaguei.

"Dele mesmo", Talley disse. Seus olhos quase tocaram minha pele antes de voarem como um pássaro.

"Do próprio assassino?", perguntei. "Quer dizer que ele se acha um lobisomem?"

"Isso mesmo."

"E como vocês podem saber disso, afinal?", Marino se intrometeu, e percebi por sua atitude que pretendia arranjar encrenca.

Talley hesitou e olhou para Mirot.

"Foi isso que o filho-da-mãe andou aprontando?", Marino continuou. "Deixando bilhetinhos na cena do crime? Quem sabe os espeta nos corpos, como no cinema, que tal? É isso que me revolta quando instituições poderosas se metem em encrencas do gênero.

"Os sujeitos mais indicados para investigar crimes são panacas que nem eu, que metem o pé na lama. Quando vocês arranjam uma força-tarefa bacana e computadores, a coisa toda vai para a camada de ozônio. Fica tudo muito *chique*, embora o que tenha detonado o processo todo não tenha nada de chique..."

"Nisso você se engana redondamente", Mirot o interrompeu. "O Loup-Garou é muito requintado. Ele tem lá seus motivos e nos forneceu seu nome numa carta."

"Uma carta para quem?", Marino quis saber.

"Para mim", Talley respondeu. "Há um ano, mais ou menos. Depois do quarto homicídio."

Ele abriu a pasta e puxou uma carta guardada num plástico. Entregou-a a mim, e seus dedos resvalaram nos meus. Na carta, escrita em francês, reconheci a mesma caligrafia estranha do cartaz dentro do contêiner. O papel de carta exibia um nome de mulher e estava sujo de sangue.

"Está escrito", Talley traduziu, "*Pelos pecados de um todos devem morrer. O lobisomem.* O papel de carta pertencia à vítima e este sangue é dela. O que me intrigou, na época, foi ele saber que eu participava da investigação. E o conjunto de indícios nos levou a formular uma teoria que está na origem de sua convocação. Temos motivos de sobra para acreditar que o assassino pertence a uma família influente, é filho de gente que sabe exatamente o que ele faz e toma providências para evitar que seja apanhado. Não necessariamente por se importarem com ele, mas por precisarem se proteger."

"Isso inclui despachá-lo num contêiner?", perguntei. "Morto e sem identificação, a milhares de quilômetros de Paris, só por não agüentar mais a situação?"

Mirot me estudava, e o couro rangeu quando ele se ajeitou na poltrona para pegar uma caneta prateada.

"Provavelmente não", Talley me disse. "No início, sim. Foi o que pensamos, pois todas as pistas indicavam que o sujeito morto em Richmond era o assassino: o nome Loup-Garou escrito na cartolina, a descrição física que foi enviada, na medida em que ela foi possível a vocês, dada a condição do cadáver. Mas quando nos forneceram dados adicionais sobre a tatuagem, indicando literalmente '*olhos amarelos que podem ter sido alterados numa tentativa de reduzir seu tamanho...*'."

"Ora, ora, ora", Marino interrompeu. "Você está dizendo que o Garou tinha uma tatuagem de olhos amarelos?"

"Não", Talley retrucou, "estamos dizendo que o irmão dele tinha."

"*Tinha?*", perguntei.

"Vamos chegar lá, e quem sabe assim você compreenderá que o ocorrido com sua sobrinha está marginalmente ligado com tudo isso", Talley disse, o que me desconcertou novamente. "Você está familiarizada com um cartel criminoso internacional conhecido como Um-Sessenta-Cinco?"

"Minha nossa", falei.

"Receberam esse nome por causa de sua predileção pela munição um-sessenta-cinco Speer Gold Dot", Talley explicou. "Eles contrabandeiam essa munição. Ela é usada exclusivamente em suas próprias armas, e normalmente identificamos suas vítimas porque o projétil recuperado costuma ser Gold Dot."

Pensei no cartucho de munição Gold Dot encontrado no Quik Cary.

"Quando nos enviou informações sobre o assassinato de Kim Luong — ainda bem que fez isso —, as peças começaram a se encaixar", Talley disse.

Mirot falou em seguida. "Todos os membros do cartel possuem tatuagens com dois pontos amarelos.

Ele os desenhou num bloco de anotações. Eram do tamanho de moedas.

"Símbolo de um clube violento e poderoso, reservado aos membros. Serve para lembrar que se entra no grupo para sempre, pois tatuagens não saem. O único jeito de sair do cartel Um-Sessenta-Cinco é morrer.

"A não ser que se reduza o tamanho dos círculos amarelos para transformá-los em olhos. Pequenos como olhos de coruja. Simples e rápido. Antes de fugir para um lugar onde ninguém pensará em procurá-lo."

"Tal qual o porto de uma cidade discreta como Richmond, na Virgínia", Talley acrescentou.

Mirot balançou a cabeça. "Exatamente."

"Para quê?", Marino perguntou. "Por que de repente o sujeito pirou e pulou fora? O que ele aprontou?"

"Ele enganou o cartel", Talley respondeu. "Ele traiu a família, em outras palavras. Acreditamos que o corpo em seu necrotério seja de Thomas Chandonne. Seu pai é o chefão, por falta de nome melhor, dos Um-Sessenta-Cinco. Thomas cometeu o erro de traficar drogas por conta própria e contrabandear armas sem dar satisfações à família."

Mirot disse: "Vale a pena saber que a família Chandonne reside na Île Saint-Louis desde o século XVII, numa das áreas mais antigas e abastadas de Paris. As pessoas que moram ali se consideram luisenses e são bastante orgulhosas, elitistas. Muitos acham que a ilha nem faz parte de Paris, embora esteja situada no centro da cidade, no meio do Sena.

"Balzac, Voltaire, Baudelaire, Cézanne", ele disse. "São apenas alguns dos residentes famosos. E é ali que a família Chandonne se esconde atrás da fachada dos títulos de nobreza, filantropia explícita e participação nos altos escalões da política, enquanto comanda um dos cartéis mais sanguinários do crime organizado no mundo."

"Nunca conseguimos provas suficientes para prendê-los", Talley disse. "Com sua ajuda, quem sabe teremos uma chance."

"Como?", perguntei, embora não quisesse me envolver com uma família de assassinos como aquela.

"Para começar, verificação. Precisamos provar que o corpo é de Thomas. Não tenho a menor dúvida, mas nós policiais precisamos atender a uma série de exigências legais e burocráticas incômodas." Ele sorriu para mim.

"DNA, digitais, filmes? Temos algo para comparação?", perguntei, sabendo muito bem qual seria a resposta.

"Criminosos profissionais fazem questão de evitar essas coisas", Mirot comentou.

"Não temos nada", Talley respondeu. "E é aí que o Loup-Garou entra na história. O DNA dele pode identificar o do irmão."

"Portanto, nossa parte é botar um anúncio no jornal e pedir ao Loup para dar uma passadinha aqui e deixar uma amostra de sangue?" Marino ficava cada vez mais azedo, à medida que a manhã avançava.

"Vou explicar o que ocorreu, na nossa avaliação", Talley disse, ignorando o comentário. "Em vinte e quatro de novembro, dois dias antes de o *Sirius* zarpar para Richmond, o sujeito que se intitula Loup-Garou cometeu o que acreditamos ter sido sua última tentativa de homicídio em Paris. Notem que eu disse *tentativa.* A mulher escapou com vida.

"Foi por volta das oito e meia da noite", Talley disse, iniciando o relato. "Bateram na porta da casa dela. Quando foi atender, ela viu um homem parado na entrada. Era gentil e articulado; parecia muito refinado; ela se lembra de um capote elegante, comprido, talvez de couro, e uma echarpe em volta do pescoço. Disse que sofrera um acidente de carro, nada grave. E que gostaria de usar o telefone para chamar a polícia. Era muito convincente. Ela ia permitir sua entrada quando o marido gritou algo, da sala, e o sujeito fugiu subitamente."

"Ela conseguiu vê-lo direito?", Marino perguntou.

"Casaco, cachecol, talvez chapéu. Ela tem quase certeza de que o sujeito manteve as mãos no bolso, e que estava meio encolhido por causa do frio", Talley disse. "Ela não viu o rosto direito, pois estava escuro. No geral, teve a impressão de se tratar de um cavalheiro gentil e simpático."

Talley fez uma pausa.

"Mais café? Água?", perguntou a todos, embora olhasse para mim. Notei que havia um furo pequeno em sua orelha direita. Só notei o diamante quando ele se abaixou para encher meu copo com água e a pedra refletiu a luz.

"Dois dias depois do vinte e quatro de novembro, data da tentativa de assassinato, o *Sirius* zarpou de Antuérpia, assim como outro navio, chamado *Exodus*, um cargueiro marroquino que transporta fosfato regularmente para a Europa", Talley retomou a narrativa quando voltou para seu lugar.

"Mas Thomas Chandonne providenciou uma pequena manobra diversionista e o *Exodus* atracou em Miami com armas, explosivos e similares — tudo o que puderem imaginar — dentro dos sacos de fosfato. Sabíamos o que ele estava fazendo, e creio que começam a perceber a ligação com o HIDTA. A apreensão da qual sua sobrinha participaria era apenas mais uma das atividades ilícitas de Thomas."

"Obviamente, a família ficou sabendo", Marino disse.

"Acreditamos que ele tenha conseguido se safar por um bom tempo, usando rotas inesperadas, alterando registros, essas coisas", Talley retrucou. "Na malandragem se chama armação; no mundo dos negócios, desfalque. Na família Chandonne é suicídio mesmo. Não sabemos exatamente o que aconteceu, mas percebemos que havia algo errado, pois esperávamos que ele estivesse a bordo do *Exodus*, o que não aconteceu.

"Por que não?" Talley fez a pergunta como se fosse apenas retórica. "Porque ele sabia que tinha sido desmascarado. Alterou sua tatuagem. Escolheu um porto menor, onde ninguém procuraria um clandestino. Existem poucos portos assim nos Estados Unidos, e em Richmond havia um trânsito contínuo de navios que iam e vinham de Antuérpia."

"Portanto, Thomas usou um nome falso para...", comecei a dizer.

"Um de muitos", Mirot disse.

"Ele se inscreveu na tripulação do *Sirius*. A questão é que ele deveria descer são e salvo em Richmond, enquanto o *Exodus* chegava a Miami para descarregar a mercadoria, sem sua presença", Talley disse.

"E onde o lobisomem se encaixa nessa história?", Marino perguntou.

"Só podemos especular", Mirot respondeu. "O Loup-Garou está escapando do controle, cada vez mais. A última tentativa foi um desastre. Talvez o tenham visto. Talvez a família não suporte mais o problema e pretenda se livrar dele. E ele tomou conhecimento disso. Poderia conhecer os planos do irmão para fugir do país no *Sirius*. Talvez ele estivesse vigiando Thomas, também, e soubesse a respeito da mudança na tatuagem. Por isso assassinou Thomas, afogando-o, e fez com que parecesse que o morto era ele, o Loup-Garou."

"Teria trocado de roupa com ele?", Talley perguntou a mim.

"Se pretendia tomar o lugar de Thomas no navio, não podia aparecer vestindo Armani."

"O que havia nos bolsos?" Talley parecia se inclinar para o meu lado, embora se mantivesse no prumo.

"Coisas transferidas", falei. "O isqueiro, o dinheiro, tudo. Tirado do bolso de Thomas e guardado nas calças jeans de marca que o irmão morto usava — se for mesmo o irmão dele — quando o corpo apareceu no porto de Richmond."

"O conteúdo dos bolsos foi transferido, mas não havia nenhuma forma de identificação."

"Certo", falei. "E não sabemos se essa troca de roupa aconteceu depois da morte de Thomas. Trata-se de uma tarefa complicada. É melhor forçar a vítima a se despir."

"Isso mesmo", Mirot concordou. "Eu ia chegar lá. Trocar de roupa antes de matar a pessoa. Os dois se despem."

Pensei na roupa de baixo do avesso, nas escoriações nos joelhos e nas nádegas. Os arranhões no calcanhar do sapato podiam ter sido feitos depois, quando Thomas fora afogado e o corpo, arrastado para o canto do contêiner.

"Quantos tripulantes deveria haver a bordo do *Sirius*?", perguntei.

Marino respondeu. "Na lista constavam sete. Todos foram interrogados, mas não por mim, pois não falo a língua deles. Um funcionário da alfândega se encarregou de fazer as honras da casa."

"Todos os tripulantes se conheciam?", perguntei.

"Não", Talley respondeu. "O que não é inusitado, quando pensamos que os navios só faturam quando estão em movimento. Duas semanas no mar, duas para a viagem de volta, sem parar. Troca de tripulação. Sem mencionar que estamos falando de pessoas que não permanecem muito tempo no mesmo navio. Portanto, podemos ter uma tripulação de sete, e apenas dois que já viajaram juntos antes."

"Os mesmos sete homens a bordo quando o navio voltou para Antuérpia?", perguntei.

"Segundo Joe Shaw", Marino respondeu, "nenhum deles chegou a deixar o porto de Richmond. Comiam e dormiam a bordo, descarregaram e foram embora."

"Certo", Talley disse. "Mas o problema não é bem esse. Um deles alegou problemas familiares urgentes. O despachante aduaneiro o levou até o aeroporto de Richmond, mas não chegou a vê-lo embarcar no avião. O nome do marinheiro nos registros era Pascal Léger. No entanto, não existe esse senhor Léger, e muito provavelmente era um nome falso usado por Thomas, o nome que ele usava quando foi morto, o nome que o Loup-Garou adotou depois de ter assassinado Thomas por afogamento."

"Não consigo imaginar que esse assassino em série mentalmente perturbado seja irmão de Thomas Chandonne", falei. "O que lhe dá tanta certeza?"

"A tatuagem disfarçada, como já dissemos", Talley respondeu. "A sua informação mais recente sobre os detalhes da morte de Kim Luong. O espancamento, as mordidas, o modo como ela foi despida, outros aspectos. Um *modus operandi* único e terrível. Quando Thomas era menino, doutora Scarpetta, ele costumava dizer aos colegas de classe que tinha um irmão mais velho que era uma *espèce de sale gorille*. Um gorila feio e estúpido que morava em sua casa."

"O assassino não é estúpido", falei.

"Não mesmo", Mirot concordou.

"Não temos registro do tal irmão. Nem o nome. Nada", Talley disse. "Mas acreditamos que ele exista."

“Vocês compreenderão melhor tudo isso quando repassarmos os casos”, Mirot acrescentou.

“Gostaria de começar a fazer isso agora mesmo”, respondi.

34

Jay Talley ergueu o arquivo sanfonado e de dentro retirou várias pastas grossas, que empilhou na mesa de centro à minha frente.

"Traduzimos tudo para o inglês", ele disse. "Todas as autópsias foram feitas no Institut Médico-Légal de Paris."

Comecei a estudar os casos. Todas as vítimas haviam sido espancadas brutalmente, até ficarem irreconhecíveis. As fotos e os relatórios das autópsias mostravam ferimentos e lacerações em forma de estrela onde a pele se partira, no caso dos golpes com um instrumento que não era do mesmo tipo usado contra Kim Luong, avaliei.

"As áreas afundadas do crânio", comentei enquanto folheava os relatos, "foram feitas por martelo ou similar. Presumo que tenham encontrado a arma?"

"Não encontramos", Talley disse.

Todas as estruturas faciais foram despedaçadas. Havia hematomas subdurais, sangramento no cérebro e no tórax. A idade das vítimas variava de vinte e um a cinqüenta e dois anos. Todas exibiam diversas marcas de mordida.

"Fraturas múltiplas do osso parietal esquerdo, fraturas com afundamento que enterraram a parte interna do crânio no cérebro", comentei em voz alta, lendo um relatório de autópsia após outro. "Hematomas subdurais bilaterais. Rompimento do tecido cerebral subjacente, acompanhado de hemorragia subaracnóide... fraturas do tipo casca de ovo... fratura do osso frontal direito, descendo pela linha média até o osso parietal direito... A coagulação sugere que a vítima sobreviveu pelo menos seis minutos, depois que os golpes começaram a ser desferidos..."

Ergui os olhos e disse a todos: "Fúria. Violência desmedida, frenética".

"Sexual?" Talley me olhou com intensidade.

"E tudo não é sexual?", Marino perguntou.

As vítimas estavam seminuas, com as roupas rasgadas ou arrancadas da cintura para cima. Todas descalças.

"Estranho", falei. "Não parece haver nenhum interesse por nádegas e genitais."

"Pelo jeito, o fetiche estava nos seios", Mirot comentou, imperturbável.

"Simbolizando a mãe, certamente", completei. "E se for verdade que o criaram trancado em casa, durante a infância inteira, pode haver uma patologia interessante no caso."

"E quanto a roubo?", Marino perguntou.

"Não temos certeza de que ocorreu em todos os casos. Em alguns, sem dúvida. Dinheiro, apenas. Nada que possa ser localizado, como jóias que pudessem ser penhoradas", Talley respondeu.

Marino tamborilou no maço de cigarros, como fazia quando estava desesperado para fumar.

"Fique à vontade", Mirot o incentivou.

"É possível que ele tenha matado em outro lugar? Outras cidades, além de Richmond, caso ele tenha mesmo assassinado Kim Luong?", perguntei.

"Ele a matou, sem dúvida", Marino declarou. "Nunca vi outro *modus operandi* similar."

"Não sabemos quantas vezes ele matou", Talley disse. "Nem onde."

Mirot disse: "Se houver casos similares, nosso software pode encontrá-los em dois minutos. Mas sempre pode haver casos que desconhecemos. Temos cento e setenta e sete países-membros, doutora Scarpetta. Alguns utilizam mais nossos serviços do que outros".

"É só uma opinião", Talley disse, "mas creio que esse sujeito não vive viajando pelo mundo. Principalmente se tiver um problema que o obrigue a ficar em casa. Suponho que ainda estivesse vivendo na mesma residência, quando começou a matar."

"O intervalo entre os assassinatos diminuiu? Quanto tempo ele espera entre um ataque e outro?", Marino perguntou.

"Os dois últimos ocorreram em outubro, depois tivemos essa tentativa recente. Significa, portanto, que ele atacou três vezes num período de cinco semanas", Talley disse. "Reforçando nossas suspeitas de que o sujeito perdeu o controle, a coisa esquentou demais e ele fugiu."

"Talvez pensando que pudesse recomeçar tudo e parar de matar", Mirot disse.

"Não é assim que funciona", Marino retrucou.

"Haveria alguma menção a indícios entregues aos laboratórios?", perguntei, começando a sentir o frio do canto escuro para onde a questão apontava. "Houve testes para resíduos, em algum caso? Coleta de fluidos corporais? Cabelo, fibras, uma unha quebrada? Qualquer coisa?"

Mirot consultou o relógio.

"Nem mesmo digitais?", perguntei, incrédula.

Mirot se levantou da poltrona.

"Agente Talley, por favor, leve nossos convidados ao refeitório para almoçar", ele disse. "Infelizmente, não posso acompanhá-los."

Mirot nos levou até a porta de seu magnífico escritório.

"Agradeço mais uma vez sua vinda", disse a Marino e a mim. "Sei que nosso trabalho está apenas começando, mas espero que siga numa direção que em breve encerre essa terrível tragédia. Ou pelo menos consiga desferir um golpe que o subjugue."

A secretária dele apertou um botão no telefone.

"Subsecretário Arvin, está me ouvindo?", ela disse ao interlocutor que aguardava. "Posso passar sua ligação agora?"

Mirot concordou com um movimento de cabeça. Retornou ao escritório e fechou a porta delicadamente.

"Você não nos chamou aqui apenas para revisar os casos", falei a Talley enquanto ele nos levava por uma profusão de corredores.

"Vou mostrar algo a vocês", ele disse.

E nos conduziu a um canto, onde havia uma série de assustadoras fotos de cadáveres.

"*Corpos à espera de identificação*", Talley disse. "Alertas negros."

Os cartazes eram em preto-e-branco, com fotos granuladas. Incluíam digitais e outras características úteis para identificação. As informações estavam escritas em inglês, francês, espanhol e árabe; obviamente, a maioria dos indivíduos sem nome não falecera de causas naturais.

"Reconhece o seu caso?" Talley apontou para o cartaz mais recente.

Felizmente, o rosto grotesco do meu caso não nos encarava; fora substituído pela arcada dentária, pelas impressões digitais e por um relato sóbrio.

"Exceto pelos cartazes, a Interpol é uma organização sem papelada", Talley explicou.

Ele nos conduziu ao elevador.

"Os arquivos impressos são escaneados e arquivados no computador central, guardados por algum tempo e depois destruídos."

Apertou o botão do primeiro andar.

"Espero que o bug do milênio não tenha incomodado vocês", Marino disse.

Talley apenas sorriu.

Fora do refeitório, armaduras e uma águia dourada rampante saudavam os freqüentadores. As mesas estavam ocupadas por centenas de homens de terno e mulheres de tailleur, todos policiais vindos de diversas partes do mundo para combater inúmeras organizações criminosas cujas atividades iam de furto e falsificação de cartões de crédito nos Estados Unidos a bancos envolvidos no tráfico de cocaína na África. Talley e eu escolhemos frango assado e salada. Marino preferiu costeleta grelhada.

Sentamos num canto.

"O secretário-geral via de regra não se envolve diretamente nas investigações", Talley nos informou. "Isso lhes dá uma idéia da importância deste caso."

"Então acho bom a gente se sentir honrado", Marino disse.

Talley cortou um bocado de frango e manteve o garfo na mesma mão. Estilo europeu.

"Não queremos ser iludidos pela vontade de que o corpo seja de Thomas Chandonne", Talley prosseguiu.

"Claro, ia ser embaraçoso se tirassem o alerta negro do computador de vocês, e aí? Descobrem que o pilantra não morreu coisa nenhuma e que o Loup-Garou é um pirado qualquer que continua matando. Nada a ver um crime com outro", Marino disse. "É capaz de a Interpol perder um pouquinho da verba, não é?"

"Capitão Marino, não se trata de verbas", Talley disse, encarando-o com firmeza. "Sei que você resolveu muitos casos difíceis em sua carreira. Tem idéia do trabalho que podem dar. Precisamos liberar nosso pessoal para investigar outros crimes. Precisamos pegar quem está protegendo o assassino. Precisamos acabar com eles de uma vez por todas."

Ele empurrou a bandeja sem ter terminado de comer. E tirou um maço de cigarros do bolso interno do paletó.

"Essa é uma das melhores coisas da Europa", comentou. "Faz mal à saúde, mas ninguém proíbe."

"Bom, eu queria saber uma coisa", Marino foi em frente. "Se não é uma questão de verbas, quem banca essa farra toda? Jatinhos, Concorde, hotel chique, táxis Mercedes?"

"Muitos táxis são Mercedes aqui."

"Preferimos Chevrolets e Fords detonados, onde moro", Marino disse, sarcástico. "Sabe como é, prestigiamos a indústria local."

"A Interpol não costuma fornecer jatinhos e hotéis de luxo", Talley disse.

"Então, quem foi?"

"Acho que vocês devem perguntar isso ao senador

Lord", Talley respondeu. "Contudo, gostaria de ressaltar um aspecto. O crime organizado existe pelo dinheiro, e grande parte do que conseguem ganhar vem de pessoas honestas, empresas honestas e corporações que desejam tirar esses cartéis do mercado, tanto quanto nós."

Marino flexionava os músculos da mandíbula.

"Digamos que uma passagem de Concorde não é pedir muito a uma das quinhentas maiores empresas do mundo, se milhões de dólares em equipamentos eletrônicos e até armas e explosivos estão sendo desviados."

"Então alguma empresa do tipo Microsoft está pagando tudo isso?", Marino perguntou.

A paciência de Talley estava sendo posta à prova. Ele não respondeu.

"Fiz uma pergunta. Quero saber quem pagou minha passagem. Quero saber quem foi que mexeu na minha mala. Algum agente da Interpol?", Marino insistiu.

"A Interpol não tem agentes. Apenas elementos de ligação de diversas instituições policiais. ATF, FBI, serviços postais, departamentos de polícia, e assim por diante."

"Claro. E a CIA também não espiona ninguém."

"Marino, pare, pelo amor de Deus", pedi.

"Quero saber quem mexeu na minha mala, cacete", Marino disse, corando profundamente. "Isso me deixou mais revoltado do que qualquer outra coisa nos últimos tempos."

"Compreendo", Talley respondeu. "Talvez você deva se queixar à polícia de Paris. Mas meu palpite é que foi para seu próprio bem, se fizeram isso. Para o caso de você ter trazido uma arma, por exemplo."

Marino não disse mais nada. Atacou o que restava das costeletas.

"Espero que não tenha trazido", falei, incrédula.

"Se alguém não está familiarizado com viagens internacionais, pode cometer enganos inocentes", Talley acrescentou. "Principalmente policiais norte-americanos, acostumados a portar sempre uma arma. Eles não entendem que podem se envolver em sérios problemas aqui por causa disso."

Marino continuou quieto.

"Desconfio que a única motivação foi evitar constrangimentos para vocês", Talley acrescentou, batendo a cinza.

"Tudo bem, tudo bem", Marino resmungou.

"Doutora Scarpetta", Talley disse, "a senhora está familiarizada com nosso sistema jurídico?"

"O bastante para ficar aliviada por não haver nada semelhante na Virgínia."

"O juiz é nomeado em caráter vitalício. O patologista forense é nomeado pelo juiz, e este decide quais provas serão enviadas ao laboratório e até qual foi o motivo da morte", Talley explicou.

"Como nosso sistema de legistas, no que tem de pior", falei. "Sempre que política e votos estão envolvidos..."

"Poder", Talley cortou. "Corrupção. Política e investigações criminais nunca podem ficar na mesma sala."

"Mas ficam. O tempo todo, agente Talley. Talvez até aqui, na sua organização", eu disse.

"Na Interpol?" Ele parecia achar divertida a idéia. "Realmente, não há motivação na Interpol para agir de maneira errada, por mais que isso soe pretensioso. Não levamos crédito por nada. Não queremos publicidade, carros, armas nem fardas; não disputamos terreno com ninguém. Temos um orçamento surpreendentemente reduzido para o que fazemos. Para a maioria das pessoas, nem sequer existimos."

"Você diz *nós* como se fosse um deles", Marino comentou. "Fiquei confuso. Numa hora é do ATF, depois vira agente secreto."

Talley ergueu uma sobrancelha e soprou a fumaça. "*Agente secreto?*", repetiu.

"Como foi que você veio parar aqui, afinal?" Marino não ia dar sossego.

"Meu pai é francês, minha mãe, americana. Passei boa

parte da infância em Paris, depois minha família se mudou para Los Angeles."

"E depois?"

"Faculdade de direito, não gostei, entrei para o ATF."

"Por quanto tempo?" Marino resolvera conduzir um interrogatório.

"Fui agente durante cinco anos."

"Sério? E há quanto tempo está aqui?" Marino se tornava mais agressivo a cada pergunta.

"Dois anos."

"Maior mordomia. Três anos de serviço de verdade, depois moleza. Bebendo vinho, curtindo esse castelão de vidro com esse pessoal bacana."

"Fui muito afortunado." A elegância de Talley era ferina. "Você tem absoluta razão. Suponho que ajude o fato de eu falar quatro idiomas, ter viajado pelo mundo, conhecer computadores e ter estudado em Harvard. Relações internacionais."

"Vou ao banheiro." Marino levantou-se abruptamente.

"A parte de Harvard foi a pior para ele", comentei com Talley, quando Marino se afastou.

"Eu não queria irritá-lo", ele disse.

"Mas conseguiu."

"Claro. Vocês tiveram uma má impressão tão rápida de mim."

"Ele normalmente não é assim tão antipático", expliquei. "Mas a nova chefia interina o obrigou a usar farda novamente, depois o suspendeu e tentou de tudo para acabar com ele, exceto tiro."

"Qual é o nome desse novo chefe?", Talley perguntou.

"É *ela*", falei. "Por vezes as *mulheres* são piores do que os *homens*, digo por experiência. Mais inseguras, sentem-se ameaçadas. As mulheres tendem a competir umas com as outras, em vez de se ajudarem."

"Você não parece ser assim." Ele me estudava atentamente.

"Sabotagem toma muito tempo."

Ele não sabia direito o que dizer.

"Você verá que sou bem direta, agente Talley, pois não tenho nada a esconder. Sei o que quero e adoto uma postura profissional. Posso lutar com você ou não. Posso enfrentá-lo ou não. Se for necessário, farei isso com misericórdia, estrategicamente, pois não me interessa ver o sofrimento alheio. Ao contrário de Diane Bray. Ela joga o seu veneno e fica se divertindo de longe, vendo o espetáculo enquanto a pessoa devagar e em agonia acaba com a própria vida."

"Diane Bray", Talley disse. "Lixo atômico de roupa justa."

"Você a conhece?", perguntei, surpresa.

"Então ela finalmente foi embora de Washington para arruinar o departamento de polícia de outra cidade. Passei um curto período na capital antes de assumir meu posto aqui. Ela sempre tentava coordenar o trabalho da polícia dela com o nosso. Sabe, FBI, Serviço Secreto, Interpol. Não que haja algum problema na cooperação entre as instituições. Mas o projeto dela não passava por aí. Ela queria se aproximar dos poderosos, e aposto que conseguiu."

"Não quero perder tempo falando nela", ponderei. "Já sugou energia demais de mim, recentemente."

"Quer sobremesa?"

"Por que nenhuma prova foi examinada nos casos de Paris?", perguntei, retomando o assunto.

"Quer café?"

"Quero uma resposta, agente Talley."

"Jay."

"O que vim fazer aqui?"

Ele hesitou, olhando para a porta, como se temesse que alguém que não queria ver entrasse subitamente. Concluí que pensava em Marino.

"Se o assassino é o maluco da família Chandonne, como suspeitamos, então seus parentes vão preferir que seus hábitos peculiares, como esfaquear, espancar e morder mulheres até matá-las não se tornem públicos. Na verdade", disse, e seus olhos se fixaram em mim, "creio que a família não quer que saibam sequer que ele habita a face da terra. É seu segredinho vergonhoso."

"Então, como sabem que ele existe?"

"A mãe deu à luz dois filhos. Não há registro da morte de um deles."

"Pelo que estou vendo, não há registro de nada."

"Não no papel. Mas há outras maneiras de descobrir as coisas. A polícia gastou centenas de horas interrogando pessoas, principalmente na Île Saint-Louis. Além do que os ex-colegas de classe de Thomas declararam, descobrimos que existe uma espécie de lenda lá, a respeito de um homem que caminha ao longo da margem durante a noite, ou de madrugada, quando ainda está escuro."

"E esse personagem misterioso nada, ou apenas caminha?", perguntei. Pensava nas diatomáceas de água doce na parte interna das roupas do morto.

Talley me olhou, surpreso.

"É curioso que você tenha perguntado isso. Sim. Ouvimos relatos de um homem que nadava nu no Sena, na margem próxima à Île Saint-Louis. Mesmo que fizesse muito frio. Sempre quando estava escuro."

"E você acreditou nessas histórias?", perguntei.

"Minha tarefa não é acreditar nem desacreditar."

"O que você quer dizer com isso?"

"Nosso papel é facilitar o serviço e fazer com que todos os envolvidos pensem e trabalhem juntos, não importa onde estejam e quem sejam. Somos a única instituição mundial capaz de fazer isso. Não estou aqui para brincar de detetive."

Talley fez uma longa pausa, e seus olhos procuravam recantos nos meus que eu temia compartilhar com ele.

"Não pretendo me meter a traçar perfis psicológicos, Kay."

Ele sabia a respeito de Benton. Claro que sabia.

"Não tenho capacidade para tanto, além de não ter a experiência exigida", acrescentou. "Portanto, nem pretendo começar a descrever o sujeito que anda fazendo tudo isso. Não tenho idéia de como ele é, como anda, fala... sei apenas que fala francês e talvez outros idiomas.

"Uma das vítimas era italiana", prosseguiu. "Ela não falava inglês. Uma das hipóteses é que ele precisava falar italiano para convencê-la a abrir a porta."

Talley se debruçou na cadeira e se serviu de água.

"Esse sujeito teve muitas oportunidades para se instruir", Talley disse. "Deve se vestir bem, pois Thomas é famoso pelo gosto por carros esporte, roupas de grife, jóias. Talvez o irmão doente do porão ganhasse as roupas velhas de Thomas."

"As calças jeans que o homem não identificado usavam eram meio folgadas na cintura", falei.

"O peso de Thomas variava bastante, pelo que sabemos. Ele se esforçava para manter a forma, era muito vaidoso em relação à aparência. Como saber?", Talley disse, dando de ombros. "Mas uma coisa é certa, se o tal irmão for estranho como as pessoas dizem, duvido que possa ir às compras."

"Você acredita realmente que essa pessoa volta para casa após cometer um assassinato, para que os pais lavem suas roupas e o protejam?"

"Alguém o protege", Talley insistiu. "Por isso os casos em Paris pararam na porta do necrotério. Não sabemos o que aconteceu lá dentro, exceto pelo que lhe mostramos."

"O juiz?"

"Alguém com muita influência. Pode ser muita gente."

"Como conseguiu os relatórios de autópsia?"

"Pelas vias normais", explicou. "Solicitamos os registros à polícia de Paris. O que você viu foi o que conseguimos. Nenhuma prova foi mandada ao laboratório, Kay. Não há suspeitos nem julgamentos. Nada, exceto que a família provavelmente se cansou de cuidar do filho psicopata. Ele não é apenas um embaraço, é um sério risco."

"Como provar que o Loup-Garou é o filho psicopata

dos Chandonne o ajudará a acabar com o cartel Um-Sessenta-Cinco?"

"Para começar, alimentamos a esperança de que o Loup-Garou conte tudo. Se for apanhado por uma série de assassinatos, especialmente o ocorrido na Virgínia... bem, teremos algo para pressioná-lo. Além do mais" — ele sorriu —, "se prendermos um dos filhos de Monsieur Chandonne, teremos argumentos para solicitar um mandado de busca e vasculhar a adorável mansão de três séculos na Île Saint-Louis, escritórios, conhecimentos de carga e assim por diante."

"Desde que o Loup-Garou seja apanhado", falei.

"Indispensavelmente."

Seus olhos cruzaram com os meus e nos fitamos por um longo tempo, tensos.

"Kay, precisamos de sua ajuda para provar que o assassino é irmão de Thomas."

Ele estendeu o maço para me oferecer um cigarro. Não o toquei.

"Talvez você seja nossa última esperança", acrescentou. "De todo modo, é a melhor chance que tivemos até hoje."

"Marino e eu podemos nos expor a inúmeros perigos se aceitarmos seguir essa linha de investigação", falei.

"A polícia não pode entrar no necrotério de Paris e começar a fazer perguntas", ele disse. "Nem mesmo um agente disfarçado. E não preciso explicar que ninguém na Interpol poderia fazer isso, tampouco."

"Por que não? Por que a polícia de Paris não pode ir até lá?"

"Porque a médica-legista que trabalhou nesses casos não aceitaria conversar com a polícia. Ela não confia em ninguém, e não posso condená-la. No entanto, confia em você."

Continuei em silêncio.

"O que aconteceu a Lucy e a Jo deveria servir de motivação", disse ele.

"Você não está sendo justo."

"Estou, Kay. Essa gente é muito ruim. Eles tentaram viciar sua sobrinha. Depois tentaram assassiná-la. Isso tudo é bem real para você, concorda? Não se trata de nenhuma abstração."

"A violência nunca é uma abstração para mim." Senti que o suor frio escorria por minha nuca.

"Mas é tudo diferente, quando envolve alguém a quem amamos", Talley insistiu. "Não é?"

"Não brinque com meus sentimentos."

"Abstrato ou concreto, a gente sente na carne as dentadas cruéis, quando machucam alguém a quem amamos", Talley prosseguiu, implacável. "Não podemos permitir que essa gente continue impune. Você está em dívida, Lucy foi poupada. Não pode permitir que outros morram."

"Eu queria estar em casa com ela", falei.

"A sua estada aqui poderá ajudá-la muito mais. O mesmo vale para Jo."

"Não preciso que ninguém me diga o que é melhor para minha sobrinha ou para a amiga dela. Nem para mim."

"Para nós, Lucy é uma das melhores agentes, e não apenas sua sobrinha."

"Suponho que deva me sentir honrada."

"Sem sombra de dúvida."

Sua atenção escapou para meu pescoço. Senti que seu olhar era como uma brisa que agitava somente meu corpo. Em seguida, ele se concentrou em minhas mãos.

"Mãos fortes", disse, tocando numa delas. "O corpo que chegou no contêiner. Kim Luong. São casos seus, Kay." Ele examinou meus dedos, minha palma. "Você conhece todos os detalhes. Sabe que perguntas fazer, o que procurar. Faz sentido que você apareça por lá para conversar com ela."

"Com quem?", perguntei, puxando a mão. Temia que alguém nos observasse.

"Madame Stvan. Ruth Stvan. Diretora do departamento de medicina legal e legista-chefe da França. Vocês se conhecem."

"Claro que sei quem é ela, mas jamais nos encontramos."

"Em Genebra, 1988. Ela é suíça. Quando a conheceu, ela era solteira e se chamava Dürenmatt."

Ele me observou para ver se eu lembrava. Nada.

"Participaram de um debate. Síndrome da Morte Súbita Infantil."

"E como você descobriu uma coisa dessas?"

"Consta em seu currículo", ele respondeu, sorrindo.

"Duvido que haja menção a ela em meu currículo", rebati, na defensiva.

Seus olhos não desgrudavam dos meus. E eu não conseguia parar de olhar para ele, o que dificultava o raciocínio.

"Aceita encontrar-se com ela?", Talley indagou. "Creio que não chamaria a atenção se você desse uma passadinha por lá para cumprimentar uma velha amiga, aproveitando sua passagem por Paris. Ela concordou em receber você. Esta é a razão de sua presença aqui."

"Fico contente em saber disso, finalmente", retruquei, sentindo a indignação crescer.

"Talvez não consiga nada. Talvez ela não saiba nada. Talvez não haja um único detalhe que ela possa fornecer para nos ajudar em nosso problema. Mas preferimos não pensar assim. Ela é uma mulher muito inteligente e ética, que enfrenta com dignidade um sistema que nem sempre está do lado da justiça. Aposto que você vai se dar bem com ela."

"Caramba, quem você pensa que é, afinal?", perguntei. "Acha que pode pegar o telefone, me convocar para vir aqui e pedir que eu dê uma *passadinha* no necrotério de Paris enquanto um cartel criminoso não está olhando?"

Ele não disse nada, mas seu olhar não vacilou um segundo. O sol batia na janela atrás de Talley, dando a seus olhos um brilho amarelado de tigre.

"Não me importa nem um pouco que você seja da Interpol, da Scotland Yard ou emissário da rainha da Inglaterra", falei. "Não aceitarei que ponha em risco a vida e o trabalho da doutora Stvan, de Marino ou mesmo o meu."

"Marino não irá ao necrotério."

"Você diz isso a ele."

"Se ele a acompanhar, despertará suspeitas, principalmente por não ser um modelo de decoro", Talley disse. "Além disso, duvido que a doutora Stvan vá gostar dele."

"E se houver alguma prova, o que acontece?"

Ele não respondeu, e eu sabia a razão.

"Você está pedindo para eu manipular provas. A idéia é roubar provas, certo? Não sei que nome dão a isso aqui, mas nos Estados Unidos se chama crime."

"Adulteração ou falsificação de provas, segundo o novo código penal. É assim que se chama, aqui. Trezentos mil francos de multa, três anos de cadeia. E provavelmente você poderá ser acusada de desrespeito aos mortos, suponho, se resolverem levar o caso a ferro e fogo. Aí são mais cem mil francos e mais um ano de cadeia."

Afastei a cadeira.

"Devo admitir", falei friamente, "que não é freqüente em minha profissão receber de um agente da lei o pedido de cometer um crime."

"Eu não estou pedindo nada. Isso depende de você e da doutora Stvan."

Levantei-me. Não queria ouvir mais nada.

"Você não deve ter feito uma boa faculdade de direito, mas eu fiz", falei. "Pode saber recitar o código penal, mas eu sei o que ele representa."

Ele não se moveu. O sangue latejava em meu pescoço e o sol batia com tanta força em meu rosto que eu não conseguia enxergar direito.

"Tenho sido servidora da lei e dos princípios da ciência e da medicina", declarei. "Dediquei metade da minha vida a isso. E você, agente Talley, a única coisa que fez durante metade de sua vida foi flanar durante a adolescência em sua vida sofisticada e indulgente."

"Não vai acontecer nada de ruim a você", Talley respondeu calmamente, como se não tivesse ouvido os insultos que joguei na cara dele.

"Amanhã de manhã, Marino e eu vamos voltar para casa."

"Por favor, sente-se."

"Quer dizer que conhece Diane Bray? Seria este o plano dela? Me mandar para uma prisão francesa?"

"Por favor, sente-se", ele disse, apenas.

Relutante, sentei-me.

"Se fizer algo a pedido da doutora Stvan e tiver problemas, intercederemos em seu favor", ele disse. "Assim como fizemos em relação ao conteúdo da mala de Marino."

"Você acha que eu vou acreditar numa coisa dessas?", falei, incrédula. "Se a polícia francesa me prender no aeroporto, basta dizer: *Tudo bem, estou numa missão secreta para a Interpol.*"

"Só estamos providenciando um encontro seu com a doutora Stvan."

"Não diga bobagem. Eu sei exatamente o que vocês estão fazendo. E se eu tiver algum problema, vocês vão agir como todas as organizações do gênero. Alegarão que não me conhecem."

"Eu nunca diria isso."

Ele enfrentou meu olhar, e a sala ficou tão quente que eu precisava de ar fresco.

"Kay, nunca diríamos uma coisa dessas. O senador Lord jamais faria isso. Por favor, confie em mim."

"Lamento, mas não confio."

"Quando você pretende voltar a Paris?"

Precisei parar para pensar. Ele me deixara confusa e furiosa.

"Você tem passagem para o trem do final da tarde", ele me lembrou. "Mas, se quiser passar a noite aqui, conheço um hotel pequeno e charmoso na rue du Boeuf. Chama-se La Tour Rose. Você vai adorar."

"Não, obrigada", falei.

"Onde está Marino?" De repente, eu me dei conta de que ele havia sumido fazia muito tempo.

"Eu estava pensando exatamente nisso", Talley disse, enquanto atravessávamos o salão do refeitório. "Creio que ele não simpatiza muito comigo."

"Foi a dedução mais brilhante do dia", falei.

"Acho que ele fica incomodado quando outro homem se interessa por você."

Eu não tinha resposta para aquilo.

Ele deixou as bandejas no balcão.

"Você vai telefonar para ela?" Talley não desistia. "Por favor?"

Ele estava parado no meio do refeitório, totalmente imóvel, e tocou meu ombro de leve, num gesto quase infantil, antes de repetir a pergunta.

"Tomara que a doutora Stvan ainda saiba inglês", falei.

35

A dra. Stvan se lembrou de mim sem hesitar, quando falamos pelo telefone, reforçando o que Talley afirmara. Ela aguardava minha ligação e queria me encontrar.

"Preciso dar aula na universidade amanhã de tarde", ela explicou num inglês relativamente enferrujado pela falta de prática. "Mas você pode vir de manhã. Entro às oito."

"Oito e quinze seria um bom horário? Você terá tempo de se organizar?"

"Claro. Você acha que eu posso ajudar em algo durante sua estada em Paris?", ela perguntou, num tom que insinuava a possibilidade de mais gente estar ouvindo a conversa.

"Estou interessada em saber como funciona o sistema de medicina legal aqui na França", falei, seguindo a orientação implícita.

"Nem sempre funciona direito", ela respondeu. "O departamento fica perto da Gare de Lyon, nas imediações do Quai de la Rapée. Se vier de carro, você pode estacionar nos fundos, onde recebemos os corpos. Caso contrário, entre pela frente."

Talley deixou de lado os recados que estava lendo e ergueu os olhos.

"Obrigado", disse quando desliguei.

"Para onde você acha que Marino foi?", perguntei.

Minha ansiedade crescia. Eu não confiava em Marino. Sozinho, ele logo ia acabar ofendendo alguém.

"Não há muitas opções de passeio aqui", Talley retrucou.

Encontramos Marino no andar de baixo, no saguão, sentado ao lado de um vaso de palmeira, emburrado. Ele entrara e saíra por muitas portas, acabara se perdendo. Acabou pegando o elevador para o térreo e não quis pedir ajuda ao pessoal da segurança.

Marino não se mostrava tão petulante havia muito tempo. Fechou a cara de tal maneira, na volta a Paris, que acabei passando para outro banco, de costas para ele. Fechei os olhos e cochilei. Depois fui até o vagão-restaurante e comprei uma Pepsi, sem perguntar se ele também queria. Comprei um maço de cigarros e não lhe ofereci nenhum.

Quando chegamos ao saguão do hotel, finalmente cedi.

"Quer tomar um drinque?", perguntei.

"Preciso ir para o meu quarto."

"Qual é o problema, afinal?"

"Eu acho que você é que deveria responder isso", ele retrucou.

"Marino, não tenho a menor idéia do que você está falando. Vamos descansar no bar por um minuto e decidir o que vamos fazer em seguida com essa confusão em que nos metemos."

"A única coisa que eu vou fazer em seguida é subir para o meu quarto. E não fui eu quem meteu a gente nessa encrenca."

Desisti, ele entrou no elevador sozinho. Observei seu rosto teimoso desaparecer atrás da porta dourada. Subi a longa escadaria em curva, acarpetada, o que me mostrou o mal que fumar fazia à minha saúde. Abri a porta, mas não estava preparada para a cena que encontrei. O medo tomou conta de mim quando me aproximei do aparelho de fax e vi o material que o dr. Harston, médico-legista chefe da Filadélfia, havia me mandado. Sentei-me na cama, paralisada.

As luzes da cidade brilhavam, o anúncio da destilaria Grand Marnier era alto e imenso, o Café de la Paix, debaixo dele, estava lotado. Retirei a folha do aparelho de fax com as mãos trêmulas, com os nervos abalados, como se eu sofresse de uma doença terrível. Peguei três scotches no frigobar e os despejei num copo, de uma só vez. Não me dei ao trabalho de colocar gelo. Pouco me importava passar mal no dia seguinte, isso ia acontecer de qualquer modo. Havia uma mensagem do dr. Harston na primeira página.

Kay, eu vivia me perguntando quando você ia pedir esse material. Sabia que o faria quando estivesse pronta. Entre em contato, se tiver alguma dúvida. Estou à sua disposição.

Vance

O tempo passou sem que eu me desse conta, como se estivesse catatônica, enquanto eu lia o relatório do legista a respeito da investigação inicial, com a descrição do corpo de Benton, ou o que restara dele, *in situ*, no prédio em ruínas onde falecera. As frases voavam diante de meus olhos como cinzas ao vento. *Corpo calcinado com fraturas de queimadura nos pulsos; ausência das mãos e crânio revela descamação laminar com fraturas por fogo e queimaduras até a musculatura do tórax e abdome.*

A entrada do projétil na cabeça fizera um buraco de um centímetro e meio que revelava afundamento dos ossos fraturados. Ele penetrara na área anterior ao ouvido direito, causando fraturas radiais, impactando a região do osso temporal direito e terminando aí.

Ele sofria de um *ligeiro diastema central no maxilar.* Eu sempre gostara daquele vãozinho sutil entre os dentes da frente. Ele tornava seu sorriso mais encantador, pois em todos os outros aspectos ele era muito certo, os dentes perfeitos, pois sua família perfeita da Nova Inglaterra o obrigara a usar aparelho.

... marca de traje de banho e sinais de bronzeamento. Ele partira para Hilton Head sozinho porque eu havia

sido convocada ao local de uma morte. Se ao menos eu tivesse dito *não* e ido com ele. Se ao menos tivesse recusado o primeiro de uma série de crimes hediondos que se encerraria com ele, a derradeira vítima.

Nada do que eu estava vendo fora forjado. Impossível. Só Benton e eu conhecíamos a cicatriz linear de aproximadamente cinco centímetros no joelho esquerdo. Ele se cortara com um caco de vidro em Black Mountain, na Carolina do Norte, quando fizemos amor pela primeira vez. A cicatriz era um estigma do amor adúltero. Curioso que tivesse sido poupada graças ao isolante do teto, molhado, que caíra sobre ela.

A cicatriz sempre me lembrava pecado. Agora parecia transformar sua morte em um castigo que culminava com minha visualização de tudo o que fora descrito no relatório, pois eu vira aquilo antes, e aquelas imagens me derrubaram. Sentada no chão, chorei e chamei seu nome.

Não ouvi as batidas na porta até que começaram a esmurrá-la.

"Quem é?", perguntei com voz sumida, arrasada.

"O que houve aí?", Marino gritou, do outro lado.

Levantei-me, debilitada, e quase perdi o equilíbrio quando abri a porta para ele.

"Faz cinco minutos que eu estou batendo...", ele começou a dizer. "Puta que o pariu. Mas que diabo é isso, afinal?"

Dei-lhe as costas e fui para perto da janela.

"Doutora, o que é isso? Diga logo." Ele parecia apavorado. "Aconteceu alguma coisa?"

Ele se aproximou e levou as mãos ao meu ombro. Foi a primeira vez que fez tal gesto, nos anos todos em que nos conhecíamos.

"Pode contar. O que são esses diagramas com a posição dos corpos e esses relatórios na sua cama? Lucy está bem?"

"Me deixe em paz", falei.

"Só depois que você me explicar o que está acontecendo!"

"Vá embora."

Ele retirou as mãos, e senti frio no lugar onde estavam. Senti a distância. Ele foi para o outro lado do quarto. Percebi que pegava as folhas de fax. Em silêncio.

Depois de um tempo, ele disse: "Mas que diabo você está fazendo? Quer enlouquecer de vez? Por que resolveu olhar isso?". Sua voz se ergueu, plena de pânico e dor. "Por quê? Perdeu o juízo?"

Dei meia-volta e avancei para cima dele. Agarrei os faxes e os sacudi na sua cara. Cópias dos diagramas do corpo, exames toxicológicos, relatórios dos indícios e provas encontrados, atestado de óbito, tarjeta de identificação, registros dentários, conteúdo do estômago. Joguei tudo para cima, e as folhas se espalharam pelo tapete feito folhas mortas.

"Porque você *tinha* de falar aquilo?", gritei com ele. "Você *tinha* de abrir sua boca enorme, rude, para alegar que ele não estava morto! Pronto, agora já sabemos, não é? Leia você mesmo, Marino."

Sentei-me na cama, enxugando os olhos com as mãos.

"Leia tudo, assim nunca mais falaremos disso", disse-lhe. "E nunca mais diga nada a respeito. Não me venha com essa história de que ele está vivo. Nunca mais faça isso comigo."

O telefone tocou. Ele atendeu.

"Como é?", vociferou. "É mesmo?", acrescentou, após uma pausa. "Bom, eles têm razão. Estamos mesmo perturbando o sossego. E se mandar alguém da segurança aqui para cima eu jogo para baixo, porque sou da polícia e agora é um momento péssimo para me atormentarem, porra!"

E bateu o telefone. Sentou-se na cama a meu lado. Seus olhos se encheram de lágrimas também.

"E agora, o que vamos fazer, doutora? Que diabo vamos fazer, hein?"

"Ele queria que jantássemos juntos para que discutíssemos e brigássemos e chorássemos assim", murmurei, sentindo as lágrimas escorrerem pelo rosto. "Ele sabia que nos voltaríamos uns contra os outros e trocaríamos acusações, pois não haveria outro jeito de superar o que houve e tocar a vida para a frente."

"Claro, ele tinha feito nosso perfil psicológico", Marino disse. "Aposto que fez isso. Como se soubesse o que ia acontecer, e como reagiríamos."

"Ele me conhecia bem", murmurei. "Meu Deus, como ele me conhecia! Sabia que eu ficaria pior do que todos. Eu não choro. Não gosto de chorar! Aprendi a não chorar quando meu pai estava morrendo, pois chorar era sentir, e o sentimento era insuportável. Era como se eu secasse por dentro, como uma vagem seca que chacoalha, meus sentimentos duros, secos... a chacoalhar. Estou arrasada, Marino. Acho que nunca vou conseguir superar o que houve. Talvez seja bom mesmo me demitirem. Ou eu pedir demissão."

"Isso não vai acontecer", ele disse.

Como não respondi, ele se levantou, acendeu um cigarro e começou a andar de um lado para o outro.

"Quer jantar, ou fazer alguma outra coisa?"

"Só quero dormir um pouco", falei.

"Acho que seria uma boa idéia sair um pouco deste quarto."

"Não, Marino."

Tomei Benadryl para apagar. Quando saí da cama com dificuldade, na manhã seguinte, sentia a cabeça pesada e vazia. Olhei minha imagem no espelho do banheiro e vi olhos cansados, inchados. Lavei o rosto com água fria, troquei de roupa e peguei um táxi às sete e meia, desta vez sem o auxílio da Interpol.

O Institut Médico-Légal, um prédio de três andares de tijolo vermelho e pedra calcária, situava-se na parte leste da cidade. A via expressa Voie o separava do Sena, que naquela manhã exibia uma coloração de mel. O motorista de táxi me deixou na frente do edifício, no meio de um parque pequeno mas adorável, composto por prímulas, amores-perfeitos, margaridas, flores silvestres e bananeiras-de-jardim. Um jovem casal namorava num banco, um senhor idoso passeava com o cachorro, claramente alheios ao inconfundível cheiro dos mortos que escapava pelas janelas gradeadas e pela porta de ferro do Institut.

Ruth Stvan era famosa pelo sistema heterodoxo que adotava. Visitantes eram recebidos pela recepcionista, quando um parente entrava era imediatamente interceptado por uma pessoa gentil que o ajudava a ir para onde queria. Uma das recepcionistas se aproximou de mim. Ela me conduziu por um longo corredor revestido de azulejos onde investigadores aguardavam em poltronas azuis, e meu francês bastou para entender que eles conversavam sobre uma pessoa que pulara da janela na noite anterior.

Acompanhei minha guia em silêncio, passando por uma capela pequena de vidro colorido onde um casal chorava a morte de um rapaz, posto num caixão branco aberto. O tratamento dado aos mortos ali era diferente do costumeiro nos Estados Unidos. Em meu país, simplesmente não havia recursos nem tempo para recepcionistas, velórios e lamentos. Os tiroteios ocorriam diariamente e os mortos não tinham quem fizesse lobby por eles.

A dra. Stvan trabalhava num caso, na Salle d'Autopsie, assim identificada por uma placa na porta automática. Quando entrei, a ansiedade me sufocou novamente. Não sabia o que dizer. Ruth Stvan posicionava um pulmão na balança suspensa, usando um avental verde que estava salpicado de sangue. Seus óculos também. Eu sabia que o corpo era do homem que pulara da janela. O rosto fora esmagado, os pés destroçados, os ossos da canela subiram até a coxa.

"Por favor, me dê apenas um minuto", a dra. Stvan pediu.

Havia dois outros casos em andamento, examinados por médicos de branco. Nas lousas constavam os nomes e os números dos mortos. Uma serra Stryker abria um crânio, enquanto a água corria ruidosamente nas pias. A dra. Stvan era ágil e enérgica, loura e grandalhona, um pouco mais velha do que eu. Lembrei-me de que em Genebra, quando nos conhecemos, ela fora meio arredia.

A dra. Stvan cobriu com um lençol o corpo cuja autópsia ainda não terminara e tirou as luvas. Começou a desatar o avental nas costas ao caminhar a meu lado com passos firmes, decididos.

"Como vai?", disse.

"Não sei", confessei.

Se ela considerou a resposta exótica, não comentou.

"Por favor, me acompanhe, e podemos conversar enquanto eu me lavo. Depois vamos tomar café."

Ela me levou a um vestiário pequeno e deixou os trajes cirúrgicos no cesto de roupa suja. Lavamos as mãos com sabonete desinfetante. Minha colega também lavou o rosto e depois se enxugou numa toalha azul grosseira.

"Doutora Stvan", falei, "obviamente não vim aqui para bater um papo nem conhecer os métodos dos legistas locais. Nós duas já sabemos disso."

"Sem dúvida", ela respondeu, olhando para mim. "Não sou simpática o bastante para merecer uma visita amigável." Ela sorriu de leve. "Sei que nos conhecemos em Genebra, doutora Scarpetta, mas não chegamos a conversar. Uma pena, realmente. Naquela época havia pouquíssimas mulheres na nossa profissão."

Ela falava enquanto caminhávamos pelo corredor.

"Quando você telefonou, eu já sabia do que se tratava, pois fui eu quem pediu sua presença aqui", ela acrescentou.

"Fico um pouco nervosa ao saber disso", retruquei. "Como se já não estivesse suficientemente nervosa."

"Compartilhamos os mesmos objetivos. Se você estivesse no meu lugar, eu a visitaria, entende? Não podemos permitir que isso continue. Não podemos deixar que outra mulher morra dessa maneira. Agora, ele está nos Estados Unidos, em Richmond. Esse tal de Loup-Garou é um monstro."

Entramos em sua sala, onde não havia janelas, e as pastas, publicações especializadas e memorandos cobriam todas as superfícies. Ela pegou o telefone e discou o número de um ramal para pedir a alguém que nos trouxesse café.

"Por favor, fique à vontade, se conseguir. Eu tiraria as coisas do caminho, se tivesse onde colocá-las."

Puxei uma cadeira e me sentei perto de sua mesa.

"Eu me senti muito deslocada em Genebra", ela disse, ainda concentrada na lembrança de nosso primeiro encontro, ao fechar a porta. "E parte de meu desconforto se devia ao sistema vigente aqui na França. Os patologistas forenses estavam completamente isolados aqui; desde então isso não mudou, e talvez não mude até eu morrer. Não podemos dialogar com ninguém, embora nem sempre essa parte seja ruim, uma vez que gosto de trabalhar sozinha."

Ela acendeu um cigarro.

"Eu faço o levantamento dos ferimentos e a polícia se encarrega do relato, se quiserem. Quando há um caso delicado, converso com o juiz e talvez consiga o que preciso, talvez não. Muitas vezes, quando levanto uma questão, não se convoca um laboratório para fazer os testes, compreende?"

"Portanto, em certo sentido, sua tarefa é apenas determinar a causa da morte", falei.

Ela concordou com um movimento de cabeça. "A cada caso o juiz me encarrega de determinar a causa da morte, e é praticamente só isso."

"Você não pode investigar de verdade", falei.

"Da maneira como você faz, não", ela confirmou, soltando a fumaça pelo canto da boca. "Sabe, o problema da justiça francesa é que o magistrado é independente. Não posso tratar com ninguém, só com o juiz que me nomeou, e apenas o ministro da Justiça pode transferir um caso para outro magistrado. Portanto, se houver um problema, estou de mãos atadas. O juiz faz o que bem entende com meu relatório. Se eu disser que foi homicídio e ele discordar, acabou. Não é problema meu. A lei determina que seja assim."

"Ele pode mudar seu relatório?" Para mim, essa idéia era ultrajante.

"Claro que sim. Estou sozinha, contra tudo e contra todos. Desconfio que você também."

Eu não queria pensar no quanto estava sozinha.

"Tenho plena consciência de que nossa conversa pode ser muito prejudicial para você, se alguém souber que trocamos idéias...", comecei a dizer.

Ela ergueu a mão para me calar. A porta se abriu e a mesma moça que me acompanhara entrou com uma bandeja contendo café, creme e açúcar. A dra. Stvan agradeceu e disse mais alguma coisa em francês que não entendi. A moça balançou a cabeça e se retirou discretamente, fechando a porta atrás de si.

"Pedi a ela que atendesse todas as ligações", a dra. Stvan informou. "É importante que você saiba desde já que o magistrado responsável pelo caso é alguém a quem respeito muito. Mas ele sofre pressões vindas de cima, acho que você entende o que quero dizer. Pressões de gente acima do ministro da Justiça, inclusive. Não sei de onde veio a ordem, mas não foram feitas análises de laboratório nos casos, e por isso a enviaram."

"Enviaram? Pensei que você tivesse pedido minha presença."

"Como quer seu café?", a dra. Stvan perguntou.

"Quem lhe disse que me enviaram para cá?"

"Não resta dúvida de que você foi enviada para que eu pudesse me livrar dos segredos que carrego, e farei isso de bom grado. Quer creme e açúcar?"

"Tomo café preto."

"Quando aquela moça foi assassinada em Richmond,

me disseram que você seria mandada para cá, se eu aceitasse recebê-la."

"Quer dizer que você não solicitou minha vinda?"

"Eu jamais teria pedido isso, pois nunca imaginaria que tal solicitação pudesse ter qualquer chance de sucesso."

Pensei no jatinho fretado, no Concorde e nos demais luxos.

"Você pode me dar um cigarro?", perguntei.

"Lamento não ter oferecido. Não sabia que você fumava."

"Não fumo. Só estou abrindo uma exceção. De aproximadamente um ano. Você sabe quem me mandou para cá, doutora Stvan?"

"Alguém com influência suficiente para fazer com que você viesse praticamente no mesmo dia. É só o que sei."

Pensei no senador Lord.

"Estou arrasada pelos crimes que o Loup-Garou cometeu. Oito mulheres mortas, até agora", ela disse, e um olhar distante, sofrido, tomou conta de sua fisionomia.

"O que posso fazer, doutora Stvan?"

"Não há evidência de que as mulheres tenham sido estupradas vaginalmente", ela disse. "Nem sodomizadas. Colhi amostras no local das mordidas, eram marcas muito estranhas. Ausência de molares, oclusão, dentes pequenos muito espaçados. Recolhi cabelos e outros materiais. Mas vamos retornar ao primeiro caso, quando tudo começou a ficar estranho.

"Como se poderia esperar, o juiz responsável ordenou que eu enviasse todos os indícios ao laboratório. Passaram-se semanas, meses, e os resultados não retornaram. Logo entendi. Nos casos seguintes atribuídos ao Loup-Garou, não pedi para analisar nada."

Ela se calou por um momento, e seus pensamentos foram para longe.

Depois, disse: "Ele é muito esquisito, o Loup-Garou. Morde as palmas das mãos e as solas dos pés. Deve simbolizar algo para ele. Nunca vi nada parecido. Agora, você precisa lidar com o sujeito, assim como eu fiz".

Ela fez uma pausa. O que tinha a dizer a seguir era duro.

"Por favor, tome cuidado, doutora Scarpetta. Ele vai atrás de você, como veio atrás de mim, compreende? Eu sou a sobrevivente."

Emudeci de surpresa.

"Meu marido é cozinheiro em Le Dome. Quase nunca está em casa à noite, mas graças a Deus ele estava doente, de cama, quando a criatura bateu na minha porta, faz algumas semanas. Chovia. Ele alegou que havia sofrido um acidente de carro e que precisava chamar a polícia. Claro, meu primeiro pensamento foi ajudar. Eu queria ter certeza de que ele não se machucara. Fiquei preocupada.

"Isso me tornou vulnerável", ela prosseguiu. "Médicos têm complexo de samaritano, sabe? Cuidamos de problemas, sejam quais forem, e nesse caso foi esse impulso que predominou, percebo em retrospecto. Não havia nada de suspeito, e ele sabia que eu o deixaria entrar. Mas Paul ouviu vozes e perguntou quem estava lá. O sujeito saiu correndo. Não consegui ver seu rosto. A luz da frente não acendeu, pois ele a desatarraxou, como vi mais tarde."

"Você chamou a polícia?"

"Apenas um investigador de minha confiança."

"Por quê?"

"A gente precisa tomar cuidado."

"Como você sabia que ele era o assassino?"

Ela tomou um gole de café, naquela altura, já frio. Serviu mais café a nós duas, para esquentá-lo um pouco.

"Foi uma questão de *intuição*. Senti um odor animalesco, um cheiro de bicho molhado, porém agora acho que imaginei isso. Mas podia sentir o mal, a lascívia em seus olhos. E ele não mostrou o rosto. Não cheguei a vê-lo, notei apenas o lampejo maligno em seus olhos quando abri a porta e a luz de dentro iluminou a frente da casa."

"Cheiro de bicho molhado?", repeti.

"Diferente do odor do corpo humano. Um cheiro sujo, como o de um cachorro que precisa tomar banho. É assim que me lembro. Mas tudo aconteceu tão depressa, não tenho certeza de nada. No dia seguinte, recebi uma mensagem dele. Está aqui. Vou lhe mostrar."

Ela se levantou e destrancou uma gaveta num arquivo de metal, onde as pastas estavam tão apertadas umas contra as outras que teve dificuldade para tirar uma delas. Não havia etiqueta de identificação, e, protegido por um saco plástico transparente usado para guardar provas, um pedaço de papel marrom salpicado de sangue.

"*Pas la police. Ça va, ça va. Pas de problème, tout va bien. Le Loup-Garou*", ela leu. "Quer dizer: 'Nada de polícia. Tudo ok. Nenhum problema, vai tudo bem. O lobisomem'."

Olhei para as letras quadradas, familiares. Eram toscas, quase infantis.

"O papel parece um pedaço de papel de embrulho pardo, desses de mercearia", ela disse. "Não posso provar que foi mandado por ele. Mas quem mais poderia fazer isso? Não sei de quem é o sangue, pois como você sabe não posso mandar analisar. Apenas meu marido sabe que recebi esse recado."

"Por que você?", perguntei. "Por que ele resolveu matá-la?"

"Deduzo que só pode ser porque ele me viu nas cenas dos crimes. Portanto, sei que observa os locais. Depois de matar, ele se esconde nas sombras, sabe-se lá onde, para vigiar pessoas como nós trabalhando. Ele é muito inteligente e astuto. Aposto que sabe exatamente o que acontece quando os corpos chegam aqui, para mim."

Olhei o recado contra a luz, em busca de marcas ocultas que poderiam estar no papel se alguém tivesse usado a folha de cima para escrever, mas não vi nada.

"Quando li o bilhete, a corrupção foi comprovada. Como se houvesse alguma dúvida", a dra. Stvan disse. "O Loup-Garou sabia que eu não poderia chamar a polícia nem enviar a mensagem para perícia, nos laboratórios. Ele estava dizendo, ou melhor, alertando, para nem tentar. E, por estranho que pareça, tive também a impressão de que me dizia que não tentaria novamente."

"Eu não tiraria uma conclusão tão precipitada", falei.

"Como se precisasse de um amigo. A besta solitária precisa de alguém. Suponho que em suas fantasias ele se considera importante para mim, pois o vi e não morri. No entanto, quem pode penetrar numa mente assim?"

Ela se levantou da escrivaninha e destrancou outra gaveta de outro arquivo metálico. Apanhou uma caixa de sapato comum, retirou a fita adesiva e abriu a tampa. Lá dentro havia oito caixinhas de papelão pequenas, com furos para ventilação, bem como oito envelopinhos pardos, cada um deles com a data e o número do caso a que se referia.

"Lamentavelmente, não foram tirados moldes das marcas de mordida", ela disse. "Para fazer isso, eu teria de chamar um dentista, e sabia que não permitiriam. Mas recolhi amostras com cotonetes, e talvez sejam úteis. Talvez não."

"Ele tentou erradicar as marcas de mordidas no assassinato de Kim Luong", informei. "Não valia a pena fazer moldes, nem fotografá-las adiantou."

"Não me surpreende. Ele sabe que não há ninguém para protegê-lo lá. Agora, como vocês dizem, está jogando no seu campo. Posso adiantar que não será difícil identificá-lo pela dentição. Ele tem dentes miúdos, estranhos, bem espaçados e pontudos. Como um animal qualquer."

Uma sensação estranha tomou conta de mim.

"Recolhi cabelos em todos os cadáveres", ela disse. "Parecem pêlos de gato. Pensei que ele criasse gatos angorá, algo assim."

Debrucei-me na cadeira.

"Pêlos de gato?", falei. "Você os guardou?"

Ela abriu uma aba e pegou uma pinça na gaveta da escrivaninha. Enfiou a pinça no envelope e retirou vários fios de cabelo. Eram tão finos que flutuaram no ar ao cair sobre o risque-rabisque que havia em cima da mesa.

"Todos similares, está vendo? Nove ou dez centímetros de comprimento, louros. Muito finos, como cabelo de bebê."

"Doutora Stvan, não são pêlos de gato. São cabelos humanos. Foram encontrados também nas roupas do corpo não identificado que achamos no contêiner de carga. E no corpo de Kim Luong."

Ela arregalou os olhos.

"Quando você enviou o material recolhido no primeiro caso, incluiu fios desse cabelo?", indaguei.

"Sim."

"E não soube de nada?"

"Até onde posso supor, o laboratório nem sequer analisou as amostras que enviei."

"Ah, eu aposto que foi tudo analisado, sim", falei. "Aposto que sabem muito bem que esses cabelos são humanos e que são compridos demais para vir de um bebê. Eles sabem muito bem o que significam as marcas de mordidas e talvez tenham obtido o DNA a partir delas."

"Então obteremos o DNA também a partir dos cotonetes com os quais recolhi resíduos nas mordidas", ela disse, cada vez mais preocupada.

Eu não me importava. Já não fazia diferença.

"Claro, não se pode conseguir muita coisa com esses cabelos", ela pensou em voz alta. "Hirsuto, sem pigmentação. Seriam simplesmente compatíveis uns com os outros, certo?"

Eu não estava escutando. Pensava em Kaspar Hauser. Ele passou dezesseis anos num calabouço, pois o príncipe Carlos de Baden queria garantir que Kaspar jamais reivindicasse o trono.

"... nada de DNA sem as raízes, suponho...", a dra. Stvan prosseguiu.

Aos dezesseis anos ele foi encontrado numa estrada, com uma mensagem presa ao corpo. Era pálido como um peixe das cavernas, incapaz de falar, como um animal. Um monstrengo. Não conseguia escrever o nome sem que alguém guiasse sua mão.

"As letras quadradas e toscas de uma criança quase iletrada", pensei em voz alta. "Alguém protegido, que jamais conviveu com os outros, nunca freqüentou escola e só estudou em casa. Talvez seja autodidata."

A dra. Stvan parou de falar.

"Só a família poderia ocultar alguém desde o nascimento. Só uma família muito poderosa poderia ignorar a lei, permitindo que essa anomalia seguisse matando sem ser apanhada. Sem constranger a família, sem atrair a atenção."

A dra. Stvan manteve silêncio enquanto minhas palavras confirmavam suas suposições e despertavam uma nova onda de medo, agora mais difusa.

"A família Chandonne sabe exatamente o que significam esses cabelos e os dentes anormais", falei. "Ele também. Claro que sim, e deve ter suspeitado que você também sabia, mesmo que o laboratório não tivesse informado nada, doutora Stvan. Creio que ele foi até sua casa por ter visto o reflexo de quem era nos corpos. Você viu tudo o que o envergonhava, ou ele acreditou que tivesse visto."

"Vergonha?"

"Não creio que o objetivo do recado tenha sido assegurar que ele não ia tentar de novo", continuei. "Acho que zombava de você, dizendo que poderia fazer o que bem entendesse, com absoluta impunidade. Disse também que voltaria, e que não falharia na próxima vez."

"Mas pelo que sabemos ele não está mais aqui", a dra. Stvan retrucou.

"Obviamente, algo fez com que ele mudasse seus planos."

"E a vergonha por pensar que eu vi essas coisas? Não consegui vê-lo direito."

"O que ele fez às vítimas é a única imagem necessária. O cabelo não cai da cabeça", falei. "Sua origem é o corpo inteiro."

36

Eu havia visto um único caso de hipertricose na vida, quando era residente em Miami e dei plantão em rodízio, na pediatria. Uma mexicana deu à luz uma menina, e dois dias depois o corpo da criança estava coberto de um cabelo cinza-claro com quase cinco centímetros de comprimento. De suas narinas e orelhas saíam tufos espessos. Ela era fotofóbica, seus olhos tinham uma sensibilidade fortíssima para a luz.

Na maioria dos portadores de hipertricose o crescimento de pêlos se acentua até que as únicas áreas descobertas são as membranas mucosas, as palmas das mãos e as solas dos pés. Em casos extremos, os pêlos do rosto e das sobrancelhas crescem tanto que é preciso afastá-los para que a pessoa enxergue, caso ela não se barbeie. Outros sintomas são anomalias dentárias, genitália atrofiada, número de dedos, artelhos e mamilos acima do normal, bem como rosto assimétrico.

Na Antigüidade os portadores da enfermidade eram vendidos a circos e cortes, para diversão dos nobres. Alguns eram considerados lobisomens.

"Cabelos molhados e sujos. Como de um animal molhado, sujo", a dra. Ruth Stvan disse. "Suponho que a razão para ele mostrar apenas os olhos quando bateu na minha casa foi o fato de seu rosto inteiro estar coberto por aqueles pêlos. Será que ele manteve as mãos no bolso por estarem também cobertas de pêlos?"

"Sem dúvida, ele não poderia circular na sociedade

daquele jeito", comentei. "A não ser que saísse apenas depois que escurecesse. Vergonha, sensibilidade à luz e depois assassinato. Ele precisava restringir suas atividades à noite, obviamente."

"Calculo que raspasse os pêlos", a dra. Stvan disse. "Pelo menos das áreas visíveis às pessoas. Rosto, testa, pescoço, dorso da mão."

"Parte dos pêlos encontrados, mais curtos, indicaram isso", concordei. "Quando estava a bordo do navio, ele precisava raspá-los, sem dúvida."

"Ele deve se despir, ao menos parcialmente, quando mata", ela disse. "Afinal, deixa muitos pêlos longos."

Pensei que sua genitália devia ser atrofiada, e que isso poderia estar relacionado com o fato de ele despir as vítimas apenas da cintura para cima. Talvez ver a genitália feminina adulta evocasse sua própria condição masculina deficiente. Dava para imaginar sua raiva, sua humilhação. Era típico dos pais ocultar um filho com hipertricose desde o nascimento, principalmente se fossem poderosos e orgulhosos como os Chandonne, residentes na milionária e restrita Île Saint-Louis.

Imaginei o filho atormentado, uma *espèce de sale gorille*, habitando um canto escuro na centenária vivenda familiar, só podendo sair à noite. Cartel criminoso ou não, uma família abastada tradicional, com nome a zelar, dificilmente desejaria que o mundo soubesse que ele era filho deles.

"Resta sempre uma esperança de realizar buscas nos registros de nascimento da França para ver se houve bebês nascidos com essas características", falei. "Isso não deve ser difícil de conseguir, pois a hipertricose é muito rara. Só um caso em um bilhão de nascimentos, ou algo do gênero."

"Não há nenhum registro", a dra. Stvan afirmou sensatamente.

Acreditei nela. A família devia ter tomado suas providências. Por volta do meio-dia saí do necrotério da dra.

Stvan com o coração cheio de apreensão e a mala de provas obtidas de modo impróprio. Saí pelos fundos do prédio, onde peruas com cortinas nas janelas esperavam o chamado para a próxima triste jornada. Um homem e uma mulher de trajes escuros aguardavam num banco encostado no muro antigo de tijolo. Ele, de chapéu na mão, olhava para o chão. Ela me encarou com o rosto contorcido pela dor.

Caminhei depressa pelo passeio de pedra à margem do Sena, perseguida por imagens terríveis. Imaginei o rosto medonho surgindo da escuridão, quando uma das mulheres abriu para ele a porta de sua casa. Eu o vi perambular feito fera noturna, escolhendo e seguindo as vítimas, até atacar e matar mais uma vez. Sua vingança contra a vida era obrigar as vítimas a olhar para ele. Sua força estava em aterrorizar.

Parei e olhei em torno. Os carros passavam sem parar, rápidos. Fui sendo tomada por um torpor à medida que o trânsito rugia e jogava pedriscos em cima de mim. Não fazia a menor idéia de como arranjar um táxi. Nem havia onde estacionar. As travessas pelas quais passei estavam desertas, e também não vi nem sinal de táxi nelas.

Senti o início de um ataque de pânico. Subi alguns degraus de pedra, voltei ao parque, sentei-me num banco enquanto o odor da morte continuava a porejar por entre flores e árvores. Fechei os olhos e virei o rosto na direção do sol de inverno, esperando que meu coração disparado reduzisse o ritmo dos batimentos, sentindo o suor frio escorrer por dentro da roupa. Mãos e pés perderam a sensibilidade, e eu mantinha a rígida maleta de alumínio entre os joelhos.

"Pelo jeito você está precisando de um amigo", ouvi a voz de Jay Talley logo acima de mim.

"O que você está fazendo aqui?", perguntei, e os pensamentos se entrechocaram alucinadamente, enlameados, tropeçando uns nos outros, ensangüentados como soldados de infantaria no campo de batalha.

"Não avisei que tomaríamos conta de você?"

Ele desabotoou o casaco de cashmere cor de tabaco para pegar o maço de cigarros num bolso interno. Acendeu um para cada um de nós.

"Você também disse que seria arriscado para qualquer agente aparecer por aqui", falei, em tom acusatório. "Quer dizer que eu venho, faço o trabalho sujo, e saio para encontrar você aqui, sentado no parque, bem na porta da frente do Institut."

Furiosa, soltei a fumaça, levantei-me e peguei a maleta.

"Afinal, que tipo de brincadeira você resolveu fazer comigo?", perguntei.

Ele enfiou a mão no outro bolso e tirou um telefone celular.

"Calculei que você ia precisar de carona", ele disse. "Não estou para brincadeiras. Vamos embora."

Ele teclou alguns números e disse algo em francês para quem atendeu.

"E agora? O agente da U.N.C.L.E. vem nos buscar?", falei, sarcástica.

"Chamei um táxi. O agente da U.N.C.L.E. se aposentou há alguns anos."

Seguimos por uma das ruas laterais mais tranqüilas, e minutos depois um táxi apareceu e parou. Entramos, e Talley olhou para a maleta em meu colo.

"Sim", respondi à pergunta que não chegou a ser formulada.

Quando chegamos ao hotel, eu o convidei a subir para meu quarto, pois não havia outro local onde pudéssemos conversar em segurança, sem corrermos o risco de que alguém nos ouvisse. Tentei falar com Marino, ninguém atendeu.

"Preciso voltar para a Virgínia", falei.

"Isso é fácil de providenciar", ele disse. "Quando quiser."

Ele pendurou o aviso de NÃO PERTURBE do lado de fora da porta e passou a corrente pega-ladrão.

"Amanhã de manhã bem cedo."

Fomos para o canto próximo da janela, onde havia duas poltronas e uma mesinha no meio.

"Deduzo que madame Stvan se abriu com você", ele disse. "Essa foi a parte mais difícil da história, se você quer saber. A esta altura a pobre coitada está muito paranóica — por bons motivos —, e eu duvido que ela revele a verdade a qualquer pessoa. Fico contente em verificar que meu instinto funcionou."

"*Seu* instinto?"

"Sim." Seus olhos se fixaram nos meus. "Intuí que a única pessoa capaz de conquistar a confiança dela seria você. Sua reputação a precedeu, e ela sente um profundo respeito por sua pessoa. Ajudou também o fato de eu conhecer você bem, mesmo à distância." Ele fez uma pausa. "Por causa de Lucy."

"Conhece minha sobrinha?" Eu duvidava dele.

"Participamos de diversos programas de treinamento na mesma época, em Glynco", ele respondeu, referindo-se à academia nacional de Glynco, na Geórgia, onde o pessoal do ATF, da Alfândega, do Serviço Secreto, da Patrulha da Fronteira e de outras sessenta e tantas instituições ligadas à segurança realizavam o treinamento básico. "Eu sentia pena de Lucy, de certo modo. A presença dela sempre gerava uma série de comentários a seu respeito, como se ela não tivesse méritos próprios."

"Eu não sei fazer um décimo das coisas que ela sabe", rebati.

"A maioria das pessoas também não sabe."

"O que isso tem a ver com ela, afinal?", eu queria saber.

"Creio que ela desenvolveu esse complexo de Ícaro por sua causa. Precisa sempre voar até perto demais do sol. Só torço para que ela não leve o mito ao pé da letra e caia lá do alto."

A imagem me encheu de pavor. Eu não tinha a menor idéia do que Lucy estava fazendo naquele momento. Talley tinha razão no que disse. Minha sobrinha sempre quis fazer tudo melhor, mais rápido e do modo mais arriscado, como se competir comigo fosse garantir o amor que ela imaginava não merecer.

"O cabelo transferido do assassino para as vítimas de Paris seguramente não pertence ao corpo que se encontra no meu necrotério", falei, e expliquei o restante a ele.

"Mas esses pêlos estranhos foram encontrados nas roupas dele?", Talley perguntou, meio confuso.

"Na parte *interna* das roupas. Tente acompanhar minha hipótese. Digamos que o assassino usava aquelas roupas e que seu corpo estivesse completamente coberto de pêlos finos como cabelo de nenê. Portanto, os pêlos que caíam ficavam presos no avesso das roupas. E ele as tirou, obrigando a vítima a vesti-las antes de afogá-la."

"A vítima de que você fala era o sujeito do contêiner. Thomas." Talley fez uma pausa. "E esses pêlos que cobrem o corpo do Loup-Garou? Obviamente, ele não os remove."

"Suponho que seja difícil raspar tudo regularmente. É mais provável que ele os tire apenas das áreas visíveis do corpo, aquelas que as pessoas enxergam."

"E não há nenhum tratamento? Remédios, nada?"

"O laser tem sido usado com relativo sucesso. Mas talvez ele não saiba disso. É mais provável que a família não tenha permitido que ele freqüentasse uma clínica, principalmente depois que começou a matar."

"Qual teria sido a razão para ele trocar de roupa com o homem que vocês encontraram no contêiner? Com Thomas."

"Quem pretende fugir num navio não pode usar roupas finas de grife", conjeturei. "Suponho que sua teoria das roupas herdadas seja verdadeira. Devemos levar em consideração também o ressentimento, o desprezo. Rir por último. Podemos passar o resto do dia especulando, mas aprendi que não há uma receita padrão, apenas os estragos que o criminoso deixa para trás."

"Quer alguma coisa?", ele perguntou.

"Respostas", falei. "Por que você não me contou que a doutora Stvan era a única sobrevivente dos ataques? Você e o secretário-geral ficaram lá sentados, contando a história, sabendo o tempo inteiro que era a respeito dela que falavam."

Talley ficou em silêncio.

"Vocês ficaram com medo de me assustar, não foi?", falei. "O Loup-Garou a viu e tentou matá-la, portanto pode me ver e querer me matar também, certo?"

"Algumas pessoas duvidaram de que você aceitaria conversar com ela se soubesse a história completa."

"Fique sabendo que essas pessoas não me conhecem direito", falei. "A bem da verdade, saber algo do gênero serviria como incentivo adicional para que eu fosse até lá. Estou revoltada com essa pretensão de me conhecerem bem e quererem predizer meu comportamento só porque você conversou com Lucy um par de vezes."

"Kay, foi assim por insistência da doutora Stvan. Ela queria lhe contar tudo pessoalmente, por um bom motivo. Nunca havia divulgado os detalhes a ninguém, nem mesmo ao investigador que é amigo dela. Ele só foi capaz de nos dar uma idéia geral."

"E por quê?"

"Mais uma vez, medo das pessoas que protegem o assassino. Se alguém descobrisse e pensasse que ela teve a oportunidade de vê-lo, poderia atacá-la. Ou o marido e os dois filhos. Ela acreditava que você jamais a trairia, revelando algo que a colocasse em posição vulnerável. Em termos de quanto pretendia revelar a você, ela disse que preferia deixar para tomar essa decisão quando vocês estivessem juntas."

"Ela permaneceria calada se não me considerasse digna de confiança."

"Mas eu sabia que ela ia confiar em você."

"Entendo. Portanto, missão cumprida."

"Por que está tão brava comigo?", ele perguntou.

"Porque você é muito presunçoso."

"Não tive a intenção", ele disse. "Só queria ajudar a

deter esse monstro ou lobisomem antes que ele matasse ou mutilasse mais alguém. Quero saber o que o impulsiona."

"Medo e rejeição", expliquei. "Sofrimento e raiva, por ter sido castigado por algo que não era culpa sua. Angústia solitária. Imagine alguém inteligente o bastante para compreender tudo isso."

"Ele deve odiar a mãe acima de tudo", Talley disse. "Talvez a culpe por tudo."

O sol refletia em seus cabelos de ébano e batia de viés nos olhos, salpicando-os de dourado. Percebi seus sentimentos antes que ele pudesse ocultá-los novamente. Levantei-me e olhei através da janela, pois não queria encará-lo.

"Ele odeia as mulheres que encontra", Talley disse. "As mulheres que jamais terá. As mulheres que gritariam de horror se o vissem. Se vissem seu corpo."

"Acima de tudo, ele odeia a si mesmo", falei.

"Eu já imaginava."

"Você pagou essa viagem, não foi, Jay?"

Ele se levantou e apoiou as mãos no batente da janela.

"E não alguma companhia interessada em acabar com o tal cartel Um-Sessenta-Cinco, certo?", insisti.

Olhei para ele.

"Você armou meu encontro com a doutora Stvan. Facilitou tudo. Planejou e financiou essa história", falei, enquanto minha certeza e minha incredulidade cresciam. "Sem dificuldade, uma vez que é milionário. Sua família dever ter muito dinheiro. Por esse motivo você entrou para a polícia, certo? Para se afastar de sua fortuna. Mas, de todo modo, você se comporta como milionário e age como milionário."

Por um instante, ele baixou a guarda.

"Você fica contrariado quando está sendo interrogado em vez de interrogar, não é?", falei.

"Admito que não queria se igual a meu pai. Princeton, remo, casamento com uma moça de boa família, filhos exemplares, tudo perfeito."

Estávamos um do lado do outro, olhando para a rua como se algo de interessante estivesse acontecendo no mundo, para lá da janela.

"Não creio que você tenha enfrentado seu pai", falei. "Apenas se enganou, bancando o rebelde. E, sem dúvida, fazer carreira na polícia, andar armado e furar a orelha é o máximo em rebeldia para um milionário que freqüentou Harvard."

"Por que você está me dizendo tudo isso?"

Ele se virou para me encarar; estávamos tão próximos que eu sentia seu perfume e seu hálito.

"Porque não quero que você acorde amanhã e se dê conta de que eu faço parte do esqueminha rebelde que sua mente arquitetou. Não quero que ache que desobedeci à lei e a meu juramento profissional só porque você é um rapaz rico e mimado cujo conceito de rebeldia é encorajar uma pessoa como eu a tomar uma atitude contrária às normas que pode arruinar minha carreira. Ou o que dela resta. E acabar mofando numa prisão francesa."

"Eu iria visitá-la."

"Não acho graça."

"Não sou mimado, Kay."

Pensei no aviso de NÃO PERTURBE, na porta trancada. Acariciei seu pescoço e o queixo firme, parando no contorno da boca. Eu não sentia a pele de um homem tocar a minha havia mais de um ano. Ergui as duas mãos e passei os dedos por sua cabeleira farta, quente de sol. Seus olhos e os meus se cruzaram, e vi a ansiedade com que ele esperava para ver o que eu ia fazer.

Puxei-o para junto de mim. Toquei seu corpo e o beijei agressivamente, passando a mão pelas costas duras, por aquele corpo perfeito, enquanto ele arrancava minha roupa.

"Você é tão linda", ele disse, quase tocando minha boca. "Estava me deixando louco..." Ele arrancou um botão e alguns colchetes. "Nós sentados ali, na frente do secretário-geral, e eu tentando desviar os olhos do seu peito."

Ele pegou meus seios com as mãos. Eu desejava fazer amor furiosamente, sem limites. Queria que a violência dentro de mim fizesse amor com a violência dele, pois não queria nada que me levasse a pensar em Benton, que sabia como me apaziguar lentamente e me conduzir através das águas eróticas mais plácidas.

Empurrei Talley para o quarto, e ele não foi páreo para mim, pois eu tinha experiência e conhecia técnicas que ele ignorava. Eu o controlei, o dominei e o conduzi até que ficamos exaustos e cobertos de suor. Benton não estava naquele quarto. Mas, se tivesse visto o que fiz, teria compreendido.

A tarde seguiu seu curso, bebemos vinho e observamos o movimento da sombra da janela no teto, conforme o sol se cansava do dia. Quando o telefone tocou, não atendi. Quando Marino esmurrou a porta e gritou meu nome, fingi que não havia ninguém no quarto. Quando o telefone tocou outra vez, balancei a cabeça.

"Marino, Marino", falei.

"Seu guarda-costas."

"Ele não se mostrou muito eficiente desta vez", falei, enquanto Talley me beijava avidamente. "Acho que vou demiti-lo."

"Tomara que sim."

"Por favor, eu gostaria de saber se cometi outro crime, hoje, agente Talley. Não quero fazer a infelicidade de ninguém."

"Pode deixar. Esse perigo não existe. Quanto a cometer um crime, não sei, não."

Pelo jeito Marino havia desistido de falar comigo. Escureceu, Talley e eu tomamos banho juntos. Ele lavou meu cabelo e brincou a respeito da diferença de idade que havia entre nós. Disse que era outro exemplo de rebeldia. Sugeri que saíssemos para jantar.

"Vamos ao Café Runtz?", ele perguntou.

"O que tem de mais lá?"

"É um lugar que os franceses consideram *chaleureux*,

ancien et familial — aconchegante, antigo, familiar. Fica ao lado da Opéra-Comique, e fotos de cantores de ópera enfeitam as paredes."

Pensei em Marino. Precisava informar a ele que não estava perdida e sozinha em Paris.

"É uma caminhada gostosa até lá", Talley dizia. "Não dá nem quinze minutos. Vinte, no máximo."

"Preciso falar com Marino primeiro", expliquei. "Provavelmente o encontraremos no bar."

"Quer que eu o procure e peça para subir?"

"Tenho certeza de que ele vai adorar", falei em tom jocoso.

Marino me encontrou antes que Talley o localizasse. Eu ainda secava o cabelo quando Marino bateu na porta, e por sua expressão já sabia por que não fora atendido por mim.

"Onde você se meteu, afinal?", ele perguntou ao entrar.

"No Institut Médico-Légal."

"O dia inteiro?"

"O dia inteiro, não", falei.

Marino olhou para a cama. Talley estendera as cobertas, mas ela não ficara nem parecida com a arrumação feita pelas camareiras de manhã.

"Eu vou...", comecei a dizer.

"Com ele", Marino ergueu a voz. "Eu tinha certeza de que isso ia acontecer. Não acredito que você entrou nessa onda. Meu Deus do céu. Pensei que você estivesse acima de..."

"Marino, isso não é da sua conta", falei, desanimada.

Ele bloqueou a porta, levando as mãos à cintura feito uma governanta severa. Ficou ridículo. Não consegui conter o riso.

"O que deu em você agora?", ele trovejou. "Num momento, está lendo o relatório da autópsia de Benton, no seguinte resolve trepar com um playboy metido e cheio de si! Não conseguiu nem esperar vinte e quatro horas! Como você teve coragem de fazer isso com Benton, doutora?"

"Marino, pelo amor de Deus, fale mais baixo. Já gritamos demais neste quarto."

"Como você teve coragem?" Ele olhou para mim enojado, como se eu fosse uma prostituta. "Você recebeu a carta dele, convidou Lucy e a mim para jantar, na noite passada ficou aqui chorando. E agora? Nada disso vale? Você vai tocar a vida para a frente como se nada tivesse acontecido? Com um idiota metido a conquistador?"

"Por favor, saia do meu quarto." Eu não agüentava mais.

"De jeito nenhum." Ele começou a andar de um lado para o outro, apontando o dedo para mim. "Eu não vou a lugar nenhum. Se quiser trepar com o gostosão aí, pode fazer isso na minha frente. Quer saber? Não vou permitir que isso aconteça. Alguém tem de fazer as coisas andarem direito por aqui, e pelo jeito esse alguém sou eu."

Ele andava para lá e para cá, mais enfurecido a cada passo.

"Você não tem de permitir ou proibir que as coisas aconteçam", falei, sentindo o sangue me subir à cabeça. "Quem você está pensando que é, Marino? Não se meta na minha vida."

"Coitado do Benton. Que bom que ele morreu, não é? Você está mostrando o quanto gostava dele, assim."

Ele parou de andar e enfiou o dedo na minha cara.

"Pensei que você fosse diferente! O que você andou fazendo, quando Benton não estava olhando? É isso que eu quero saber. E pensar que eu fiquei com dó de você."

"Saia do meu quarto." Meu autocontrole acabou. "Seu filho-da-mãe, ciumento, invejoso! Como tem coragem de falar do meu relacionamento com Benton! O que você sabe a respeito? Nada, Marino. Eu não estou morta, e você também não."

"Neste momento, eu gostaria que você estivesse."

"Você fala como a Lucy quando ela tinha dez anos."

Ele saiu, batendo a porta com tanta força que os quadros balançaram na parede e o lustre tremeu. Ergui o fone e chamei a recepção.

"O senhor Jay Talley está no saguão?", perguntei. "Alto, moreno, jovem. Usa jaqueta de couro bege e jeans."

"Sim, está logo adiante, madame."

Em poucos segundos Talley atendeu o telefone.

"Marino saiu daqui feito louco", falei. "É melhor que ele não o veja, Jay. Está alucinado."

"Realmente, ele está saindo do elevador neste instante. E parece mesmo descontrolado. Acho melhor eu ir embora."

Saí correndo do quarto. Atravessei o corredor o mais depressa que pude, desci a escada acarpetada ignorando os olhares de censura de pessoas civilizadas e bem-vestidas que caminhavam tranqüilamente e não se envolviam em brigas no Grand Hôtel de Paris. Parei de correr ao chegar ao saguão, meu peito doía e o fôlego faltava. Desesperada, vi que Marino tentava socar Talley, enquanto dois carregadores e um porteiro tentavam intervir. Um recepcionista discava freneticamente, decerto para chamar a polícia.

"Marino, não faça isso!", gritei com firmeza, ao me aproximar. "Marino, *chega*!" E agarrei o braço dele.

Seus olhos estavam vidrados, ele suava intensamente. Graças a Deus estava desarmado, pois eu temia que ele fosse capaz de sacar o revólver ali mesmo. Enquanto eu o segurava pelo braço, Talley explicava em francês e gesticulava, garantindo que não havia necessidade de chamar a polícia, que estava tudo sob controle. Puxei Marino pela mão, através do lobby, como a mãe que leva um menino desobediente para o local do castigo. Passamos por recepcionistas e carros chiques e chegamos à calçada, onde parei.

"Você tem alguma idéia do que está fazendo?", perguntei.

Ele limpou o rosto com as costas da mão. Respirava com dificuldade, seu peito chiava. Temi que pudesse sofrer um ataque cardíaco.

"Marino." Segurei e sacudi seu braço. "Preste atenção. O que você fez é inaceitável. Talley não o maltratou. Eu não o maltratei."

"Eu estou defendendo Benton porque ele não está aqui para se defender", Marino disse com voz cansada, desanimada.

"Não. Você estava querendo acertar Carrie Grethen e Joyce. É com eles que você quer acertar as contas."

Ele ofegava, derrotado.

"Eu sei muito bem o que você estava fazendo!", insisti em voz baixa mas firme.

As pessoas eram sombras a passar pela calçada. A luz saía em fachos dos restaurantes e cafés naquela noite animada de mesinhas na calçada cheias de gente.

"Você precisa arranjar outro jeito de pôr a raiva para fora", prossegui. "É assim que funciona. Quem você pretende atacar depois? Carrie e Joyce estão mortos."

"Pelo menos você e Lucy mataram os filhos-da-puta. Derrubaram os dois a tiros", Marino disse, começando a soluçar.

"Venha", falei.

Dei o braço a ele e começamos a caminhar.

"Eu não tive nada a ver com a morte deles", falei. "Mas não teria hesitado, Marino. Só que foi a Lucy quem puxou o gatilho. E quer saber de uma coisa? Ela não se sente melhor do que nós por ter feito isso. Ainda odeia e sofre e se revolta e atira e avança pela vida com essa história atravessada na garganta. Vai chegar o dia da verdade para ela, também. O seu é hoje. Deixe sair tudo."

"Por que você precisava fazer uma coisa dessas para ele?", Marino perguntou com voz sumida, dolorida, enquanto limpava os olhos com a manga. "Como pôde, doutora? Com ele?"

"Não existe ninguém bom o bastante para mim, é isso?", falei.

Ele parou para refletir.

"E não existe mulher boa o bastante para você. Ninguém é como Doris. Quando ela se divorciou, foi difícil, certo? Sempre pensei que as mulheres que você arranjou depois não chegavam nem aos pés dela. Mas a gente precisa tentar, Marino. Tocar a vida."

"Sei, e todas elas me deram um pé na bunda também. As mulheres é que não são boas o suficiente para mim."

"Elas largaram você porque não passam de vagabundas que vivem largadas nos boliches", falei.

Ele sorriu, no escuro.

37

As ruas de Paris despertavam e ganhavam vida quando Talley e eu entramos no Café Runtz. Gostei da sensação de ar gelado no rosto, mas logo a ansiedade e as dúvidas começaram a me atormentar novamente. Eu preferia nunca ter ido para a França. Quando cruzamos a Place de L'Opéra, ele segurou minha mão. Teria sido melhor eu nunca ter conhecido Jay Talley, pensei.

Seus dedos eram quentes, fortes, esbeltos, e eu não esperava que uma demonstração de afeto tão singela da parte dele fosse me incomodar e provocar repulsa, depois de tudo o que fizéramos no meu quarto, poucas horas antes. Eu sentia vergonha de mim.

"Quero que você saiba que para mim isso é muito importante", ele disse. "Não costumo ter casos, Kay. Não sou homem para uma noite apenas. Acho fundamental esclarecer tudo desde o início."

"Não se apaixone por mim, Jay." Ergui os olhos para ele.

O silêncio dele mostrou o forte impacto dessas palavras em seu coração.

"Jay, não quero dizer que não me importo com você."

"Você vai adorar este café", ele disse. "É um lugar secreto. Você logo vai ver. Aqui todos falam francês, e se a pessoa não sabe francês, tem de apontar os pratos no cardápio ou usar um dicionário de bolso. A dona se espantará com seu jeito. Odette é muito prática, mas não lhe falta gentileza."

Eu mal escutava suas palavras.

"Ela e eu temos um acordo. Se ela continuar sendo gentil, freqüento a casa. Se eu continuar sendo gentil, ela me deixa freqüentar a casa."

"Você precisa me escutar", falei, segurando o braço dele com a mão e me encostando em seu ombro. "A última coisa que desejo no mundo é magoar alguém. Não quero magoar você. Mas tenho a impressão de que já fiz isso."

"Como eu poderia me sentir magoado? Nossa tarde foi maravilhosa."

"Sem dúvida", falei. "Mas..."

Ele parou na calçada e olhou firme em meus olhos, enquanto a multidão passava por nós e as luzes das lojas invadiam a noite, irregulares. Os lugares onde ele me tocou estavam sensíveis, vivos.

"Eu não lhe pedi para me amar", ele disse.

"Não é uma coisa que se possa pedir."

Ele começou a andar novamente.

"Sei que não é algo que você oferece livremente, Kay", ele disse. "O amor é seu *loup-garou*. O monstro que mais a amedronta. E eu entendo o porquê. Ele a maltratou e perseguiu a vida inteira."

"Não tente me psicanalisar. Não tente me mudar, Jay."

Vários adolescentes com piercings e cabelo tingido trombaram conosco e seguiram em frente rindo. Um grupo cada vez maior de pessoas apontava para um avião amarelo quase do tamanho real preso ao prédio do Grand Marnier, anunciando uma exposição de relógios Breitling. As castanhas assadas cheiravam a queimado.

"Eu não tocava em ninguém desde a morte de Benton", falei. "E foi assim que você entrou em minha vida, Jay."

"Eu não pretendia ser cruel..."

"Vou voltar para casa amanhã de manhã."

"Eu queria que você ficasse."

"Tenho uma missão, esqueceu?"

A raiva saiu da toca, e quando Talley tentou pegar minha mão de novo, puxei os dedos que estavam entre os dele.

"Ou devo dizer *vou fugir* para casa amanhã de manhã", falei. "Com uma mala cheia de provas ilegalmente obtidas, e que constituem também carga perigosa, um risco biológico. Seguirei as ordens recebidas, como bom soldado que sou, e analisarei o DNA das amostras, se for possível, para compará-lo com o DNA do corpo não identificado. Enquanto isso, talvez os policiais tenham sorte e topem com um lobisomem passeando na rua. E ele contará tudo a respeito do cartel Chandonne. Talvez só mais duas ou três mulheres sejam mortas antes que isso tudo aconteça."

"Por favor, não seja tão amargurada", Jay disse.

"Amargurada? Por que eu não deveria ser amargurada?"

Saímos do Boulevard des Italiens e entramos na rue Favard.

"Por acaso eu não deveria estar amargurada por ter sido *mandada* para cá para resolver problemas — por ter servido de peão num jogo que desconheço totalmente?"

"Lamento que você veja a situação dessa maneira", ele disse.

"Não faremos bem um ao outro", eu disse.

O Café Runtz era pequeno e sossegado, com toalha verde xadrez e copos verdes. Lâmpadas vermelhas iluminavam o local, e o lustre era vermelho. Odette preparava um drinque no bar, quando entramos. Como cumprimento a Talley, ergueu as mãos e fez de conta que ia bater nele.

"Ela me acusa de ter ficado dois meses sem aparecer, e depois dar as caras sem ligar antes", ele traduziu.

Para fazer as pazes, ele se debruçou sobre o bar e a beijou duas vezes no rosto. Apesar do salão lotado, ela nos instalou numa ótima mesa de canto. Talley conseguia encantar as pessoas. Acostumara-se a ter tudo o que queria. Escolheu um borgonha Santenay, pois se lembrou de que eu mencionara uma predileção por tintos da Borgonha, embora eu não me recordasse quando e se tinha dito aquilo.

Naquela altura eu não podia ter certeza do que ele obtivera diretamente de mim ou já sabia de antemão.

"Vamos ver", ele disse, consultando o cardápio. "Recomendo as especialidades da Alsácia. E como entrada? A *salade de gruyère* — queijo gruyère em lascas compridas, como se fosse uma massa, com alface e tomate. É nutritiva, acredite."

"Então para mim basta", respondi, sem nenhum apetite.

Ele tirou do bolso da jaqueta um charuto pequeno e o cortador de ponta.

"Ajuda a reduzir o número de cigarros", explicou. "Quer experimentar um?"

"As pessoas fumam demais na França. Está na hora de eu parar novamente", falei.

"Esses são muito bons." E cortou a ponta. "Açucarados. Este aqui é de baunilha, mas tenho também de canela e anis." Ele acendeu o fósforo. "Mas eu prefiro de baunilha." Soltou uma baforada. "Você devia experimentar."

E me ofereceu um.

"Não, obrigada", falei.

"São encomendados em Miami, direto do atacadista", seguiu explicando, ao virar a cabeça para trás e soltar a fumaça. "Cojimar. Não devem ser confundidos com Cohiba, que é sensacional, mas proibido por ser cubano. Os meus são feitos na República Dominicana. Mas são proibidos nos Estados Unidos. Sei disso por ser do ATF. Disso eu entendo, álcool, tabaco e armas de fogo."

Ele já havia terminado a primeira taça de vinho.

"Os três cês, já ouviu falar? Correr, correr e correr. Eles ensinam isso na academia de polícia."

Depois de completar meu copo, Talley encheu o seu novamente.

"Se eu voltar aos Estados Unidos, você sairá comigo outra vez? Vamos raciocinar hipoteticamente. Se eu fosse transferido para Washington, por exemplo, o que aconteceria?"

"Eu não queria magoar você", falei.

Ele desviou a vista, mas vi que seus olhos se encheram de lágrimas.

"Eu não deveria. Foi tudo minha culpa", falei, carinhosamente.

"Culpa?", ele repetiu. "Que *culpa*? Eu não sabia que havia *culpa* no caso, como se alguém fosse culpado. Como se tudo fosse um erro."

Ele se debruçou sobre a mesa e sorriu presunçoso, como se fosse um investigador e tivesse me levado a cair em contradição com uma pergunta ladina.

"Culpa. Sei...", ele ponderou, soprando a fumaça.

"Jay, você é tão jovem...", falei. "Um dia você vai entender que..."

"Não escolhi minha idade", ele me interrompeu, num tom de voz que atraiu vários olhares.

"E você mora na França, pelo amor de Deus."

"Há lugares piores para se viver."

"Você pode brincar com as palavras, se quiser, Jay", falei. "Mas a realidade sempre acaba se impondo às pessoas."

"Você está arrependida, não é?" Ele reclinou na cadeira. "Mesmo sabendo tantas coisas a seu respeito, eu acabei fazendo uma coisa estúpida como essa."

"Eu não falei que foi estúpida."

"Acho que você ainda não estava pronta."

Eu já estava ficando irritada.

"Você não tem como afirmar se eu estava pronta ou não", falei quando o garçom chegou para tirar o pedido e se afastou discretamente. "Você dedica tempo demais à minha mente, e pouco à sua."

"Tudo bem. Não se preocupe. Não tentarei mais antecipar seus sentimentos ou idéias."

"Quanta petulância", falei. "Pelo menos você age de acordo com sua idade."

Seus olhos brilharam. Bebi um gole de vinho. Ele já havia terminado mais uma taça.

"Também mereço respeito", ele disse. "Não sou mais

criança. O que houve esta tarde, Kay? Caridade? Assistência social? Educação sexual? Curso maternal?"

"Acho melhor não discutirmos esse assunto aqui", sugeri.

"Talvez eu tenha sido apenas usado", ele insistiu.

"Sou muito velha para você. E, por favor, baixe a voz."

"*Velha* é minha mãe, velha é minha tia. E a viúva surda que é minha vizinha. Elas, sim, são velhas."

Dei-me conta de que não fazia a menor idéia de onde Talley morava. Não tinha nem o telefone da casa dele.

"*Velha* é *sua* atitude, quando se mostra dominadora, condescendente e covarde", ele disse, erguendo a taça num brinde irônico.

"*Covarde?* Já me chamaram de muitas coisas, mas nunca de covarde."

"Você é covarde do ponto de vista afetivo." Ele bebia como se tentasse apagar um incêndio. "Por isso você estava com ele. Era seguro. Não interessa que você afirme que o amava muito. Ele era seguro."

"Não fale a respeito do que você não sabe", alertei, e já tremia de raiva.

"Porque você tem medo. Vive apavorada desde que seu pai morreu, desde que começou a se sentir diferente de todos porque você *é* diferente. Este é o preço que pessoas como nós têm de pagar. Somos especiais. Vivemos sozinhos e raramente percebemos que é assim porque somos especiais. Achamos que tem algo de errado conosco e pronto."

Joguei o guardanapo em cima da mesa e afastei a cadeira.

"Esse é o problema com agentes da inteligência arrogantes como você", falei com voz baixa e calma. "Vocês se apropriam dos segredos, das tragédias e das alegrias de alguém como se fossem seus. Pelo menos eu tenho vida própria. Pelo menos não vivo como *voyeur*, não me alimento da existência alheia, da vida de pessoas que nem conheço. Pelo menos não vivo espionando."

"Não sou espião", ele disse. "E minha tarefa era descobrir tudo o que pudesse a seu respeito."

"E você fez isso extraordinariamente bem", falei, ferida. "Especialmente esta tarde."

"Por favor, não me deixe", ele suplicou, estendendo a mão por cima da mesa para pegar a minha.

Eu a puxei para longe dele. Saí do restaurante, e os outros clientes me olharam, curiosos. Alguns riram, uma pessoa fez um comentário que ninguém precisaria traduzir para que eu o compreendesse. Era óbvia a rusga entre o belo rapaz e a senhora mais velha. Talvez ele fosse o gigolô dela.

Por volta das nove e meia eu caminhava decidida rumo ao hotel, enquanto todos os habitantes da cidade, pelo jeito, tinham saído para passear. Uma policial feminina de luva branca orientava o trânsito, apitando. Eu esperava a vez para atravessar o Boulevard des Capucines, no meio da multidão. O ar estava agitado de vozes e a cidade, banhada pela luz fria da lua. O aroma dos crepes, sonhos e castanhas que torravam em pequenos braseiros me encheu de desespero e náuseas.

Apressei-me feito um fugitivo apavorado, mas demorava nas esquinas, pois queria ser alcançada. Talley, porém, não veio atrás de mim. Quando cheguei ao hotel, contrariada e sem fôlego, não conseguia contemplar as opções de subir ao quarto ou encontrar Marino.

Peguei um táxi, já que ainda tinha algo a fazer. Realizaria a tarefa de noite, sozinha, desesperada e desamparada.

"Pois não?", o motorista perguntou, virando-se para falar comigo. "Madame?"

Senti que partes de mim tinham saído do lugar, e que agora eu não sabia onde guardá-las, uma vez que não me lembrava de onde estavam antes.

"Você fala inglês?", perguntei.

"Sim, senhora."

"Conhece bem a cidade? Poderia me mostrar alguns lugares?"

"Mostrar? Como assim?"

"Enquanto passeamos", expliquei.

"Quer saber se eu sou guia turístico?" Ele achou aquilo muito engraçado. "A resposta é não. Mas vivo aqui. Para onde a senhora gostaria de ir?"

"Sabe onde fica o necrotério? Perto do Sena e da Gare de Lyon?"

"Quer ir lá?" Ele se virou e olhou para mim, franzindo a testa, enquanto esperava uma oportunidade de entrar na corrente do trânsito.

"*Mais tarde* precisarei passar por lá. Mas primeiro quero ir até a Île Saint-Louis", falei, olhando para os lados, procurando Talley. Porém a esperança deu lugar a uma sensação sombria como a rua mal iluminada.

"Como é?" O motorista riu, como se eu fosse maluca. "Quer ir ao necrotério e à Île Saint-Louis? Qual a ligação entre os dois lugares? Morreu algum ricaço?"

Ele começava a me enervar.

"Por favor", falei. "Vamos."

"Claro. Se é isso o que a senhora deseja."

Os pneus pareciam tambores no calçamento de pedras arredondadas. As luzes sobre o Sena faiscavam como se houvesse na superfície um cardume de peixinhos prateados. Limpei o vidro embaçado da janela e a abri apenas o suficiente para enxergar melhor, quando cruzamos a ponte Louis-Philippe para entrar na ilha. Reconheci instantaneamente os solares do século XVII que no passado serviam como hotéis exclusivos para a nobreza. Eu havia estado ali antes, com Benton.

Havíamos caminhado pelas estreitas ruas calçadas de pedras arredondadas, lendo as placas históricas nos muros, que informavam quem residira em determinada casa. Paramos em cafés com mesas na calçada e depois, do outro lado, compramos sorvete na Berthillon. Pedi ao motorista que desse uma volta pela ilha.

As magníficas mansões de pedra fustigada pelos anos se sucediam, com suas sacadas de ferro fundido preto. Havia luzes nas janelas, e do outro lado eu conseguia vislumbrar, esporadicamente, vigas, estantes de livros e quadros finos. Mas não vi nenhuma pessoa. Era como se os moradores elitistas daquele bairro fossem invisíveis para o restante dos mortais.

"Já ouviu falar na família Chandonne?", perguntei ao meu motorista.

"Claro que já", foi a resposta. "Quer ver a casa deles?"

"Por favor", falei, já muito preocupada.

Ele seguiu até o Quai d'Orléans e passou pela residência onde Pompidou falecera no segundo andar. As persianas estavam fechadas. Depois, seguiu pelo Quai de Béthume até o extremo leste da ilha. Procurei na bolsa meu frasco de Advil.

O táxi parou. Pelo jeito, o motorista preferia não se aproximar demais da mansão dos Chandonne.

"Entre ali", ele apontou, "e siga até o Quai d'Anjou. A senhora verá portas entalhadas com camurças. É ali o solar dos Chandonne, como dizem. Até nas calhas há camurças. Impressionante. Fácil de identificar. Mas fique longe da ponte da margem direita", ele disse. "Embaixo daquela ponte fica um ponto de encontro de homossexuais. Há também os sem-teto. É muito perigoso."

O *hôtel particulier* onde a família Chandonne residia havia centenas de anos era uma mansão de quatro pavimentos com janelas nas águas-furtadas, chaminés e um Oeil de Boeuf, ou olho-de-boi, uma clarabóia redonda no telhado. As portas da frente, em madeira de lei, exibiam entalhes elaborados de camurças, as cabras montesas que também enfeitavam as calhas douradas do telhado.

Senti os pêlos da nuca arrepiados. Segui, protegida pelas sombras, e olhei para o outro lado da rua, para o covil que abrigara o monstro que se intitulava Loup-Garou. Do outro lado das janelas, os candelabros brilhavam e as estantes exibiam centenas de livros. Levei um susto quando uma mulher apareceu de súbito numa janela. Era assustadoramente gorda. Usava robe vermelho-escuro com mangas longas e folgadas, de um tecido fino como cetim ou seda. Olhei para ela, hipnotizada.

Seu rosto demonstrava impaciência, os lábios se mexiam depressa enquanto ela falava com alguém, e quase instantaneamente uma copeira apareceu com um cálice de licor sobre uma bandejinha de prata. Madame Chandonne, ou quem quer que fosse a matrona, tomou o licor. Depois acendeu o cigarro com um isqueiro prateado e sumiu.

Andei depressa até a ponta da ilha, a menos de uma quadra de distância, e do pequeno parque ali existente eu divisava a silhueta difusa do necrotério. Calculei que estivesse situado vários quilômetros rio acima, do lado de lá da Pont Sully. Olhei para o Sena e imaginei que o assassino era filho da senhora obesa que eu acabara de ver, e que durante muitos anos ele se banhara nu ali, no rio, sem que ela soubesse. E o luar se refletia em seus longos pêlos louros.

Eu o imaginei saindo da nobre vivenda para perambular pelo parque depois que anoitecia e mergulhar na água que, ele esperava, fosse curá-lo. Por quantos anos ele nadara naquela água gelada e suja? Eu me perguntava se ele se aventurava até a margem direita, onde encontraria gente igualmente marginalizada da sociedade. Talvez se socializasse com eles.

Degraus desciam da rua até a beira do rio, que estava bem alto e cobria as pedras arredondadas com ondas escuras que cheiravam um pouco a esgoto. O Sena subira de tanta chuva, a correnteza estava forte, e um pato passava nadando esporadicamente, embora os patos não nadassem à noite, segundo a crença popular. Nos postes de ferro, lâmpadas de sódio brilhavam, lançando fachos dourados na superfície revolta.

Tirei a tampa do frasco de Advil e joguei fora os comprimidos. Desci cautelosamente a escada de pedra lisa para chegar à beirada. A água batia no degrau logo abaixo de meus pés enquanto eu lavava bem o frasco e o enchia de água gelada. Enrosquei a tampa e voltei ao táxi, olhando para trás diversas vezes, para a mansão dos Chandonne, como se esperasse que os capangas do cartel fossem surgir subitamente para me atacar.

"Por favor, quero ir ao necrotério agora", falei ao motorista.

Estava escuro e um arame invisível durante o dia refletia os faróis dos carros que passavam em alta velocidade.

"Estacione nos fundos", pedi.

Ele entrou no Quai de la Rapée e atingiu a área pequena atrás do prédio onde as peruas estacionavam e um casal chorava num banco no início daquele dia. Desci.

"Espere aqui", pedi ao motorista. "Só preciso dar uma volta rápida."

Seu rosto abatido tornou-se mais visível, e quando o observei melhor notei que ele tinha rugas demais e dentes de menos. Parecia constrangido, os olhos se mexiam de um lado para o outro, como se estivesse pensando em fugir.

"Está tudo bem", falei, tirando o bloco de anotações da bolsa.

"Ah, você é jornalista", ele exclamou, aliviado. "Deve estar trabalhando numa matéria."

"Sim, numa matéria."

Ele sorriu, debruçando-se pela janela entreaberta.

"A senhora me deixou preocupado, madame! Pensei que fosse uma assombração!"

"Só vou demorar um minuto", falei.

Avancei, sentindo o frio úmido das pedras antigas e do vento vindo do rio ao seguir pelas sombras escuras, prestando atenção em cada detalhe, como se eu fosse ele. O lugar seguramente o fascinara. Era o hall da má fama onde seus troféus eram exibidos após os crimes, um monumento a sua impunidade absoluta. Ele podia fazer o que bem entendesse, quando quisesse. E deixar para trás todas as pistas do mundo, pois ninguém o perseguiria.

Ele podia andar de casa até o necrotério em vinte ou trinta minutos, e eu o imaginei sentado no parque, apreciando o antigo prédio de tijolo, pensando no que ocorria lá dentro, no serviço que mandara para a dra. Stvan. Calculei que o cheiro de morte o excitava.

Uma leve brisa agitava os pés de acácia e gelava minha pele enquanto eu repassava o que a dra. Stvan dissera a respeito do homem que batera em sua porta. Ele pretendia assassiná-la, mas fracassara. Voltara para o necrotério e deixara um recado, no dia seguinte.

Pas la police...

Talvez estivéssemos deduzindo um *modus operandi* complicado demais para ele...

Pas de problème... Le Loup-Garou.

Talvez fosse pura fúria, um surto de incontrolável luxúria sanguinária. Quando o monstro adormecido dentro dele era despertado por alguém, não havia escapatória. Eu tinha certeza de que a dra. Stvan já estaria morta, se ele tivesse permanecido na França. Talvez, quando fugiu para Richmond, ele pensasse que poderia se controlar por algum tempo. Talvez tivesse conseguido, por dois ou três dias. Ou talvez estivesse observando Kim Luong desde o início, cultivando suas fantasias, até não conseguir mais resistir ao impulso maligno.

Corri de volta para o táxi, e as janelas estavam tão embaçadas que não vi nada do lado de dentro quando abri a porta traseira. O aquecimento estava no máximo e o motorista cochilava. Ele se empertigou assustado e praguejou.

38

O vôo número 2 do Concorde decolou do aeroporto Charles de Gaulle às onze e chegou a Nova York às oito e quarenta e cinco da manhã, horário da Costa Leste. Portanto, antes de nossa saída, pelo relógio. Entrei em casa no meio da tarde, terrivelmente atrapalhada, com o corpo descompensado por causa do horário e os nervos à flor da pele. O tempo piorava, ouvi previsão de chuva, gelo e granizo. E eu tinha muitas coisas a fazer. Marino foi para a casa dele. Contava com a picape nessas horas, o que ajudava bastante.

Encontrei a loja Ukcrops lotada, já que sempre que se previa neve ou granizo os moradores de Richmond perdiam o juízo. Imaginavam que iam morrer de fome ou ficar sem nada para beber. Quando afinal cheguei à seção de pães, não havia mais nenhum à venda. Não encontrei peru nem presunto na parte de frios. Comprei o que consegui achar, pois contava que Lucy ia passar um tempo comigo.

Voltei para casa às seis e pouco, mas não tinha energia para buscar um acordo de paz com minha garagem. Por isso, deixei o carro parado na frente de casa. Nuvens brancas em volta da lua formavam um crânio perfeito, depois mudaram de forma e correram, fustigadas pelo vento que começou a soprar com força. As árvores balançavam e zuniam. Eu sentia o corpo dolorido e a cabeça pesada, como se fosse ficar doente. Preocupava-me cada vez mais porque Lucy não havia telefonado nem voltado para casa.

Calculei que ela estivesse no MCV, mas quando telefonei para a Unidade de Ortopedia soube que sua última passagem por lá fora no dia anterior, pela manhã. Fiquei muito ansiosa. Andava para lá e para cá na sala, esforçando-me para raciocinar. Passava das dez quando entrei no carro outra vez e fui para o centro. A tensão era tão forte que eu temia perder o controle.

Admiti a possibilidade de Lucy ter ido para Washington, mas não concebia que ela pudesse ter feito isso sem deixar um recado sequer. Sempre que ela desaparecia sem dizer nada acontecia alguma coisa ruim. Peguei a saída da Ninth Street e percorri as ruas desertas do centro. Subi vários andares na garagem do hospital, até localizar uma vaga. Peguei o jaleco no banco traseiro do carro.

A ala de ortopedia ficava na parte nova do hospital, no segundo andar, e quando cheguei ao quarto vesti o jaleco e entrei. Presumi que o casal sentado à beira da cama fossem os pais de Jo, e me aproximei deles. A cabeça de Jo estava enfaixada e a perna suspensa, mas, acordada, ela fixou os olhos em mim imediatamente.

"Senhor e senhora Sanders?", falei. "Sou a doutora Scarpetta."

Se meu nome significava algo para eles, nada demonstraram. O sr. Sanders se levantou e apertou minha mão, educado.

"Prazer em conhecê-la", disse.

Ele não era como eu havia imaginado. Depois de ter ouvido os relatos a respeito da atitude rígida dos pais de Jo, eu esperava rostos severos e olhos que tudo julgavam. Mas os Sanders eram comuns e rechonchudos, sem nada de diferente na aparência. Educados, quase tímidos, responderam às minhas perguntas sobre a filha. Jo continuava a me olhar com uma expressão de quem precisava muito de ajuda.

"Posso conversar com a paciente a sós por um momento?", perguntei a eles.

"Não tem o menor problema", a sra. Sanders disse.

"Jo, siga as ordens da doutora", o sr. Sanders falou à filha, em tom desanimado.

Eles saíram e os olhos de Jo se encheram de lágrimas no momento em que a porta se fechou. Debrucei-me e beijei seu rosto.

"Você quase matou a gente de preocupação", falei.

"Lucy está bem?", ela murmurou, tremendo, entre soluços e lágrimas.

Pus na mão ligada aos tubos intravenosos alguns lenços de papel.

"Não sei. Ignoro onde Lucy possa estar, Jo. Seus pais disseram a ela que você não queria vê-la e..."

Jo balançava a cabeça.

"Eu tinha certeza de que eles iam fazer isso", ela disse, num tom sombrio, deprimido. "Tinha certeza. Eles me disseram que ela não queria falar comigo. Estava muito incomodada com o que aconteceu. Não acreditei neles. Sabia que ela jamais agiria assim. Mas eles a expulsaram, e agora Lucy foi embora. Aposto que acreditou neles."

"Ela se considera culpada pelo que aconteceu a você", falei. "É bem possível que a bala que acertou sua perna tenha saído da arma dela."

"Por favor, encontre-a e traga-a para cá. Por favor."

"Você tem alguma idéia de onde ela poderia estar?", perguntei. "Algum lugar que ela freqüente, quando fica contrariada? Pode ter retornado a Miami?"

"Tenho certeza de que ela não voltou para lá."

Sentei-me na cadeira ao lado da cama e exalei com força, longamente.

"Um hotel, talvez?", arrisquei. "Uma amiga?"

"Ela pode ter ido a Nova York", Jo disse. "Tem um bar no Greenwich Village. Rubyfruit."

"Você acha que ela foi para Nova York?", perguntei, desanimada.

"O nome da dona é Ann, ex-policial." Sua voz tremia. "Mas não sei, não tenho certeza. Ela me assusta muito quando foge desse jeito. Não consegue raciocinar direito quando fica assim."

"Sei disso. E depois de tudo o que aconteceu ela não poderia mesmo raciocinar direito. Jo, você receberá alta em um ou dois dias, caso se comporte", falei, sorrindo. "Para onde quer ir?"

"Só sei que não quero ir para a casa dos meus pais. Você vai encontrá-la, não vai?"

"Quer ficar comigo?", perguntei.

"Meu pais não são pessoas ruins", ela resmungou, enquanto a morfina continuava a pingar. "Só que não entendem. Eles pensam... Por que acham errado...?"

"Não é errado", falei. "O amor nunca é errado."

Saí do quarto quando ela adormeceu.

"Como ela está?", o sr. Sanders quis saber.

"Não muito bem", falei.

A sra. Sanders começou a chorar.

"Vocês têm o direito a suas crenças e opiniões", falei. "Mas impedir que Lucy e Jo se encontrem é a pior coisa para sua filha, neste momento. Ela não agüenta mais tanto medo e depressão. Não pode perder a vontade de viver, senhor e senhora Sanders."

Nenhum dos dois respondeu.

"Sou tia de Lucy", falei.

"Ela deve ter alta logo, de qualquer maneira", o sr. Sanders disse. "Não posso afastar ninguém dela. E só estávamos tentando fazer o que era melhor para nossa filha."

"Jo sabe disso", falei. "E ama muito vocês."

Eles não se despediram, mas ficaram olhando para mim quando entrei no elevador. Assim que cheguei em casa, telefonei para o Rubyfruit e pedi para falar com Ann, com dificuldade, por causa do barulho de vozes e da música ao vivo de um conjunto.

"Ela não está numa boa", Ann avisou, e logo entendi o que ela queria dizer.

"Você pode tomar conta dela?", perguntei.

"Já estou tomando", ela respondeu. "Espere um pouco. Vou chamá-la."

"Estive com Jo", falei quando Lucy atendeu o telefone.

"Sei", foi seu único comentário, e bastou uma palavra para eu perceber que ela estava embriagada.

"Lucy!"

"Não quero conversar agora", ela disse.

"Jo a ama", falei. "Volte para casa."

"E aí, o que eu vou fazer?"

"Vamos trazer Jo do hospital para minha casa, e você poderá cuidar dela", falei. "É isso que você vai fazer."

Mal dormi. Levantei-me às duas da manhã e fui para a cozinha preparar uma xícara de chá de ervas. Ainda chovia forte, a água escorria pelo telhado e caía ruidosamente no pátio. Eu não conseguia me aquecer. Pensei nas amostras, nos pêlos e nas fotos das marcas de mordidas trancados em minha maleta médica, o que me dava a impressão de que o assassino estava dentro de minha casa.

Eu sentia sua presença, como se das partes dele emanasse o mal. Pensei na ironia macabra. A Interpol exigira minha presença na França, e depois de tudo ter sido dito e feito, a única prova legal de que eu dispunha era um frasco de Advil cheio de água e lodo do Sena.

Quando o relógio marcou três horas, eu estava sentada na cama, fazendo um rascunho atrás do outro de uma carta para Talley. Nada saía direito. A força da saudade que eu sentia dele me atemorizava, e o que eu havia feito a ele me preocupava. Agora recebia o troco, e era exatamente o que eu merecia.

Amassei mais uma folha de papel de carta e olhei para o telefone. Calculei que horas seriam em Lyon e o imaginei na mesa, usando um de seus ternos elegantes. Pensei nele ao telefone, nas reuniões, quem sabe até acompanhando outras pessoas nas andanças pelo prédio, sem pensar em mim. Recordei-me de seu corpo rijo, liso, e fiquei curiosa para saber onde ele aprendera a fazer amor daquele jeito.

Segui trabalhando. Quando seriam duas horas da tarde na França, resolvi ligar para a Interpol.

"... Bonjour, alô?"

"Jay Talley", pedi.

Fui transferida.

"HIDTA", atendeu uma voz masculina.

Fiquei confusa, sem saber o que dizer. "Este é o ramal de Jay Talley?"

"Quem fala?"

Identifiquei-me.

"Ele não está no momento", o sujeito disse.

"Com quem falo?", perguntei.

"Agente Wilson. Faço a ligação com o FBI. Não chegamos a nos conhecer, quando você esteve aqui. Jay saiu."

"Sabe a que horas ele volta?"

"Não tenho muita certeza."

"Compreendo", falei. "Seria possível entrar em contato com ele? Ou pedir que ele me telefone?"

Eu sabia que traía na voz meu nervosismo.

"Infelizmente, não sei onde ele está", o sujeito respondeu. "Mas, se ele passar por aqui, avisarei que ligou. Posso ajudá-la em algo?"

"Não", falei.

Desliguei em pânico. Tinha certeza de que Talley não queria falar comigo e de que pedira aos colegas para dizerem que ele não estava, se eu telefonasse.

"Meu Deus, meu Deus", murmurei ao passar pela mesa de Rose. "O que eu fui fazer?"

"Está falando comigo?" Ela ergueu os olhos do teclado e me espiou por cima dos óculos. "Perdeu alguma coisa de novo?"

"Sim", falei.

Segui para a reunião da equipe às oito e meia, ocupando o lugar de sempre na cabeceira da mesa.

"O que temos hoje?", perguntei.

"Mulher, cor negra, trinta e dois anos, da comarca de Albemarle", Chong começou. "Saiu da estrada, o carro capotou. Ao que parece, perdeu a direção numa curva. Sofreu uma fratura na perna esquerda e outra na base do crânio. O legista da comarca de Albemarle, doutor Richards, pediu que fizéssemos a autópsia." Ele ergueu os olhos para mim. "Só me pergunto a razão. A causa e a maneira da morte parecem bem claras."

"Porque a lei determina que devemos prestar serviços aos legistas locais", respondi. "Eles pedem, nós atendemos. Podemos fazer a autópsia em uma hora, agora, ou vamos precisar de dez horas mais tarde, para resolver o caso, se houver algum problema."

"Depois temos uma mulher branca, oitenta anos, que foi vista pela última vez com vida ontem pela manhã, por volta das nove horas. O namorado a encontrou ontem à noite, às seis e meia..."

Precisei me esforçar muito para manter a concentração.

"... não encontramos indícios de uso de drogas nem de assassinato", Chong prosseguiu. "Mas encontramos nitroglicerina no local."

Talley fazia amor como se estivesse faminto. Eu não podia acreditar que estava tendo fantasias eróticas no meio da reunião da equipe.

"Vamos precisar fazer um exame de ferimentos e testes toxicológicos", Fielding disse. "Melhor ter certeza."

"Alguém sabe o que vou lecionar no Instituto, na semana que vem?", o toxicologista Tim Cooper perguntou.

"Toxicologia, provavelmente."

"Tenha dó", Cooper se queixou, suspirando. "Preciso de uma secretária."

"Preciso testemunhar em três processos hoje", informou o assistente Riley. "Mas é impossível, pois as audiências são em locais diferentes."

A porta se abriu e Rose enfiou a cabeça pelo vão, pedindo que eu fosse falar com ela no corredor.

"Larry Posner vai precisar se ausentar por algum tempo", ela disse. "E queria saber se você pode passar no laboratório dele imediatamente."

"Já vou", falei.

Quando entrei, ele preparava uma lâmina permanente, usando a pipeta para pingar uma gota de Cargille na beira da lâmina de cobertura enquanto outras lâminas eram aquecidas numa estufa.

"Não sei se isso pode ajudar", ele disse sem rodeios. "Mas dê uma espiada no microscópio. Diatomáceas no corpo não identificado. Lembre-se de que uma diatomácea, com raras exceções, só indica se veio de água salgada, salobre ou doce."

Espiei pela lente e vi os microrganismos, que pareciam feitos de vidro transparente, assumindo todas as formas possíveis, como barquinhos, correntes, ziguezagues, luas crescentes, listras de tigre, cruzes e até pilhas de fichas de pôquer. Havia pedaços e partes que me faziam lembrar de confete e grão de areia e outras partículas de cores diferentes, que provavelmente eram minerais.

Posner removeu a lâmina da base e colocou outra.

"A amostra que você me trouxe do Sena", disse. "Cymbella, Melosira, Navicula, Fragilaria. E assim por diante. Comuns como poeira. Todas de água doce, pelos menos isso, mas nada nos revelam em si e por si."

Encostei-me na cadeira e olhei para ele.

"Você me chamou para dizer isso?", falei, desapontada.

"Bem, não sou nenhum Robert McLaughlin", ele disse secamente, referindo-se ao especialista em diatomáceas que o treinara.

Ele se debruçou sobre o microscópio e ajustou o aumento para mil vezes, começando a mexer as lâminas.

"Claro que eu não a chamei aqui à toa", ele disse. "O que se destaca são a freqüência e a ocorrência de cada espécie na flora."

Flora era um conjunto de plantas agrupadas por espécies, ou, no caso, de diatomáceas por espécies.

"Cinqüenta e um por cento de Melosira, quinze por cento de Fragilaria. Eu não pretendo cansá-la com detalhes. Mas as amostras são muito parecidas entre si. Tão parecidas que poderíamos considerá-las idênticas, o que seria um milagre, pois a flora que você pegou e guardou no frasco de Advil poderia ser totalmente diferente a cem metros de distância."

Senti um arrepio ao pensar na margem do Sena na Île Saint-Louis, nos boatos sobre um homem nadando pelado depois que escurecia, perto da casa dos Chandonne. Eu o imaginei a se vestir sem tomar banho ou se secar, transferindo as diatomáceas para a parte interna das roupas.

"Se ele nada no Sena e as diatomáceas estão espalhadas por suas roupas", falei, "ele não se lava antes de se vestir. E quanto ao corpo de Kim Luong?"

"A flora não é a mesma do Sena, definitivamente", Posner disse. "Mas eu peguei uma amostra da água do rio James. Perto de onde você mora, inclusive. E, mais uma vez, é quase a mesma distribuição percentual."

"A flora no corpo dela e a existente no James são semelhantes?" Eu precisava ter certeza.

"Uma dúvida que eu tenho é se as diatomáceas do James estão presentes em todos os locais aqui", Posner disse.

"Bem, isso veremos", falei.

Peguei cotonetes e recolhi amostras do meu antebraço, do meu cabelo e da sola do meu sapato. Posner preparou mais lâminas. Não havia uma única diatomácea.

"E na água da torneira?", sugeri.

Posner balançou a cabeça.

"Portanto, não deveria haver diatomáceas numa pessoa, creio. A não ser que ela tenha entrado num rio, lago, oceano..."

Parei, e uma idéia bizarra surgiu em minha mente.

"O mar Morto, o rio Jordão", falei.

"Como é?", Posner perguntou, intrigado.

"A fonte de Lourdes", falei, mais excitada. "O sagrado rio Ganges. Todos eles são locais de supostos milagres, onde os cegos, coxos e paralíticos entram na água para realizar a cura."

"Ele nada no rio James nessa época do ano?", Posner disse. "O cara deve ser pirado."

"Não existe cura para a hipertricoise", falei.

"Que diabo é isso?"

"Uma doença horrível e extremamente rara. Os pêlos crescem no corpo inteiro, desde que a criança nasce. Pêlos iguais a cabelo de bebê, que chegam a dez, quinze centímetros de comprimento. E há outras anomalias."

"Uau."

"Pode ser que ele se banhe despido no Sena na esperança de uma cura milagrosa. Talvez esteja fazendo a mesma coisa no James", falei.

"Minha nossa", Posner disse. "Que idéia mais bizarra."

Quando voltei para minha sala, encontrei Marino sentado numa poltrona, na frente da mesa.

"Parece que você passou a noite em claro", ele me disse, tomando um gole de café.

"Lucy fugiu para Nova York. Falei com Jo e com os pais dela."

"Lucy fez o quê?"

"Ela vai voltar logo. Está tudo bem."

"Acho melhor ela tomar cuidado. Não é um bom momento para surtar por aí."

"Marino", falei rapidamente, "é possível que o assassino nade em rios, esperando que isso possa curar sua doença. Imagino que esteja escondido em algum lugar próximo do rio James."

Ele meditou sobre a informação por um minuto, e uma expressão estranha tomou conta de seu rosto. Passos rápidos ecoaram no corredor.

"Vamos torcer para que não haja nenhuma casa velha por lá, da qual o dono tenha desaparecido faz um tempinho", Marino disse. "Tenho um mau pressentimento."

Fielding entrou na minha sala, gritando com Marino.

"O que deu em você?"

As veias e artérias saltavam do pescoço de Fielding,

e seu rosto estava vermelho, quase roxo. Ele nunca havia gritado com alguém antes.

"Você deixou a imprensa descobrir antes mesmo de chegarmos à cena do crime!", acusou.

"Ei", Marino falou, "vamos com calma. O que a imprensa descobriu primeiro?"

"Que Diane Bray foi assassinada", Fielding disse. "Está no noticiário. Eles prenderam uma pessoa como suspeito. A detetive Anderson."

39

O céu nublado prenunciava uma chuva que começou a cair quando chegamos a Windsor Farms, e era estranho dirigir o Suburban preto do departamento diante das casas de tijolo nos estilos georgiano e Tudor, rodeadas por jardins, entre árvores centenárias.

Nunca soube que meus vizinhos se preocupassem com o crime. Creio que famílias ricas tradicionais residentes em ruas calmas com nomes ingleses criaram uma ilusão de que viviam numa fortaleza, em segurança. Eu tinha certeza de que essa noção estava a ponto de mudar.

A residência de Diane Bray ficava no limite do bairro, onde a Downtown Express passava, e o barulho era alto e contínuo, do outro lado do muro de tijolo. Quando entrei na rua estreita, desanimei. Repórteres por todos os lados. Seus carros e as peruas das emissoras de tevê bloqueavam o trânsito e superavam os veículos policiais em três para um, na frente da casa estilo Cape Cod com quebra da inclinação no telhado que ficaria melhor na Nova Inglaterra.

"Acho que não vai dar para chegar mais perto", falei a Marino.

"É isso que vamos ver", ele rebateu, acionando a maçaneta da porta.

Ele desceu sob forte chuva e se aproximou de uma perua de emissora de rádio parada no meio do gramado da residência de Bray. O motorista desceu o vidro e cometeu a imprudência de enfiar um microfone na cara de Marino.

"Tire a perua daqui", Marino disse em tom ameaçador.

"Capitão Marino, poderia confirmar..."

"Tire essa merda de perua daqui agora!"

Os pneus giraram, atirando grama e lama para trás quando o motorista da perua saiu. Ele parou no meio da rua, e Marino chutou o pneu traseiro.

"*Fora daqui!*", ordenou.

O motorista seguiu em frente com o limpador de pára-brisa ligado. Estacionou num jardim, duas casas adiante. A chuva fustigava meu rosto e o vento me empurrou feito uma mão quando fui pegar minha maleta no porta-malas do Suburban.

"Espero que sua última demonstração de gentileza não vá ao ar", falei ao alcançar Marino.

"Quem está cuidando deste caso, afinal?"

"Espero que seja você", falei, caminhando rápido e de cabeça baixa.

Marino segurou meu braço. Havia um Ford Contour azul-escuro parado no acesso à casa de Bray. Atrás dele, numa viatura, vi um policial na frente e outro no banco traseiro, interrogando Anderson. Ela parecia furiosa, histérica. Balançava a cabeça e falava tão depressa que não dava para distinguir as palavras.

"Doutora Scarpetta?" Uma repórter de televisão avançou contra mim, com o câmera nos calcanhares.

"Você reconheceu o carro alugado?", Marino me disse, em voz baixa. A água escorria por seu rosto enquanto ele olhava para o Ford azul-escuro, com a placa RGG-7112, tão familiar.

"Doutora Scarpetta?"

"Sem comentários."

Anderson não olhou para nós, quando passamos.

"Poderia dizer se..." Os repórteres não desistiam.

"Não", falei, e subi apressada os degraus da entrada.

"Capitão Marino, eu soube que a polícia veio para cá por causa de uma denúncia anônima."

A chuva caía, os motores roncavam. Passamos por baixo da fita amarela que protegia a cena do crime, estendida de um lado a outro da entrada. A porta se abriu subitamente e um policial chamado Butterfield nos deixou entrar.

"Fico contente em ver vocês aqui", ele disse para nós dois. "Pensei que você estava de férias", acrescentou, virando-se para Marino.

"É isso mesmo, me deram umas férias forçadas."

Calçamos as luvas e Butterfield fechou a porta depois que entramos. Seu rosto tenso se mantinha atento ao que se passava em todos os cantos.

"Conte o que houve", Marino pediu. Seus olhos percorreram o vestíbulo e a sala ao lado.

"Recebemos um chamado de uma cabine telefônica próxima daqui. Chegamos e encontramos isso. Alguém a espancou violentamente", Butterfield disse.

"O que mais?", Marino perguntou.

"Violência sexual. Parece ter havido roubo também. Carteira no chão, sem dinheiro dentro. Bolsa esvaziada. Veja onde pisa", ele acrescentou, como se não soubéssemos o que fazíamos.

"Puxa vida, ela tinha uma nota preta, está na cara", Marino comentou, deslumbrado com a mobília luxuosa da requintada moradia de Bray. Era tudo muito caro ali.

"Vocês ainda não viram nada", Butterfield disse.

O que me chamou a atenção, de início, foi a coleção de relógios na sala. Havia relógios de parede e outros em cima de prateleiras, em pau-rosa, mogno e nogueira. Relógios com calendário e campanário, relógios exóticos, todos antigos e perfeitamente sincronizados. Tiquetaqueavam alto, e teriam me posto louca se eu tivesse de viver no meio daquela monótona ênfase no tempo.

Ela gostava de antigüidades inglesas, móveis grandes e pesados, hostis. Um sofá com braços em voluta e uma estante giratória com livros falsos de couro nas divisórias davam de frente para a tevê. Espalhadas aqui e ali, sem conceito de conjunto, havia poltronas rígidas de encosto estofado e uma divisória de mogno. Um bufê imenso de madeira escurecida dominava a sala. As cortinas cor de damasco e douradas estavam puxadas, e havia teias de aranha nos dosséis rendados. Não vi obras de arte, nem uma escultura ou quadro sequer. A cada detalhe revelado eu confirmava em Bray a personalidade fria e autoritária, e gostava cada vez menos dela. Era difícil admitir isso a respeito de uma pessoa que acabara de ser espancada até a morte.

"Onde ela arranjava tanto dinheiro?", perguntei.

"Não faço idéia", Marino respondeu.

"Todos nós queríamos saber, desde que ela veio para cá", Butterfield disse. "Vocês viram o carro dela?"

"Não", respondi.

"Hum", Marino resmungou. "Ela deve trazer um Crown Vic novinho para casa todas as noites."

"Ela tem um Jaguar, vermelho que nem carro de bombeiro. Está na garagem. Modelo 98, 99 no máximo. Nem imagino quanto custa." O detetive balançou a cabeça.

"Uns dois anos de trabalho para você", Marino comentou.

"Veja só."

Eles conversaram sobre o gosto e a riqueza de Bray como se o cadáver dela não existisse. Não vi na sala sinais de que ela tivesse recebido alguém, nem de que alguém usasse ou limpasse decentemente o cômodo.

A cozinha ficava à direita da sala, e eu dei uma espiada em busca de sangue ou sinais de violência, mas não encontrei nada. Ninguém usava a cozinha com freqüência, tampouco. Fogão e balcões impecáveis, reluzentes. Não vi comida, só um saco de café Starbucks e uma pequena estante para vinhos com três garrafas de merlot.

Marino chegou por trás de mim e entrou. Abriu a geladeira com as mãos enluvadas.

"Pelo jeito, cozinhar não era o passatempo preferido dela", ele disse, observando as prateleiras praticamente vazias.

Vi um litro de leite semidesnatado, mexericas, margarina, um pacote de Grape-Nuts e alguns condimentos. O freezer não era diferente.

"Parece que ela não ficava em casa, e que só comia fora", ele disse, pisando no pedal que abria a lata de lixo.

Ele tirou de dentro os pedaços de uma caixa de pizza Domino's, uma garrafa de vinho e três de cerveja St. Pauli Girl. E juntou os pedaços do pedido.

"Uma pizza média de pepperoni com queijo extra", murmurou. "Pedida ontem, às cinco e cinqüenta e três da tarde."

Ele fuçou mais um pouco e pegou três guardanapos amassados, três fatias de pizza e pelo menos meia dúzia de pontas de cigarro.

"Agora sim", ele disse. "Bray não fumava. Pelo jeito, teve companhia na noite de ontem."

"A que horas foi feito o tal telefonema para a polícia?"

"Nove e quatro. Faz uma hora e meia, aproximadamente. E não vi sinais de que ela tenha levantado da cama, passado café, lido jornal ou feito qualquer outra coisa hoje de manhã."

"Tenho quase certeza de que ela já estava morta na manhã de hoje", Butterfield opinou.

Seguimos adiante, pelo corredor acarpetado, até a suíte principal, nos fundos da casa. Quando chegamos à porta, nós dois paramos. A violência parecia ter sugado toda a luz e todo o ar. Seu silêncio era completo, suas manchas e seus efeitos tomavam conta de tudo.

"Puta merda", Marino disse, por entre os dentes.

Paredes brancas, assoalho, teto, poltronas estofadas, chaise longue estavam tão manchados de sangue que aquilo parecia parte da decoração. Mas os pingos, as manchas e as listras não eram corante nem tinta; eram os fragmentos da terrível explosão provocada por uma bomba humana psicopata. Gotas e gotículas salpicavam espelhos antigos, o chão estava cheio de poças grossas e manchas coaguladas. A cama de casal estava ensopada de sangue e estranhamente desprovida de cobertas.

Diane Bray fora espancada com tanta violência que eu não teria sido capaz de determinar sua raça. Estava de costas, a blusa de cetim verde e o sutiã preto jaziam no chão. Recolhi-os. Haviam sido arrancados do corpo. Cada centímetro da pele continha marcas, faixas e manchas que novamente lembravam pintura com os dedos. Seu rosto era uma massa disforme de carne e ossos esmagados. No pulso esquerdo vi um relógio de ouro arrebentado. No anular direito, uma aliança se cravara no osso.

Passamos um longo tempo observando a cena. Ela estava nua da cintura para cima. Mas a calça de veludo preto e o cinto aparentemente não haviam sido tocados. A sola dos pés e a palma das mãos haviam sido mordidas, e dessa vez o Loup-Garou não se dera ao trabalho de disfarçar as marcas. Os círculos formados por dentes pequenos e espaçados não pareciam humanos. Ele mordera, chupara e batera até destruir e mutilar Bray completamente. Sobretudo o rosto, e em tudo sua fúria era óbvia. Dava a impressão de que ela conhecia o assassino, assim como as outras vítimas do Loup-Garou.

No entanto, ele não as conhecia. Antes de ele bater na porta da casa delas, o criminoso e suas vítimas só se encontraram nas fantasias diabólicas da mente insana dele.

"Qual é o problema com Anderson?", Marino perguntou a Butterfield.

"Ela ouviu falar no caso e surtou."

"Muito interessante. Ou seja, não temos detetives na cena do crime."

"Marino, me empreste a lanterna, por favor", pedi.

Iluminei o local. O sangue salpicara a guarda da cama e a luz de cabeceira, quando gotículas e listras finas foram lançadas longe pelo movimento da arma. Havia manchas de baixa velocidade também, o sangue escorrera para o carpete. Abaixei-me e examinei a madeira ensangüentada do assoalho, ao lado da cama, e encontrei mais pêlos longos e louros. Havia mais no corpo de Bray.

"Recebemos ordem de isolar a cena do crime e aguardar a chegada do supervisor", um dos policiais estava dizendo.

"Que supervisor?", Marino perguntou.

Iluminei obliquamente as pegadas de sangue próximas à cama. Elas tinham um padrão característico. Olhei para os policiais que estavam no quarto.

"Creio que foi o chefe, pessoalmente. Acho que ele queria tomar pé da situação antes de qualquer iniciativa", Butterfield dizia a Marino.

"Bem, isso é uma merda", Marino disse. "Se ele der as caras por aqui, vai ficar plantado na chuva."

"Quantas pessoas entraram neste quarto?", perguntei.

"Não sei", respondeu um dos guardas.

"Se você não sabe, então entrou gente demais", rebati. "Algum de vocês tocou no corpo? A que distância chegaram?"

"Eu não toquei."

"Nem eu, doutora."

"E de quem são essas pegadas?" Apontei para as marcas no assoalho. "Preciso saber, pois se não pertencem a vocês, então o assassino ficou por aqui tempo suficiente para o sangue secar."

Marino olhou para os pés dos policiais. Os dois usavam tênis pretos. Marino ficou de quatro e examinou o padrão no assoalho de madeira.

"Poderia ser Vibram?", perguntou, sarcástico.

"Preciso começar", falei, pegando na valise os cotonetes para vestígios microscópicos e o termômetro clínico.

"Tem muita gente por aqui!", Marino gritou. "Cooper, Jenkins, vão procurar alguma coisa para fazer."

Ele apontou para a porta aberta. Eles o encararam. Um começou a dizer algo.

"Quicto, Cooper", Marino disse. "E me dá a máquina fotográfica. Vocês podem ter recebido ordem de preservar a cena do crime, mas ninguém disse a vocês para tirar fotos. O que foi? Não agüentaram ver a chefe interina nesse estado? Foi isso? Quantos idiotas como vocês vieram aqui dar uma espiadinha?"

"Ei, espera aí", Jenkins protestou.

Marino arrancou a Nikon da mão dele.

"Me dá seu rádio", Marino disse.

Jenkins obedeceu, relutante, tirando o rádio do cinto para entregá-lo a Marino.

"Saia", Marino disse.

"Capitão, não posso sair sem meu rádio."

"Acabo de lhe conceder permissão para isso."

Ninguém ousou dizer a Marino que ele estava suspenso. Jenkins e Cooper saíram rapidinho.

"Filhos-da-mãe", Marino comentou depois que eles saíram.

Virei o corpo de Bray de lado. O *rigor mortis* era completo, indicando que a morte ocorrera havia no mínimo seis horas. Abaixei a calça e retirei amostras do reto com cotonetes, antes de inserir o termômetro.

"Preciso de um detetive aqui, e também do pessoal da polícia científica", Marino pedia, pelo rádio.

"Unidade nove, qual é o endereço?", disse a voz da atendente.

"Da ocorrência citada", Marino respondeu, enigmático.

"Dez-quatro, unidade nove", disse a mulher.

"Minny", Marino falou.

Esperei a explicação.

"Conhecida minha de muitos anos. Minha espiã na sala de rádio", explicou.

Retirei o termômetro e o consultei.

"Trinta e um graus centígrados", anunciei. "O corpo geralmente esfria um grau e meio por hora durante as primeiras oito horas. Mas o resfriamento no caso foi mais rápido porque ela estava parcialmente despida. E qual a temperatura ambiente aqui? Uns vinte graus?"

"Não sei, mas sinto muito calor", ele falou. "Sem dúvida, ela foi assassinada ontem à noite. Tenho certeza."

"O conteúdo do estômago talvez nos revele mais alguma coisa", falei. "Temos alguma idéia de como o assassino entrou?"

"Vou examinar portas e janelas assim que terminar aqui."

"Lacerações lineares longas", falei, tocando os ferimentos enquanto buscava indícios que poderiam se perder no trajeto até o necrotério. "Como uma chave de roda. E temos áreas que receberam golpes contundentes, como esta. No corpo inteiro."

"Poderia ser a ponta da chave de roda", Marino disse, olhando para onde eu apontava.

"E o que provocou isso aqui?", perguntei.

Em diversos pontos do colchão o sangue fora transferido a um objeto que deixara marcas listradas, como as que vemos num campo arado. As listras tinham aproximadamente quatro centímetros de comprimento e ficavam a cerca de três milímetros de distância uma da outra. A área manchada, no total, equivalia à palma da minha mão.

"Não se esqueçam de examinar os ralos, para ver se tem sangue", falei ao ouvir vozes no corredor.

"Espero que seja o Café da Manhã", Marino disse, referindo-se a Ham e Eggleston.

Eles chegaram, carregando malas Pelican pesadas.

"Vocês têm alguma idéia do que está acontecendo aqui?", Marino perguntou.

Os dois especialistas arregalaram os olhos.

"Minha mãe do céu", Ham disse, depois de um tempo.

"Alguém sabe o que aconteceu?", Eggleston perguntou sem tirar os olhos dos restos mortais de Bray, em cima da cama.

"Sabemos tanto quanto vocês", Marino respondeu. "Por que vocês não foram chamados antes?"

"Estou surpreso em ver que *você* ficou sabendo", Ham disse. "Ninguém nos contou nada até agora."

"Tenho minhas fontes", Marino disse.

"E quem avisou a imprensa?", perguntei.

"Acho que eles também têm suas fontes", Eggleston disse.

Ham e ele abriram as malas e montaram as lâmpadas. O número da unidade de Marino foi gritado no rádio emprestado, assustando nós dois.

"Merda", ele resmungou. "Nove", disse no ar.

Ham e Eggleston puseram as lentes de aumento binoculares, ou "Luke Skywalkers", como foram apelidadas pela polícia.

"Unidade nove, dez-cinco três-catorze", o rádio trovejou.

"Três-catorze, está ouvindo?", Marino disse.

"Preciso de você aqui fora", uma voz respondeu.

"Temos um dez-dez", Marino falou, recusando-se a sair.

Os técnicos começaram a tomar medidas em milímetros, com lentes de aumento que mais pareciam equipamento de joalheiro. As lentes binoculares só ampliavam a imagem três vezes e meia, e algumas manchas de sangue eram muito pequenas.

"Tem uma pessoa aqui que precisa falar com você agora", insistiram pelo rádio.

"Puxa, temos faixas por todos os lados", Eggleston comentou, referindo-se às faixas que o sangue formava ao ser espalhado quando o assassino erguia a arma antes de desferir novo golpe. Eram marcas uniformes, em linha, deixadas na superfície de contato.

"Não posso", Marino disse pelo rádio.

Três-catorze não respondeu, e eu fiquei preocupada por desconfiar do que se tratava. Tinha razão, pois em poucos minutos ouvimos novos passos no corredor e de repente o chefe de polícia Rodney Harris estava parado na porta, de cara amarrada.

"Capitão Marino", Harris disse.

"Sim, senhor", Marino disse, enquanto examinava uma área próxima do banheiro.

Ham e Eggleston, vestindo seus trajes negros, com luvas de borracha e binóculos presos à cabeça, ajudavam a compor a cena de horror, trabalhando com eixos, ângulos e pontos de convergência para reconstruir, com a ajuda da geometria, o trajeto espacial de cada golpe.

"Chefe", os dois disseram.

Harris olhou para a cama e seu queixo caiu. Era um sujeito baixo e comum, de cabelo ruivo escasso e em eterna briga com o peso. Talvez o infortúnio o tivesse deixado assim. Eu não sabia. Mas Harris sempre fora um tirano. Era agressivo e fazia questão de deixar claro que não gostava de mulheres que saíam de seu papel doméstico. Por isso eu nunca entendi por que ele contratou Bray. Exceto pelo fato de tal atitude ser boa para sua imagem.

"Com todo o respeito, chefe", Marino disse, "não se aproxime mais."

"Quero saber se foi você quem chamou a imprensa, capitão." Harris usava um tom que teria apavorado a maioria das pessoas que eu conhecia. "Você também é responsável por isso? Ou apenas desobedeceu às minhas ordens diretas?"

"Creio que é a segunda opção, chefe. Eu não tive nada a ver com o alerta à imprensa. Eles já estavam aqui quando a doutora e eu chegamos."

Harris me olhou como se tivesse acabado de notar minha presença no quarto. Ham e Eggleston subiram na escada, protegendo-se com suas tarefas.

"O que aconteceu a ela?", Harris me perguntou, e sua voz tremeu um pouco. "Minha nossa."

Ele fechou os olhos e balançou a cabeça.

"Espancada até morrer com um instrumento, talvez ferramenta. Não sabemos direito", falei.

"O que quero saber é se tem algum motivo..." Ele começou a falar e parou. Sua firmeza o abandonava rapidamente. "Bem..." Limpando a garganta, ele não conseguia tirar os olhos de Bray. "Por que alguém faz uma coisa dessas? Quem? Como?"

"É nisso que estamos trabalhando, chefe", Marino disse. "Não temos resposta para nada por enquanto, mas acho que o senhor poderia esclarecer algumas coisas para mim."

Os técnicos se dedicavam a passar fios cor-de-rosa por cima das gotas de sangue que havia no teto. Harris parecia nauseado.

"O senhor sabe algo a respeito da vida pessoal dela?", Marino perguntou.

"Não", Harris disse. "A bem da verdade, ignoro que ela tivesse vida pessoal."

"Ela recebeu alguém na noite passada. Comeram pizza, ela deve ter bebido um pouco. Parece que alguém fumou", Marino disse.

"Nunca ouvi dizer que ela saísse com alguém", Harris respondeu, tentando desviar a atenção da cama. "Não mantínhamos um relacionamento social."

Ham parou o que fazia, e o fio que segurava se ligava a nada. Eggleston examinava os pingos no teto através do Optivisor. Aproximou outra lente dos pingos e anotou o valor do diâmetro em milímetros.

"E quanto aos vizinhos?", Harris perguntou. "Alguém viu ou ouviu algo?"

"Lamento, ainda não tivemos tempo de conversar com os vizinhos, principalmente porque ninguém chamou os detetives e técnicos. Tivemos de fazer isso nós mesmos", Marino disse.

Harris deu meia-volta e saiu abruptamente. Olhei para Marino, que evitou me encarar. Eu tinha certeza de que ele perdera o emprego de vez.

"Como vão as coisas aí?", ele perguntou a Ham.

"O fio para fazer essa medição está acabando." Ham prendeu a ponta do fio num pingo de sangue em forma de vírgula. "E agora, onde prendo a outra ponta? Por favor, passe para cá aquela luminária. Obrigado. Pode deixar aqui. Perfeito", Ham disse, prendendo o fio na luminária de chão.

"Você devia se demitir e vir trabalhar conosco, capitão."

"Ia odiar", Eggleston adiantou.

"Adivinhou. Não há nada que eu odeie mais do que perder tempo", Marino disse.

Passar os fios não era perda de tempo. Mas era um tédio mortal se a pessoa não se entusiasmasse com transferidores e trigonometria. O conceito rezava que cada gota de sangue descrevia uma trajetória própria, a partir do local de impacto ou golpe, até a superfície-alvo, como a parede, e, dependendo da velocidade, da distância percorrida e dos ângulos, as gotas podiam assumir diversas formas, ajudando a compreender a cena macabra.

Embora atualmente os computadores pudessem oferecer os mesmos resultados, o trabalho na cena continuava a exigir muito tempo, e todos nós que já testemunhamos em processos aprendemos que os jurados preferem ver fios coloridos num modelo tridimensional compreensível do que linhas num diagrama.

Contudo, calcular a posição exata da vítima quando cada golpe fora desferido era supérfluo, a não ser que cada centímetro fosse importante, o que não era o caso ali. Eu não precisava daqueles valores para saber que ocorrera homicídio, e não suicídio, ou que o assassino tivera um ataque de fúria, esparramando sangue pelo quarto inteiro.

"Precisamos levá-la para o necrotério", falei a Marino. "Vamos chamar a equipe de resgate."

"Não entendo como ele entrou", Ham disse. "Ela é da polícia. Em tese, jamais abriria a porta para um desconhecido."

"Desde que fosse um desconhecido."

"Bem, foi o mesmo maníaco que matou a moça do Quik Cary. Só pode ser."

"Doutora Scarpetta?", ouvi a voz de Harris no corredor.

Dei meia-volta, surpresa. Pensei que ele tivesse ido embora.

"Onde está a arma dela? Alguém a localizou?", Marino perguntou.

"Até agora, não."

"Podemos conversar um minuto, por favor?", Harris me disse.

Marino olhou para Harris com raiva e entrou no banheiro, gritando, em voz excessivamente alta: "Vocês sabem que precisam checar os ralos e canos, certo?".

"Vamos chegar lá, chefe."

Encontrei Harris na entrada, e fomos para um canto discreto onde ninguém poderia escutar nossa conversa. O chefe de polícia de Richmond fora acuado pela tragédia. A raiva dera lugar ao medo, e era isso que ele não queria mostrar aos subordinados, deduzi. Tirara o paletó e o jogara em cima de um sofá, afrouxara a gravata e desabotoara o colarinho. Sentia alguma dificuldade para respirar.

"Está tudo bem?", perguntei.

"Asma", ele respondeu.

"Você trouxe o inalador?"

"Acabei de usar."

"Acalme-se, chefe Harris", falei, pois a asma rapidamente se tornava perigosa, e o estresse só piorava tudo.

"Veja bem", ele disse, "escutei alguns boatos. Soube que ela andava metida em coisas em Washington que eu nem imaginava quando a contratei. Para conseguir dinheiro." Ele falava como se Diane Bray não estivesse morta. "E sei que Anderson a seguia feito uma cadelinha para tudo quanto é lado."

"Talvez a seguisse até mesmo quando Bray não sabia", falei.

"Ela está esperando na viatura", ele disse, como se fosse novidade para mim.

"Em geral, não costumo opinar a respeito do autor do homicídio", falei. "Mas duvido que Anderson tenha cometido este assassinato."

Ele pegou o inalador novamente e deu duas bombadas.

"Chefe Harris, há um assassino sádico solto por aí, e ele matou Kim Luong. O *modus operandi* é igual, neste caso. Dificilmente outra pessoa agiria da mesma maneira. Não foram divulgados detalhes que permitissem uma imitação. Há diversos aspectos que só Marino e eu conhecemos."

Ele se esforçava para respirar.

"Você entende o que estou dizendo?", perguntei. "Quer que mais gente morra dessa maneira? Pois é o que vai acontecer, e logo. O sujeito está perdendo o controle rapidamente. Talvez por ter deixado seu refúgio seguro em Paris, e ser agora um animal caçado sem ter onde se esconder. Ele está desesperado e enfurecido. Creio que se sente desafiado, e nos provoca", acrescentei, pensando no que Benton teria dito. "Embora não se possa saber o que sucede numa mente como a dele."

Harris limpou a garganta.

"O que você quer que eu faça?", perguntou.

"Dê uma entrevista coletiva agora mesmo. Sabemos que ele fala francês. Sofre de uma moléstia congênita que provoca o crescimento intenso e desordenado dos pêlos. Deve ter o corpo inteiro coberto de pêlos finos e claros. Talvez raspe o rosto inteiro, o pescoço, a cabeça. Apresenta dentição deformada, dentes miúdos, pontudos e espaçados. Seu rosto provavelmente é deformado."

"Meu Deus."

"Marino precisa cuidar disso", falei, como se tivesse o direito de opinar.

"O que você está querendo que eu faça? Que diga ao público que procuramos um sujeito peludo com dentes pontudos? Quer deflagrar uma onda de pânico como esta cidade nunca viu?" Ele não conseguia recuperar o fôlego.

"Acalme-se, por favor."

Toquei seu pescoço com os dedos e conferi o pulso. Sua situação era delicada. Levei-o até a sala e pedi que sentasse um pouco. Dei-lhe um copo d'água e fiz massagem em suas costas. Conversei calmamente, pedindo que ficasse quieto, se acalmasse, até que ele relaxou e começou a respirar normalmente.

"Você não precisa suportar a pressão do caso", falei. "Marino devia estar cuidando disso, em vez de circular por aí de uniforme. Deus o ajude, se ele não investigar esses homicídios. Deus nos ajude a todos."

Harris balançou a cabeça. Levantou-se e com passos lentos retornou à cena do crime terrível. Marino examinava o closet.

"Capitão Marino", Harris disse.

Marino interrompeu a busca e olhou para o chefe, desafiador.

"Você será o responsável pelo caso", Harris disse. "Informe se precisar de alguma coisa."

Marino passou a mão enluvada pela seção das saias.

Disse apenas: "Quero falar com Anderson".

40

O rosto de Rene Anderson, inexpressivo e distante, exibia um olhar vítreo como o da janela pela qual observava os atendentes do resgate carregarem o corpo de Diane Bray dentro de um saco preto, na maca, e o depositarem na perua. Seguia chovendo.

Repórteres e fotógrafos encharcados aguardavam em cima de blocos, como nadadores. Todos olhavam para Marino e para mim, pois nos aproximávamos do carro de polícia. Marino abriu a porta traseira e enfiou a cabeça para falar com Anderson.

"Precisamos conversar", ele disse.

Os olhos apavorados dela correram dele para mim.

"Vamos lá", Marino disse.

"Não tenho nada a tratar com ela", Anderson falou, olhando para mim.

"Acho que a doutora pensa diferente", Marino disse. "Vamos logo. Desça daí. Não me faça arrancá-la à força."

"Não quero que tirem fotos!", ela gritou, mas era tarde demais.

As câmeras já estavam em cima dela, como numa carga de lanceiros.

"Cubra a cabeça com o casaco, como fazem na tevê", Marino disse, com certa ironia.

Fui até a perua de remoção para falar com os dois atendentes, que já fechavam a porta dupla traseira.

"Quando chegarem lá", falei, sentindo a chuva fria escorrer pela cabeça e o cabelo começar a pingar, "quero que o corpo seja conduzido para a geladeira na presença da segurança. Quero que chamem o doutor Fielding e peçam a ele para supervisionar tudo."

"Sim, senhora."

"E não comentem isso com ninguém."

"Nunca comentamos."

"Então não comecem agora. Nem uma só palavra a respeito", ordenei.

"Pode ficar tranqüila."

Eles entraram na perua e deram ré, enquanto eu seguia para dentro da casa sem dar atenção às perguntas, câmeras e flashes. Marino e Anderson sentaram na sala, e os relógios de Diane Bray anunciavam onze e meia. A calça jeans de Anderson estava molhada, o sapato sujo de barro e grama, como se ela tivesse tropeçado ou caído. Tremia de frio.

"Você sabe que podemos conseguir o DNA na garrafa de cerveja, certo?", Marino disse a ela. "Ou de uma ponta de cigarro. Dá para conseguir até num pedaço de pizza."

Em Anderson, afundada no sofá, nada indicava restar alguma disposição para brigar.

"Isso não tem nada a ver com...", ela começou a responder.

"Pontas de Salem mentolado na lata de lixo da cozinha", ele prosseguiu com o interrogatório. "Creio que você fuma essa marca, certo? E, se quer saber, isso tem tudo a ver, Anderson. Porque eu acredito que você esteve aqui na noite passada, pouco antes de Bray ser morta. Também acho que ela não ofereceu resistência, talvez até conhecesse a pessoa que a espancou até a morte, em seu quarto."

Marino não acreditou, nem por um nanossegundo, que Anderson tivesse assassinado Bray.

"O que aconteceu?", ele perguntou. "Ela a provocou até você não agüentar mais?"

Pensei na blusa de cetim sexy e na lingerie rendada que Bray usava.

"Ela comeu pizza com você e a mandou ir embora

para casa, como se você não significasse nada para ela? Fez isso pela última vez, na noite passada?"

Anderson fitava suas mãos imóveis silenciosamente. Umedecia os lábios e tentava não chorar.

"Bem, seria compreensível. Tudo tem limite, certo, doutora? Por exemplo, se alguém tentar prejudicar sua carreira. Mas vamos tratar disso mais tarde."

"Você faz alguma idéia da encrenca em que se meteu?", ele disse.

Ela ajeitou o cabelo com a mão trêmula.

"Eu estive aqui na noite passada", ela falou com voz fraca, desanimada. "Passei aqui e pedimos uma pizza."

"Você tinha esse hábito?", Marino perguntou. "Dar uma passada por aqui? Foi convidada?"

"Eu vinha aqui sempre. De vez em quando, dava uma passadinha."

"*De vez em quando* passava aqui sem ser convidada. É isso que você está dizendo."

Ela balançou a cabeça, positivamente, umedecendo os lábios mais uma vez.

"Foi o que aconteceu na noite passada?"

Anderson parou para pensar. Vi mais uma mentira a se condensar feito uma nuvem na frente de seus olhos. Marino se recostou na poltrona.

"Diacho, que negócio mais desconfortável." Ele mexeu os ombros. "Parece que sentei num túmulo. Acho que seria uma boa idéia contar a verdade, certo? Sabe por quê? Porque eu vou descobrir de um jeito ou de outro; se mentir para mim vou quebrar seus dentes com tanta força que você vai acabar comendo barata na cadeia. Pensa que eu não sei de suas andanças naquele carro alugado ali?"

"Não há nada de errado em um detetive alugar um carro." Ela estava perdida e sabia disso.

"Concordo. Desde que não saia por aí seguindo as pessoas para tudo quanto é lado", ele rebateu. Era a minha deixa para falar.

"Você estava estacionada na frente do prédio da minha secretária", falei. "Ou pelo menos alguém estava, naquele carro. Eu fui seguida. Rose foi seguida."

Anderson não falou nada.

"Suponho que seu endereço eletrônico seja M-A-Y-F-L-R." Ele o soletrou para Anderson.

Ela bafejou nas mãos, para aquecê-las.

"Isso mesmo. Eu me esqueci. Você nasceu em maio. No dia dez, em Bristol, no Tennessee. Posso recitar seu número do Seguro Social e endereço, se quiser."

"Sei de tudo a respeito de Chuck", falei a ela.

Isso a deixou muito nervosa e assustada.

"O fato", Marino interferiu, "é que nosso querido Chuquinho confessou tudo, foi gravado. Ele andava pegando remédios controlados no necrotério. Você sabia disso?"

Ela respirou fundo. Na verdade, não tínhamos uma confissão gravada, ainda.

"Um monte de dinheiro. Daria para ele, você e até Bray levarem um vidão."

"Ele pegava as pílulas, não eu", Anderson falou. "E não foi idéia minha."

"Você trabalhava no setor de narcóticos", Marino disse. "Sabe onde vender essas drogas. Aposto que você bolou o esquema todo. Por mais que eu deteste o Chuck, sei que ele não é traficante e que só começou depois que você entrou em cena."

"E andou seguindo Rose e me seguiu também, para nos intimidar", falei.

"Trabalho na cidade", ela disse. "Circulo por todas as ruas. Se eu estiver atrás de você, pode ser mera coincidência."

Marino se levantou e rosnou para mostrar sua irritação. "Tudo bem", ele disse. "Acho melhor a gente voltar ao quarto de Bray. Como é uma detetive tão boa, você pode dar uma espiada no sangue e nos miolos espalhados e nos contar o que houve lá. Como você não estava seguindo ninguém e o tráfico de drogas não foi sua culpa, acho melhor voltar ao trabalho e me ajudar um pouco, *detetive* Anderson."

Seu rosto ficou lívido. O terror encheu seus olhos, como se ela fosse um veado acuado.

"Como é?" Marino sentou-se ao lado dela, no sofá. "Não gostou da idéia? Então posso supor que você também não quer ir ao necrotério para acompanhar a autópsia? Não gosta do seu serviço?"

Ele deu de ombros e se levantou de novo, balançando a cabeça, e começou a andar para lá e para cá.

"Vou logo avisando, não é para quem tem estômago fraco. O rosto dela parece um hambúrguer..."

"Chega!"

"E os seios levaram tantas mordidas..."

Os olhos de Anderson se encheram de lágrimas, e ela cobriu o rosto com as mãos.

"Alguém não conseguiu satisfazer seus desejos e teve um ataque de fúria sexual. Um surto de raiva e luxúria. E arrebentar a cara de alguém é sinal de profundo envolvimento pessoal."

"*Chega!*", Anderson gritou.

Marino ficou quieto e a encarou com ar intrigado, como se ela fosse um problema de matemática no quadro-negro.

"Detetive Anderson", falei, "o que a chefe Bray usava quando esteve aqui na noite passada?"

"Uma blusa clara, verde. Acho que de cetim", ela disse com voz trêmula e baixa. "Calça de veludo preto."

"Sapato e meia?"

"Bota até o tornozelo. Preta. E meia preta."

"Jóias?"

"Anel e relógio."

"E quanto à roupa de baixo? Sutiã?"

Ela olhou para mim. Seu nariz escorria e ela falava como se estivesse resfriada.

"Você sabe a importância dessas informações", enfatizei.

"É verdade o que falei sobre Chuck", ela disse. "Não foi idéia minha, e sim deles."

"De Bray?" Entendi aonde ela pretendia chegar.

"Ela me transferiu do setor de narcóticos para homicídios. Queria ver você longe daqui, a milhares de quilômetros", ela disse a Marino. "Ganhava muito dinheiro com as pílulas e não sei mais o quê, isso já vinha de muito tempo. Ela tomava muitas pílulas e queria se livrar de você."

Sua atenção se voltou novamente para mim. Ela limpou o nariz com as costas da mão. Peguei lenços de papel na bolsa e os entreguei a ela.

"Ela queria se livrar de você também", Anderson falou.

"Isso é mais do que óbvio", respondi. Não parecia possível que ela estivesse falando a respeito dos restos mortais que eu havia examinado minutos antes, no quarto daquela mesma casa.

"Sei que ela usava sutiã", Anderson disse. "Sempre usava. E gostava de blusas decotadas, ou de deixar abertos os botões de cima. Assim, dava para ver os seios quando ela abaixava. Fazia isso o tempo inteiro, no serviço, pois se divertia com a reação das pessoas."

"Que reação?", Marino perguntou.

"Ora, as pessoas olhavam, era impossível evitar. E as saias com fendas pareciam normais, a não ser que a gente estivesse na sala dela, e ela cruzasse as pernas de um certo modo... eu avisei para ela não se vestir daquele jeito."

"Um detetive subalterno precisa ter muita coragem para dizer ao chefe como se vestir."

"Eu achava que os policiais não deviam vê-la daquele jeito, olhar para ela assim."

"Vai ver você sentia uma pontada de ciúmes, né?"

Ela não respondeu.

"E aposto que ela fazia tudo para você sentir ciúmes, ficar se roendo, louca da vida, querendo morrer, não é mesmo? Bray adorava fazer você sofrer. Faz o gênero dela. Atiçar bastante e depois cortar você, acabar com sua disposição."

"Ela usava sutiã preto", Anderson disse, voltando-se para mim. "Rendado na parte de cima. Não sei nada sobre o resto."

"Ela usou você até dizer chega, né?", Marino disse. "Fez você de mula para as drogas, obrigou-a a servir de moleque de recados, de empregada. O que mais ela a obrigou a fazer?"

A raiva de Anderson estava escapando de seu controle.

"Você levava o carro dela para lavar? Era o que o pessoal comentava. Você fez papel de idiota, puxa-saco, ninguém levava você a sério por causa dela. O pior é que você talvez não fosse uma detetive tão ruim assim, se ela a deixasse em paz. Nunca teve a chance de descobrir por si, pois vivia presa na coleira, graças a ela. Você precisa entender uma coisa. Bray não ia dormir com você nunca. Pessoas como ela não dormem com ninguém, aliás. São iguais a serpentes. Não precisam de ninguém para se aquecer."

"Eu a odeio", Anderson disse. "Ela me tratava como lixo."

"E por que você continuava vindo aqui?", Marino perguntou.

Anderson olhava para mim como se não estivesse vendo Marino. "Ela sentava nessa poltrona em que você está agora. E me obrigava a pegar um drinque, esfregar seu ombro, a mão e o pé. Também me pedia para fazer massagem."

"E você fazia?", Marino perguntou.

"Ela ficava só de robe, e deitava na cama."

"Na mesma cama em que foi assassinada? Ela tirava o robe quando chegava a hora de ganhar uma massagem?"

Os olhos de Anderson brilhavam de fúria quando se virou para ele.

"Ela sempre deixava um pouquinho coberto! Eu levava a roupa dela para a lavanderia e enchia o tanque daquela porra de Jaguar e... Ela era muito ruim comigo!"

Anderson parecia uma criança contrariada com a mãe.

"Claro que era", Marino disse. "Ela era ruim com muita gente."

"Mas eu não a matei. *Meu Deus!* Nunca a toquei, só quando ela queria, como já falei."

"E o que aconteceu ontem à noite?", Marino perguntou. "Você parou só para fazer uma *visitinha*?"

"Ela me esperava. Eu ia trazer pílulas e dinheiro. Ela gostava de Valium, Ativan, BuSpar. Remédios que a ajudavam a relaxar."

"Quanto dinheiro?"

"Dois mil e quinhentos dólares em dinheiro."

"Ei, não estão mais aqui", Marino disse.

"Estava em cima da mesa. Da mesa da cozinha. Acho. Pedimos uma pizza. Bebemos um pouco e ela falou. Estava de mau humor."

"Qual foi o tema da conversa?"

"Ela soube que você tinha ido para a França", disse para nós dois. "Para a Interpol."

"Fico imaginando como ela soube..."

"Provavelmente pelo seu departamento. Talvez Chuck tenha descoberto. Como posso saber? Ela sempre conseguia o que queria, descobria o que desejava. Achava que deveria ter ido até lá. Na Interpol, claro. Ela só falava nisso. E começou a me culpar por tudo o que deu errado. Como o encontro no estacionamento do restaurante, o e-mail, o que ocorreu na cena do Quik Cary. Tudo era culpa minha."

Os relógios tocaram juntos. Meio-dia.

"A que horas você foi embora?", perguntei quando a barulheira parou.

"Por volta das nove."

"Ela fazia compras no Quik Cary?"

"Pode ter passado por lá uma vez ou outra", ela respondeu. "Mas, como você pode ver se for até a cozinha, ela não gostava de cozinhar, nem de comer em casa."

"E você provavelmente trazia a comida quando vinha", Marino acrescentou.

"Ela nunca me pagava. E ganho pouco."

"E quanto ao que você faturava por fora com as drogas? Estou confuso", Marino disse. "Quer dizer que não levava sua parte na jogada?"

"Chuck e eu ficávamos com dez por cento cada um. Eu trazia o resto, uma vez por semana, o valor dependia dos remédios que conseguíamos pegar no necrotério e às vezes na cena do crime, se eu estivesse lá. Eu nunca ficava muito tempo, quando vinha aqui. Ela estava sempre com muita pressa. De repente, ela se lembrava de que precisava fazer alguma coisa. Eu tenho a prestação do carro. Meus dez por cento serviam para pagar isso. Eu não vivia como ela, que não precisava se preocupar com a prestação do carro."

"Vocês brigavam muito?", Marino perguntou.

"De vez em quando. Discutíamos."

"Discutiram a noite passada?"

"Acho que sim."

"Qual o motivo?"

"Eu não gostei do jeito dela. As mesmas coisas."

"Depois?"

"Fui embora. Como já disse. Ela precisava fazer muitas coisas. Sempre encerrava a discussão quando bem entendia."

"Você estava com o carro alugado ontem à noite?", Marino quis saber.

"Estava."

Imaginei o assassino esperando que ela fosse embora. Ele ficou lá, protegido pela escuridão. As duas estiveram no porto quando o *Sirius* atracou, quando o assassino chegara a Richmond usando o nome de um marinheiro chamado Pascal. Ele provavelmente a vira. Provavelmente vira Bray. E se interessara por todos os que estavam lá investigando o crime, inclusive Marino e eu.

"Detetive Anderson", falei, "por acaso você voltou depois de ter ido embora, e tentou conversar com Bray outra vez?"

"Sim", ela confessou. "Ela não tinha o direito de me botar para fora daquele jeito."

"Você fazia isso sempre?"

"Quando eu estava brava."

"E o que fazia? Tocava a campainha? Como ela sabia que você tinha voltado?"

"Como é?"

"A polícia sempre bate na porta quando chega na minha casa. Eles nunca tocam a campainha."

"Claro, a maioria das ratoeiras em que batemos nem tem campainha", Marino comentou.

"Eu bati na porta", ela disse.

"E como fez?", perguntei, enquanto Marino acendia um cigarro e me deixava falar um pouco.

"Não sei..."

"Duas vezes? Três? Com força? Suavemente?", insisti.

"Três vezes. Com força."

"E ela a deixava entrar, sempre?"

"Só às vezes. De vez em quando abria a porta e me mandava ir para casa."

"Ela perguntava quem era? Ou simplesmente abria a porta?"

"Se ela soubesse que era eu", Anderson disse, "só abria."

"Se ela *pensasse* que era você, quer dizer", Marino comentou.

Anderson finalmente compreendeu nosso raciocínio e parou de falar. Não conseguia prosseguir. Não agüentava mais.

"Mas você não voltou na noite passada, certo?", falei.

Seu silêncio serviu de resposta. Ela não havia retornado. Não batera três vezes com força. O assassino havia feito isso, e Bray abrira a porta sem pensar. Provavelmente dissera alguma coisa, retomando a discussão, quando de repente o monstro a empurrou para dentro de casa e entrou.

"Eu não fiz nada a ela, juro", Anderson disse. "Não foi

culpa minha", repetia sem parar, pois não fazia parte de sua natureza assumir a responsabilidade pelo que quer que fosse.

"Foi mesmo muita sorte você não ter voltado, na noite passada", Marino disse. "Supondo que você esteja dizendo a verdade."

"Estou dizendo a verdade! Juro por Deus!"

"Se tivesse voltado, você seria a próxima."

"Eu não tive nada a ver com isso!"

"De certo modo, teve sim. Ela não teria aberto a porta..."

"Isso não é justo!", Anderson gritou, e tinha razão. Qualquer que fosse seu relacionamento com Bray, não era culpa dela nem de ninguém que o assassino estivesse lá fora, vigiando e esperando.

"Portanto, você voltou para a sua casa", Marino disse. "E mais tarde, tentou ligar para ela? Para ver se faziam as pazes?"

"Sim. Mas ela não atendeu o telefone."

"Demorou muito para ligar, depois que foi embora?"

"Uns vinte minutos. Telefonei várias vezes. Depois fiquei preocupada, pois tentei novamente, depois da meia-noite, mas caía sempre na secretária eletrônica."

"Deixou recado?"

"Na maioria das vezes, não." Ela fez uma pausa, engolindo em seco. "Vim para cá hoje de manhã para ver se ela estava bem, lá pelas seis e meia. Bati, ninguém atendeu. A porta estava aberta, entrei."

Ela começou a tremer novamente, arregalando os olhos de horror.

"E entrei lá..." Sua voz se ergueu e parou. "Fugi correndo. Fiquei apavorada."

"Apavorada?"

"Com medo de quem tinha feito aquilo... dava para sentir sua presença, praticamente, aquela presença horrível no quarto, e eu não tinha como saber se ele ainda estava por ali... eu saquei a arma e corri. Peguei o carro, fugi o mais depressa que pude e só parei num telefone público para chamar a polícia."

"Bem, isso vai contar a seu favor", Marino disse com voz cansada. "Pelo menos você se identificou e não tentou nenhuma palhaçada do tipo denúncia anônima."

"E se ele vier atrás de mim, agora?", ela perguntou, arrasada, esmagada. "Passei no Quik Cary algumas vezes. Costumo fazer compras lá. Conversava com Kim Luong."

"Muito gentil de sua parte nos contar isso agora", Marino disse, e eu me dei conta de que Kim Luong estava ligada a tudo aquilo, provavelmente.

Se o assassino vigiava Anderson, talvez ela o tivesse levado sem saber até o Quik Cary, a sua primeira vítima em Richmond. Ou a Rose. Ele poderia estar vigiando Rose, quando nós caminhávamos até o estacionamento, no necrotério, e mesmo quando eu parara em seu apartamento.

"Podemos prender você, se achar que estará mais segura assim", Marino disse, a sério.

"O que vou fazer agora?", ela disse, chorando. "Moro sozinha... estou com medo, muito medo."

"Conspiração para distribuir drogas pesadas, tráfico de entorpecentes", Marino pensou alto. "Além de posse de remédios controlados, sem receita. Vários crimes. Vamos ver. Como você e o Chuquinho são empregados do governo e levam vidas exemplares, a fiança não será muito alta. Provavelmente dois mil e quinhentos dólares, quase nada para quem mexe com drogas. Não precisa se preocupar."

Peguei o telefone celular na bolsa e liguei para Fielding.

"O corpo acabou de chegar aqui", ele avisou. "Quer que eu comece a autópsia?"

"Não", falei. "Quero saber onde está Chuck."

"Ele não apareceu por aqui hoje."

"Isso eu já imaginava", falei. "Se por acaso ele aparecer, leve-o para sua sala e não deixe ele sair de lá em hipótese alguma."

41

Estacionei em minha vaga coberta por volta das duas da tarde, escapando da chuva. Dois funcionários de uma funerária ajeitavam um corpo envolto em plástico preto numa perua estilo antigo, com cortina na janela traseira.

"Boa tarde", falei.

"Boa tarde, doutora. Tudo bem?"

"Quem vocês vieram buscar?", perguntei.

"Operário da construção civil de Petersburg."

Eles fecharam a porta traseira e tiraram as luvas de látex.

"Aquele que foi atropelado pelo trem", disseram os dois ao mesmo tempo. "Não dá nem para imaginar. Que jeito horrível de morrer. Tenha um bom dia, doutora."

Usei meu cartão magnético para destrancar a porta lateral e entrei no corredor bem iluminado, onde o piso era de epóxi à prova de contaminação biológica e toda a atividade era monitorada pelo circuito interno de câmeras de tevê instaladas na parede. Rose apertava o botão de Coca diet nervosamente, na máquina de refrigerante, quando entrei na copa para pegar um café.

"Droga", ela reclamou. "Pensei que eles tinham consertado a máquina."

Ela tentou de novo, em vão.

"Continua tudo igual. Será que ninguém consegue mais fazer as coisas direito?", queixou-se. "Fazem isso, fazem aquilo, mas nada funciona. Parecem funcionários públicos."

Ela bufou com força, indignada.

"Vai dar tudo certo", falei sem muita convicção. "Está tudo bem, Rose."

"Você precisa descansar um pouco", Rose disse, suspirando.

"Todos nós precisamos."

As canecas do pessoal ficavam penduradas nos ganchos ao lado da máquina de café. Procurei a minha, inutilmente.

"Tente na pia do banheiro, onde costuma deixá-la", Rose disse. A referência à rotina singela de nosso mundo normal servia de alívio, por breve que fosse.

"Chuck não vai voltar", falei. "Ele vai ser preso, se é que já não foi."

"A polícia esteve aqui procurando por ele. Não vai deixar saudades."

"Vou para o necrotério. Você sabe qual é minha tarefa, portanto só atenderei telefonemas urgentes", avisei.

"Lucy ligou. Vai pegar Jo no hospital esta noite."

"Eu gostaria que você passasse uns dias comigo, Rose."

"Não precisa, obrigada. Tenho meus afazeres."

"Eu me sentiria melhor, se você fosse comigo para minha casa."

"Doutora Scarpetta, se não for ele, sempre haverá um outro. Sempre tem alguém maldoso solto por aí. Preciso viver minha vida. Não posso me tornar refém do medo e da velhice."

No vestiário troquei de roupa, pus o traje cirúrgico e o avental plástico. Meus dedos se atrapalharam com as tiras, e eu deixei cair várias coisas. Sentia frio e dor, como se estivesse gripada. Ainda bem que consegui pôr a máscara facial, o protetor de cabeça, botas, várias luvas e o que mais me protegesse dos riscos biológicos e de minhas emoções. Não queria que ninguém me visse, no momento. Rose já fora o bastante.

Fielding fotografava o corpo de Bray quando entrei na sala de autópsia. Dois assistentes-chefes e três residentes cuidavam de outros casos, pois não paravam de chegar cadáveres naquele dia. Enchiam o ambiente os sons de água corrente, instrumentos de aço, vozes e sons abafados. Os telefones tocavam sem parar.

Não havia cores naquele salão de aço, exceto pelos tons da morte. Contusões e sufusões eram arroxeadas e azuladas, o *livor mortis* era rosado. O sangue brilhava contra o fundo amarelo da gordura. Cavidades torácicas abertas pareciam tulipas, órgãos aguardavam pesagem nas balanças. O odor intenso da decomposição predominava naquele dia.

Os dois outros casos eram jovens, um hispânico e um branco, ambos repletos de tatuagens toscas, ambos com múltiplos ferimentos a faca. A raiva e o ódio abandonaram o rosto dos rapazes, que voltaram a ter a doçura característica que não os teria abandonado se a vida lhes tivesse reservado uma condição diferente. Talvez genes diferentes. Uma gangue fora sua família, a rua, seu lar. Morreram como viveram.

"... penetração profunda. Dez centímetros nas costas, lado esquerdo, entre a décima segunda costela e a aorta, acima de um litro de sangue nas cavidades torácicas esquerda e direita." Dan Chong ditava a um microfone preso em sua lapela, enquanto Amy Forbes trabalhava do outro lado da mesa, à frente dele.

"Ele hemoaspirou?"

"Minimamente."

"Uma abrasão no braço esquerdo. Talvez da queda final? Falei para você que estou aprendendo a mergulhar com cilindro?"

"Já. Boa sorte. Quero ver quando fizer o mergulho na pedreira. Uma delícia, principalmente no inverno."

"Minha nossa", Fielding disse. "Meu Deus."

Ele acabou de abrir o saco que continha o corpo e o lençol ensangüentado que o cobria parcialmente. Aproximei-me e senti o choque de novo, quando removíamos a cobertura.

"Meu Deus", Fielding repetia, baixinho.

Transferimos o corpo para a mesa de autópsia e com esforço repetimos a posição em que ele se encontrava na cama. Tivemos de vencer o *rigor mortis* nos braços e pernas, para isso. A musculatura já havia enrijecido.

"O que deu nas pessoas, afinal?", Fielding disse, instalando o filme na câmera.

"Nada de novo, a mesma fúria que sempre as desgraçou", falei.

Fixamos a mesa móvel de autópsia em uma das pias de dissecação presas à parede. Por um momento, toda a atividade na sala cessou. Os outros médicos se aproximaram para ver o corpo. Não conseguiram se conter.

"Meu Deus", Chong murmurou.

Forbes não conseguia nem falar, de tão chocada.

"Por favor", falei, observando suas fisionomias. "Não se trata de uma autópsia didática. Somente Fielding e eu vamos cuidar do caso."

Passei a examinar o corpo com lupa, recolhendo mais fios daquele cabelo diabólico.

"Ele não se importa", falei. "Ele não se importa com que saibamos tudo a seu respeito."

"Você acha que ele sabe que você foi a Paris?"

"Não sei de que maneira", falei. "Mas suponho que mantenha contato com a família. E eles provavelmente sabem de tudo."

Pensei na mansão com seus candelabros e em mim, recolhendo água do Sena, provavelmente no mesmo local onde o assassino nadava na esperança de curar seu flagelo. Pensei na dra. Stvan e torci para que ela estivesse em segurança.

"Ele tem um cérebro escurecido, também." Chong retornara a sua tarefa.

"Assim como o outro. Heroína, aposto. Quarto caso em seis semanas, tomou conta da cidade."

"Sabe se há drogas em abundância na área, doutora Scarpetta?", Chong perguntou, como se aquela fosse uma tarde normal e eu estivesse cuidando de um caso comum. "Mesma tatuagem, uma espécie de retângulo caseiro. Na palma da mão, deve doer muito. Mesma gangue."

"Fotografe", pedi.

Notei um padrão específico nos ferimentos, principalmente na testa e na face esquerda de Bray, onde a força destruidora dos golpes rompera a pele e deixara no impacto marcas estriadas que eu já vira antes.

"Poderia ser das ranhuras no cano?", Fielding arriscou.

"Não parecem ser de um cano", respondi.

O exame externo do corpo de Bray exigiu mais duas horas, nas quais Fielding e eu meticulosamente medimos, desenhamos e fotografamos todos os ferimentos. Os ossos da face haviam sido esmagados, a carne se rasgara nas saliências ósseas. Os dentes estavam quebrados. Alguns foram arrancados com tanta força que os retiramos da garganta. Os lábios, as orelhas e a carne do pescoço se soltaram dos ossos. Os raios X revelaram centenas de fraturas e áreas afundadas na ossatura, principalmente na parte do crânio.

Eu estava tomando uma ducha às sete da noite e vi que saía uma água rosada de meu corpo, devido ao excesso de contato com sangue. Sentia fraqueza e tontura, pois não me alimentava desde o início daquela manhã. Não restava mais ninguém no departamento, além de mim. Eu saía do vestiário enxugando a cabeça com uma toalha quando Marino apareceu de repente, deixando minha sala. Quase gritei. Levei a mão ao peito e a adrenalina disparou.

"Não me assuste desse jeito!", gritei.

"Não foi minha intenção", ele disse, e parecia desolado.

"Como você entrou?"

"O segurança da noite. Somos amigos. Não queria que você fosse sozinha para o carro. Sabia que ainda estaria por aqui."

Passei os dedos pelo cabelo molhado, e ele me acompanhou até minha sala. Pendurei a toalha no encosto da cadeira e comecei a recolher o que precisava levar para casa. Notei os relatórios do laboratório que Rose deixara sobre minha mesa. Impressões digitais encontradas na parte interna da lixeira, no contêiner, combinavam com as impressões digitais do morto sem identificação.

"Grande coisa. Vai ajudar muito", Marino comentou.

Além disso, havia um relatório sobre o DNA, com um recado de Jamie Kuhn. Ele usara a repetição seqüencial de tipagem curta, e obtivera resultados.

"... identifiquei um perfil... muito similar, com diferenças mínimas", li em voz alta, sem muita disposição.

"... compatíveis com o fornecedor da amostra biológica... parente próximo..."

Olhei para Marino.

"Bem, em resumo, o DNA do cadáver e o do assassino indicam ser *compatível* um parentesco entre os dois indivíduos. Ponto final."

"*Compatível*", Marino repetiu, revoltado. "Odeio essa história de compatível, cacete. Pura merda científica. Os dois são irmãos, isso sim!"

Disso eu não tinha a menor dúvida.

"Precisamos de amostras dos pais para provar isso", falei.

"Vamos telefonar e ver se eles podem dar uma passada aqui", Marino retrucou, cínico. "Os lindos filhos de Chandonne. Uau."

Deixei o relatório em cima da mesa.

"Uau é a palavra certa", falei.

"Não estou nem aí."

"Eu gostaria muito de saber que tipo de instrumento ou ferramenta ele usou", falei.

"Passei a tarde inteira telefonando para as mansões chiques da beira do rio", Marino mudou de assunto. "A boa notícia é que todos estavam presentes e atenderam os chamados. A má notícia é que continuamos sem saber onde ele se esconde. E faz um frio danado lá fora. É impossível ficar andando por aí ou dormir debaixo de uma árvore."

"E quanto aos hotéis?"

"Ninguém peludo, com sotaque francês e dentes feios. Nem remotamente parecido. Mas nos motéis de curta permanência ninguém gosta da polícia."

Ele caminhava a meu lado no corredor, mas não demonstrava pressa em ir embora, como se tivesse algo em mente.

"Qual é o problema?", perguntei. "Além de tudo?"

"Lucy deveria ter comparecido ao comitê de avaliação ontem, em Washington, doutora. Eles chamaram quatro sujeitos de Waco para aconselhá-la, armaram o circo inteiro. Mas ela insiste em ficar aqui até Jo sarar."

Saímos do prédio e seguimos para o estacionamento.

"Todo mundo entende isso", ele prosseguiu enquanto minha ansiedade crescia. "Mas não é assim que funciona quando o diretor do ATF está fazendo o que pode e ela não comparece."

"Marino, tenho certeza de que ela explicou que...", comecei a defendê-la.

"Claro. Ela telefonou e disse que vai para lá daqui a alguns dias."

"E eles não podem esperar alguns dias?", perguntei, destrancando o carro.

"O tiroteio inteiro foi gravado", ele disse, enquanto eu me acomodava no banco de couro frio. "E eles viram a fita milhares de vezes."

Liguei o carro e a noite subitamente me pareceu mais fria, escura e vazia.

"Há uma série de perguntas no ar." Ele enfiou a mão no bolso do casaco.

"A respeito do tiroteio? Se foi justificado? Salvar a vida dela e a de Jo não é uma justificativa válida?"

"Creio que o principal problema é a atitude dela, doutora. Sabe como ela é. Pronta para atacar e atirar o tempo inteiro. Acontece em tudo o que ela faz, por isso é tão boa. Mas essa agressividade pode se tornar um problema se escapar ao controle."

"Quer entrar no carro, para não congelar aí fora?"

"Vou segui-la até sua casa, depois preciso cuidar de umas coisas. Lucy está lá, certo?"

"Isso mesmo."

"Caso contrário, não a deixarei sozinha, pois o assassino continua solto por aí."

"E o que eu vou fazer com ela?", perguntei, desamparada.

Não sabia mais como proceder. Sentia que minha sobrinha estava fora de alcance. Nem certeza de que ela ainda me amava eu tinha.

"Tudo isso tem a ver com Benton, sabia?", Marino disse. "Ela vive de mal com a vida, claro, e surta de vez em quando. Talvez seja melhor mostrar a ela o relatório da autópsia, obrigá-la a encarar os fatos, fazer com que supere o trauma antes de se ferrar de vez."

"Jamais farei isso", falei, sentindo retornar uma pontada da antiga dor, embora menos intensa.

"Minha nossa, que frio. Estamos quase na lua cheia, a última coisa que eu queria ver no momento."

"A única importância da lua cheia é que ajudará a vê-lo melhor, se ele atacar outra vez", falei.

"Quer que eu a acompanhe?"

"Não precisa se preocupar."

"Bem, avise se Lucy não estiver lá, por algum motivo. Você não vai passar a noite sozinha."

Senti-me como Rose, ao ir para casa. Sabia exatamente o que ela queria dizer quando afirmava que não aceitava viver encurralada pelo medo ou pela idade, pelo sofrimento ou por qualquer pessoa. Quase ao chegar ao meu bairro, resolvi voltar e ir até o Pleasants Hardware, na quadra vinte e dois. Era uma loja de bairro, antiga, que com o passar dos anos crescera e dispunha de amplo estoque, indo bem além de ferramentas comuns e artigos para jardinagem.

Quando fazia compras lá, eu nunca chegava antes das sete da noite, quando os homens em sua maioria saíam do serviço e percorriam os corredores como meninos que cobiçam brinquedos. Vi muitos carros, picapes e peruas no estacionamento, e passei apressada entre móveis para jardim e ferramentas fora de linha, em oferta. Ao entrar, vi bulbos de flores em liquidação, e a ponta de estoque de latas de tinta azul e branca fora empilhada como uma pirâmide.

Eu não sabia exatamente que tipo de ferramenta procurava, embora desconfiasse que a arma usada para matar Bray fosse similar a picareta ou martelo. Por isso, segui de olhos bem abertos pelos corredores, examinando as prateleiras de pregos, porcas, sargentos, ganchos, dobradiças, trancas e trincos. Passei por quilômetros de cordas e cabos perfeitamente enrolados, mantas isolantes e massa de calafetar, além de praticamente tudo de que se poderia precisar para ligações hidráulicas. Não vi nada que me interessasse, nem na seção de cabos, martelos e marretas.

Canos de metal não serviam, pois as ranhuras não eram largas nem espaçadas o bastante para deixar as estranhas marcas estriadas que encontráramos no colchão de Bray. Chaves de roda também não. Eu já estava desanimando quando cheguei na seção de ferramentas para pedreiro. Lá eu vi uma ferramenta pendurada num gancho, no alto, e meu coração disparou.

Era uma espécie de picareta de ferro preto com cabo em espiral, que lembrava uma mola enorme. Aproximei-me e apanhei uma delas. Pesada. Um lado era pontudo, o outro parecia uma talhadeira. A etiqueta a identificava como picareta de entalhar. Custava seis dólares e noventa e cinco centavos.

O rapaz que cuidava da seção não fazia a menor idéia

do que era uma picareta de entalhar, nem sabia que tal item era vendido naquela loja.

"E alguém por aqui saberia me dizer?", perguntei.

Ele pediu ajuda pelo interfone e uma subgerente chamada Julie veio falar comigo. Veio depressa e parecia educada e bem-vestida demais para conhecer ferramentas.

"Pode ser usada para remover escória", disse. "Mas seu emprego mais comum é no trabalho do pedreiro. Para desbastar e furar tijolo, pedra, qualquer material. Trata-se de uma ferramenta versátil, como se pode ver pelas duas pontas. E a tarja alaranjada no cabo indica que tem desconto de dez por cento."

"Quer dizer que se pode encontrar essa ferramenta em qualquer canteiro de obras? Pensei que fosse um item meio raro", falei.

"Se você não trabalha como pedreiro, nem numa fundição, não tem muito motivo para conhecer isso", ela disse.

Comprei a picareta de entalhar com dez por cento de desconto e fui para casa. Lucy não estava lá quando estacionei. Torci para que tivesse ido até o MCV para buscar Jo e trazê-la para casa. Nuvens esbranquiçadas vindas do nada enchiam o céu; calculei que poderia nevar. Guardei o carro na garagem e entrei em casa, seguindo direto para a cozinha. Descongelei um pacote de peito de frango no forno de microondas.

Despejei molho de churrasco na picareta de entalhar, inclusive no cabo em espiral. Depois a larguei e a virei sobre uma fronha branca. As marcas eram inconfundíveis. Golpeei o peito de frango com as duas extremidades da pavorosa arma de ferro preto e reconheci as marcas imediatamente. Liguei para Marino. Ele não estava em casa. Tentei o pager. Ele só respondeu quinze minutos depois. Meus nervos já estavam em frangalhos.

"Lamento", ele disse. "Acabou a bateria do celular, precisei ir atrás de um telefone público."

"Onde você está agora?"

"Andando por aí. O avião monomotor da polícia estadual está sobrevoando a região do rio, usando um refletor potente para vasculhar tudo. Quem sabe o olho do filho-da-mãe não brilha no escuro, feito um olho de gato? Viu o céu? Droga, de repente essa história de que teremos quinze centímetros de neve. Já começou a nevar, aliás."

"Marino, Bray foi assassinada com uma picareta de entalhar", falei.

"E o que vem a ser isso?"

"Uma ferramenta usada por pedreiros. Você sabe se há alguma obra na margem do rio onde usam pedras, tijolos ou coisas semelhantes? Existe a possibilidade de ele ter conseguido a arma no local em que se esconde."

"Onde você conseguiu uma picareta de entalhar? Pensei que tivesse isso para casa. Odeio quando você me desobedece desse jeito."

"Agora *estou* em casa", falei, impaciente. "E talvez ele também esteja, neste minuto. Talvez esteja escondido, fazendo uma parede."

Marino parou de falar.

"Estou pensando que talvez usem essas picaretas em telhados de ardósia", ele disse. "Tem um casarão antigo com portão alto perto de Windsor Farms, bem na beira do rio. Estão trocando o telhado de ardósia de lá."

"Mora alguém no local?"

"Não sei dizer, mas duvido. O pessoal da obra passa o dia circulando por lá. Não mora ninguém, acho. Está à venda."

"Ele pode se esconder lá dentro durante o dia e sair ao escurecer, depois que o pessoal da obra vai embora", argumentei. "Provavelmente o alarme está desligado, para os pedreiros não o acionarem inadvertidamente."

"Estou indo para lá."

"Marino, por favor, não vá sozinho."

"O pessoal do ATF cercou a área", ele disse.

Acendi a lareira e saí para pegar mais lenha. Nevava forte, a lua era um rosto oculto pelas nuvens baixas. Peguei as achas de lenha e as coloquei sob um braço e segurei firme a Glock com o outro. Fiquei de olho nas sombras, atenta também a qualquer som estranho. A noite tremulava de medo. Corri para dentro de casa e liguei o alarme.

Sentei-me na sala, vendo as chamas lamberem a parte interna escura da chaminé. Comecei a fazer uns esboços. Tentei reconstruir o modo como o assassino conduzira Bray até o quarto sem desferir um único golpe. Apesar de anos em serviços burocráticos, ela era policial treinada. Como ele a imobilizara com tanta facilidade, sem precisar lutar nem machucá-la? Minha televisão, ligada, apresentava novidades a cada meia hora, em boletins especiais.

O chamado Loup-Garou deveria estar adorando o noticiário, presumindo-se que tivesse acesso a rádio e televisão.

"... foi descrito como forte, cerca de um metro e oitenta, talvez calvo. Segundo a legista-chefe, doutora Kay Scarpetta, ele deve sofrer de uma doença rara que causa excesso de pêlos e deformação no rosto e nos dentes..."

Muito obrigada, Harris, pensei. Ele precisava atribuir tudo a mim.

"... todos devem tomar muito cuidado. Não abrir a porta sem ter certeza absoluta de que é alguém conhecido."

Harris tinha razão sobre uma questão. As pessoas iam entrar em pânico. Meu telefone tocou pouco antes das dez.

"Oi", Lucy disse, no tom mais animado que eu ouvira nos últimos tempos.

"Você ainda está no MCV?", perguntei.

"Resolvendo tudo por aqui. Viu a neve lá fora? Está caindo de montão. Vamos chegar aí em menos de uma hora."

"Dirija com cuidado. Telefone quando estiver na porta para eu ajudar Jo a entrar."

Acrescentei mais lenha ao fogo e, por mais segura que fosse minha fortaleza, comecei a me apavorar. Tentei me distrair vendo um filme antigo de James Stewart na HBO enquanto pagava umas contas. Pensei em Talley e fiquei deprimida de novo, pois ainda sentia raiva dele. Apesar de minhas contradições, ele poderia ter me dado uma chance. Tentei falar com ele várias vezes, e nunca recebi uma ligação de volta.

Quando o telefone tocou novamente, dei um pulo e a pilha de contas caiu do meu colo.

"Alô?", falei.

"O filho-da-mãe se esconde aqui, com certeza", Marino informou. "Mas não está, no momento. Tem lixo, embalagens de alimentos, sujeira por tudo quanto é lado. E pêlos na cama. Os lençóis fedem como se um cachorro sujo e molhado dormisse lá."

A eletricidade estalava em minhas veias.

"O HIDTA tem uma equipe por aqui, e a polícia patrulha toda a área do rio. Se ele resolver tomar um banho, vai se ferrar."

"Lucy está trazendo Jo para casa, Marino", falei. "Ela também está na rua."

"Você ficou sozinha?", ele perguntou.

"Sozinha, mas dentro de casa, trancada, com o alarme ligado e a pistola na mesa-de-cabeceira."

"Então não saia daí, entendeu bem?"

"Não se preocupe."

"Ainda bem que neva muito. Mais de oito centímetros, e você sabe que a neve se acumula rapidamente. Não é o momento mais apropriado para ele perambular por aí."

Desliguei e mudei de um canal para outro, mas nada me interessava. Levantei-me, fui até o escritório para checar os e-mails. Mas não senti vontade de responder a nenhum. Peguei o frasco de formalina e o examinei contra a luz, observando os dois olhos amarelos miúdos que na verdade eram círculos dourados reduzidos em seu tamanho, e pensei no quanto eu andava perdida. Cada atraso e cada movimento errado me angustiavam. Agora mais duas mulheres estavam mortas.

Deixei o frasco de formalina sobre a mesa de centro da sala. Liguei a televisão às onze, na NBC, para ver o noticiário. Claro, era tudo a respeito daquele monstro malvado, o Loup-Garou. Mudei para outro canal e levei um susto, pois meu alarme anti-roubo disparou. O controle remoto caiu no chão e eu levantei num salto. Fui para os fundos da casa. Parecia que meu coração ia sair pela boca. Tranquei a porta do quarto, peguei a Glock e esperei o telefone tocar. Passaram-se alguns minutos e ele tocou.

"Zona seis, porta da garagem", fui informada. "Devemos chamar a polícia?"

"Sim! Chamem a polícia imediatamente!"

Sentei-me na cama e deixei o alarme ecoar em meus ouvidos sem parar. Fiquei de olho no monitor do Aiphone, então lembrei que ele só funcionaria se a polícia tocasse a campainha. E, como eu já sabia, eles nunca faziam isso. Eu não tive escolha senão desativar o alarme e ligá-lo novamente. Depois fiquei sentada em silêncio, esforçando-me tanto para identificar qualquer som que imaginei ser capaz de ouvir a neve caindo.

Transcorridos apenas dez minutos, ouvi batidas fortes na porta da frente. Segui pelo corredor e ouvi uma voz alta dizer, no alpendre: "Polícia".

Aliviada, deixei a pistola sobre a mesa da sala e perguntei: "Quem é?".

Precisava ter certeza.

"Polícia, senhora. Viemos por causa de seu alarme, que disparou."

Abri a porta e os mesmos dois policiais das outras noites limparam a neve das botas e entraram.

"A senhora não tem dado muita sorte com o alarme ultimamente, não é?", a policial Butler disse ao calçar as luvas, atenta a tudo o que acontecia em volta. "Parece que vamos acabar amigas, se continuar assim."

"Porta da garagem, desta vez", disse McElwayne, o outro guarda. "Vamos dar uma espiada."

Segui-os até a porta da garagem e percebi instantaneamente que não era nenhum alarme falso. A porta da garagem fora aberta uns quinze centímetros, e quando espiamos pela abertura vimos pegadas que iam até a porta e depois se afastavam dela. Não localizamos marcas de instrumentos, exceto riscos na proteção de borracha no pé da porta. As pegadas estava cobertas por uma fina camada de neve. Eram recentes, e isso combinava com o momento em que o alarme disparara.

McElwayne pediu a presença de um detetive de roubos, que chegou vinte minutos depois e tirou fotos da porta e das pegadas, além de procurar impressões digitais. Mas, novamente, a polícia não podia fazer nada, exceto seguir as pegadas na neve, que saíam pelo meu quintal e iam até a rua, onde a neve fora remexida pelos pneus.

"Vamos manter uma viatura patrulhando a área", Butler disse, quando saíram. "Ficaremos de olho na sua casa, e se suspeitar de algo chame a polícia imediatamente. Mesmo que seja apenas um barulho diferente, entendeu?"

Chamei Marino pelo pager. Era meia-noite.

"O que foi?", ele perguntou.

Contei.

"Estou a caminho, agora mesmo."

"Espere, está tudo bem", falei. "Eu me assustei, mas estou bem. Melhor você ir procurá-lo do que vir aqui bancar minha babá."

Ele hesitou. Percebi que tentava tomar uma decisão.

"Além disso, não é o estilo dele arrombar a casa das pessoas", acrescentei.

Marino levou isso em consideração e disse: "Acho bom você saber de uma coisa. Mas fiquei na dúvida se devia contar. Talley está aqui".

Levei um choque.

"Ele é o líder da equipe que o HIDTA enviou."

"Há quanto tempo ele chegou?" Tentei soar apenas curiosa, e mais nada.

"Faz uns dias."

"Mande um abraço para ele", falei, como se Talley não significasse mais quase nada para mim.

Não enganei Marino.

"Pena que ele tenha se revelado um tremendo cafajeste", ele disse.

Após desligar, telefonei imediatamente para o setor de ortopedia do MCV, e a enfermeira de plantão não sabia quem eu era e se recusou a divulgar qualquer informação. Eu queria ligar para o senador Lord. Para o dr. Zenner, para Lucy, para uma amiga, para alguém que se importasse. Naquele momento sentia tanta falta de Benton que achei que não ia agüentar. Pensei que seria sufocada pelos destroços de minha vida. Pensei em morrer.

Tentei reavivar o fogo, mas tive dificuldade porque a lenha estava úmida. Olhei para o maço de cigarros em cima da mesa de centro, contudo não tive energia para acender um. Sentada no sofá, levei as mãos ao rosto até os soluços de dor passarem. Quando bateram na porta com força, outra vez, meus nervos doíam mas o pior tinha passado.

"Polícia", anunciou a voz masculina, após bater com algo duro, como um cassetete ou bastão.

"Não chamei a polícia", falei sem abrir a porta.

"Senhora, recebemos um chamado a respeito de um elemento suspeito em sua propriedade", ele disse. "Está tudo bem?"

"Sim, claro", falei enquanto desligava o alarme e abria a porta para conversar com ele.

A luz da entrada estava apagada, e não me ocorreu que ele fosse capaz de falar inglês sem sotaque francês. Senti o mau cheiro, como de cachorro sujo molhado, quando ele avançou e fechou a porta com um coice. O grito morreu em minha garganta quando ele abriu seu sorriso hediondo e estendeu a mão peluda para tocar meu rosto, como se seus sentimentos a meu respeito fossem ternos.

Uma metade do rosto era mais baixa do que a outra, e os pêlos finos cortados rente cobriam tudo. Olhos alucinados e tortos queimavam de desejo, ódio e escárnio infernais. Ele arrancou o capote comprido negro e o lançou feito uma rede sobre minha cabeça. Tentei correr. Tudo aconteceu em poucos segundos.

O pânico me levou até a sala maior, e ele me seguiu emitindo sons guturais que não pareciam humanos. O terror absoluto me impedia de raciocinar. Fiquei reduzida ao impulso infantil de jogar algo nele, e a primeira coisa que vi foi o frasco de formalina que continha um pedaço da pele do irmão que ele havia assassinado.

Agarrei o frasco na mesinha, pulei em cima do sofá e tentei desatarraxar a tampa. Agora ele empunhava a arma, a picareta de cabo em espiral. Quando a ergueu para me atacar, atirei o líquido em seu rosto.

Ele uivou com a formalina, levou as mãos ao rosto e esfregou os olhos. Mas queimava, e o efeito dificultava sua respiração. Ele esfregava os olhos fechados, gritava e tentava arrancar a camisa, soluçando e queimando como se estivesse em chamas. Saí correndo. Peguei a pistola na mesa da sala de jantar e acionei o alarme de pânico enquanto corria para a rua coberta de neve, saindo pela porta da frente. O chão sumiu debaixo de meus pés nos degraus e meu braço esquerdo serviu de apoio, quando caí. Ao tentar levantar, percebi que tinha fraturado o cotovelo. Chocada, vi que ele cambaleava em minha direção.

Ele agarrou o corrimão e desceu, meio cego, gritando. Eu estava sentada no degrau de baixo, em pânico, recuando como se remasse. A parte superior de seu corpo estava coberta de pêlos longos louros. Eles caíam pelo braço e se enrolavam nas costas. Ele caiu de joelhos, pegando punhados de neve para esfregar no rosto e no pescoço, enquanto tentava recuperar o fôlego.

Ele estava bem perto de mim, e imaginei que iria pular a qualquer momento, como um monstro que não fosse humano. Ergui a pistola, mas não consegui engatilhá-la. Tentei várias vezes, porém o cotovelo fraturado e os tendões machucados não permitiam que eu dobrasse o braço.

Eu não conseguia me levantar. Continuei escorregando. Ele ouviu o barulho e engatinhou em minha direção. Recuei, escorreguei, tentei rolar na neve. Ele soluçou, depois ficou deitado com o rosto afundado na neve, como fazem as crianças quando brincam, para aliviar a dor da corrosão química. Ele cavava a neve feito um cão, fazendo uma pilha na cabeça e jogando punhados no pescoço. Estendeu um braço peludo para me agarrar. Eu não entendia as palavras em francês que ele dizia, mas calculei que implorava por socorro.

Ele chorava. Sem camisa, tremia de frio. As unhas estavam sujas, quebradas. Usava botas e calças de operário, talvez de alguém que trabalhava no navio. Ele gritava e tremia, e quase senti pena do assassino. Mas não me aproximei.

No meu cotovelo fraturado a hemorragia já havia começado. Meu braço inchava e latejava. Não ouvi o carro chegar. Lucy veio correndo pela neve, quase perdeu o equilíbrio em diversos momentos enquanto engatilhava a Glock que tanto apreciava. Ajoelhou-se a meu lado em posição de combate. Apontou o cano de aço inoxidável para a cabeça dele.

"Lucy, não faça isso!", gritei, tentando ficar de joelhos.

Ela ofegava muito e mantinha o dedo no gatilho.

"Seu filho-da-puta desgraçado", ela disse. "Seu monte de merda", prosseguiu enquanto ele gemia e esfregava neve nos olhos.

"Lucy, não faça isso!", gritei outra vez, mas ela segurou a pistola com mais força e a apontava com firmeza.

"Vou acabar com a sua raça, seu filho-da-puta desgraçado!"

Arrastei-me até ela, ouvindo vozes, passos e a porta de um carro sendo fechada.

"Lucy!", falei. "Não. *Pelo amor de Deus, não!*"

Era como se ela não me ouvisse mais, como se não ouvisse ninguém. Mergulhara num mundo sombrio, cheio de ódio, só seu. Lucy engoliu em seco enquanto ele tremia, com as mãos sempre a esfregar os olhos.

"Pare de se mexer!", ela gritou para ele.

"Lucy." Cheguei mais perto. "Abaixe a arma."

Mas ele não parava de se retorcer, e ela mantinha a posição de tiro. Contudo, Lucy hesitou por um segundo.

"Lucy, você não quer fazer isso", falei. "Por favor, abaixe a arma."

Ela não obedeceu. Não respondeu nem olhou para mim. Percebi que havia gente em volta, pessoas de farda de combate, rifles e pistolas em punho.

"Lucy, abaixe a arma", ouvi Marino dizer.

Ela não se mexeu. A pistola tremia em suas mãos. O pobre coitado conhecido como Loup-Garou gemia e ofegava. Estava a poucos centímetros dos pés dela, e eu também, do outro lado.

"Lucy, olhe para mim", falei. "Olhe para mim!"

Ela olhou para o lado e uma lágrima escorreu por sua face.

"Já chega de matança", falei. "Por favor, vamos parar. Você não pode matar alguém a sangue-frio. Isso não é legítima defesa. Jo está no carro, esperando você. Não faça isso. Não faça isso, por favor. Nós amamos você."

Ela engoliu em seco. Estiquei a mão, cautelosamente.

"Entregue a arma", falei. "Por favor. Amo você. Me dê a pistola."

Ela abaixou a arma e a jogou na neve, onde o aço brilhava feito prata. Ela ficou onde estava, de cabeça baixa. Logo Marino chegou e começou a dizer coisas que não entendi. Meu cotovelo doía muito, latejava como se fosse um tambor. Alguém me levantou com pulso firme.

"Vamos", Talley me disse carinhosamente.

Ele me abraçou e eu ergui os olhos para vê-lo. Era uma coisa tão estranha ele estar ali, usando a farda do ATF. Eu nem tinha certeza de que era verdade. Um sonho ou um pesadelo. Nada disso poderia ter acontecido. Não havia lobisomem nenhum, Lucy não ia atirar em ninguém, Benton não estava morto e eu não ia desmaiar. Talley me segurou.

"Precisamos ir a um hospital, Kay. Aposto que você conhece todos na região", Jay Talley disse.

"Precisamos pegar Jo no carro. Ela deve estar com frio. Não pode se mexer", falei.

Meus lábios estavam dormentes. Eu mal conseguia pronunciar as palavras.

"Tudo bem. Vamos cuidar de tudo, ela ficará confortável."

Meus pés pareciam de madeira, mas ele me ajudou a andar. Movia-se como se a neve e o gelo não fizessem diferença para ele.

"Lamento minha atitude", ele disse.

"Eu tomei a iniciativa", falei, com dificuldade.

"Posso chamar uma ambulância, se quiser. Mas prefiro levá-la eu mesmo."

"Sim, sim", falei. "Eu gostaria muito."

Série Policial

Réquiem caribenho
Brigitte Aubert

Bellini e a esfinge
Bellini e o demônio
Tony Bellotto

Os pecados dos pais
O ladrão que estudava Espinosa
Punhalada no escuro
O ladrão que pintava como Mondrian
Uma longa fila de homens mortos
Bilhete para o cemitério
O ladrão que achava que era Bogart
Lawrence Block

O destino bate à sua porta
James Cain

Post-mortem
Corpo de delito
Restos mortais
Desumano e degradante
Lavoura de corpos
Cemitério de indigentes
Causa mortis
Contágio criminoso
Foco inicial
Alerta negro
Patricia Cornwell

Vendetta
Michael Dibdin

Edições perigosas
Impressões e provas
John Dunning

Máscaras
Leonardo Padura Fuentes

Tão pura, tão boa
Correntezas
Frances Fyfield

O silêncio da chuva
Achados e perdidos
Vento sudoeste
Uma janela em Copacabana
Perseguido
Luiz Alfredo Garcia-Roza

Neutralidade suspeita
A noite do professor
Transferência mortal
Um lugar entre os vivos
Jean-Pierre Gattégno

Continental Op
Dashiell Hammett

O talentoso Ripley
Ripley subterrâneo
O jogo de Ripley
Ripley debaixo d'água
Patricia Highsmith

Sala dos Homicídios
Morte no seminário
Uma certa justiça
Pecado original
A torre negra
Morte de um perito
P. D. James

Música fúnebre
Morag Joss

Sexta-feira o rabino acordou tarde
Sábado o rabino passou fome
Domingo o rabino ficou em casa
Segunda-feira o rabino viajou
O dia em que o rabino foi embora
Harry Kemelman

Um drink antes da guerra
Apelo às trevas
Sobre meninos e lobos
Sagrado
Dennis Lehane

Morte no Teatro La Fenice
Donna Leon

A tragédia Blackwell
Ross Macdonald

É sempre noite
Léo Malet

Assassinos sem rosto
Os cães de Riga
A leoa branca
Henning Mankell

Os mares do Sul
O labirinto grego
O quinteto de Buenos Aires
O homem da minha vida
Manuel Vázquez Montalbán

O diabo vestia azul
Walter Mosley

Informações sobre a vítima
Vida pregressa
Joaquim Nogueira

Serpente
A confraria do medo
A caixa vermelha
Cozinheiros demais
Milionários demais
Mulheres demais
Ser canalha
Aranhas de ouro
Clientes demais
Rex Stout

Fuja logo e demore para voltar
Fred Vargas

A noiva estava de preto
Casei-me com um morto
Cornell Woolrich

ESTA OBRA FOI COMPOSTA PELO GRUPO DE CRIAÇÃO EM GARAMOND E
IMPRESSA PELA GEOGRÁFICA EM OFSETE SOBRE PAPEL ALTAPRINT DA
SUZANO BAHIA SUL PARA A EDITORA SCHWARCZ EM NOVEMBRO DE 2004